Les héritiers du fleuve

Tome 2

1898~1914

LOUISE TREMBLAY-D'ESSIAMBRE

Les héritiers du fleuve

Tome 2

1898~1914

Guy Saint-Jean
ÉDITEUR

Guy Saint-Jean Éditeur
3440, boul. Industriel
Laval (Québec) Canada H7L 4R9
450 663-1777
info@saint-jeanediteur.com
www.saint-jeanediteur.com

. . . .

Catalogage avant publication de Bibliothèque et Archives nationales du Québec et Bibliothèque et Archives Canada

Tremblay-D'Essiambre, Louise, 1953-
Les héritiers du fleuve
L'ouvrage complet comprendra 4 volumes.
Sommaire : t. 2. 1898-1914.
ISBN 978-2-89455-708-2 (vol. 2)
I. Tremblay-D'essiambre, Louise, 1953- . 1898-1914. II. Titre. III. Titre : 1898-1914.
PS8589.R476H47 2013   C843'.54   C2013-940991-2
PS9589.R476H47 2013

. . . .

Nous reconnaissons l'aide financière du gouvernement du Canada par l'entremise du Fonds
du livre du Canada (FLC) ainsi que celle de la SODEC pour nos activités d'édition. Nous remercions
le Conseil des Arts du Canada de l'aide accordée à notre programme de publication.

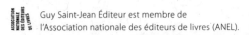

Canada   Patrimoine Canadian   SODEC Québec   Conseil des Arts du Canada / Canada Council for the Arts
          canadien Heritage

Gouvernement du Québec — Programme de crédit d'impôt pour l'édition de livres — Gestion SODEC

© Guy Saint-Jean Éditeur inc. 2013

Conception graphique : Christiane Séguin
Révision : Marie Desjardins
Correction d'épreuves : Jacinthe Lesage
Page couverture : Toile de Daniel Brunet, *Isolée pour l'hiver*, coll. privée, www.danielbrunet.com

Dépôt légal — Bibliothèque et Archives nationales du Québec, Bibliothèque et Archives Canada, 2013
ISBN : 978-2-89455-708-2
ISBN ePub : 978-2-89455-709-9
ISBN PDF : 978-2-89455-710-5

Distribution et diffusion
Amérique : Prologue
France : Dilisco S.A./Distribution du Nouveau Monde (pour la littérature)
Belgique : La Caravelle S.A.
Suisse : Transat S.A.

Imprimé et relié au Canada
1re impression, octobre 2013

Guy Saint-Jean Éditeur est membre de
l'Association nationale des éditeurs de livres (ANEL).

À ma toute petite,
devenue bien trop vite une jeune demoiselle.
J'en suis très fière.
Je t'aime, Miss Alexie...

« Dans toutes les larmes s'attarde un espoir. »

SIMONE DE BEAUVOIR

« Les mots, c'est évident, sont la plus
puissante drogue utilisée par l'humanité. »

RUDYARD KIPLING

NOTE DE L'AUTEUR

Comme le temps passe vite. Je me revois, il y a de cela un an à peine, assise ici, dans ce même bureau que je trouvais étriqué. Je me sentais à l'étroit, j'étouffais, et j'avais peur que les mots désertent ma pensée. Puis, un matin, il y a eu Emma, Victoire et Alexandrine qui m'y attendaient, et les murs de la pièce se sont ouverts sur l'univers de ces trois femmes que je ne connaissais pas encore. L'horizon était subitement sans limite et l'envie de me lancer dans une nouvelle aventure en leur compagnie est vite devenue irrépressible. J'ai oublié l'étroitesse des lieux pour découvrir un monde fait de labeur et d'amour, d'espoir et de déception, de peur et de générosité, de rires et de larmes. J'ai humé avec gourmandise l'odeur du varech qui me chatouillait les narines et j'ai senti la moiteur des embruns sur ma peau en même temps que ces trois jeunes femmes. Puis, à vol d'oiseau, j'ai rejoint James à Montréal, une métropole bien différente de celle que l'on connaît aujourd'hui. J'ai pris le tramway « hippomobile » avec lui — quelle drôle de chose ! — et j'ai admiré les maisons de style victorien dans des quartiers trop chic pour qu'on puisse ne serait-ce qu'espérer s'y installer un jour. James et moi en avons ri ensemble. Il m'a alors présenté ses amis, sa logeuse et, plus tard, sa douce amie Lysbeth.

Et petit à petit, tous les autres personnages se sont greffés à eux.

J'ai respiré bruyamment devant l'entêtement de Matthieu et j'ai souri devant le gros bon sens de Mamie. J'ai eu peur avec Clovis et j'ai pleuré avec Alexandrine. Je me suis réchauffée au feu de la forge d'Albert et je peux vous assurer que les gâteaux de Victoire sentent vraiment très bon. Malheureusement, elle ne m'a pas encore invitée à y goûter. Faute de temps, je présume. J'espère qu'elle le fera un jour.

Voilà de quoi a été fait le cours de mes journées, depuis l'été dernier, un pied ancré dans le terroir du dix-neuvième siècle avec mes personnages et l'autre pataugeant dans l'eau de la rivière qui s'est invitée sans permission à faire un détour par notre sous-sol en plein mois de février !

Comme on dit : c'est la vie !

Il y a la mienne, bien sûr, qui doit sûrement teinter mes écrits d'une certaine façon. Il y a aussi celle de tous ces nouveaux personnages que j'ai appris à aimer. J'ai remis le manuscrit du premier tome vendredi dernier et, sans délai, je me remets à l'écriture du deuxième dès ce matin. Vous l'ai-je dit ? Il y aura quatre tomes dans cette série, et je vous assure que c'est avec le plus grand des plaisirs que j'ai retrouvé tout ce beau monde dans mon bureau, dès l'aube de ce petit lundi de printemps encore frisquet.

Lionel m'y attendait, un large sourire illuminant son

regard habituellement sérieux. J'ai l'impression qu'il a une bonne nouvelle à m'annoncer et je crois savoir ce que c'est. Pourtant, malgré la curiosité de voir si j'ai bien deviné, je vais lui demander de patienter encore un peu. Avant de faire un saut dans le temps qui nous projettera en 1898, j'aimerais m'attarder à l'automne de 1893, pour retrouver Emma. Son inquiétude m'a bouleversée et j'ai envie de l'accompagner jusqu'au bout de cette grossesse dont elle se serait bien passée.

En ce moment, je me tiens donc dans le corridor de sa maison. Les plus jeunes se préparent à partir pour l'école, on les entend à la cuisine, et les plus vieux sont déjà aux champs avec leur père. Le temps des récoltes vient de commencer. Quant à Lionel, il a regagné le collège pour une dernière année. Gilberte aussi est dans la cuisine avec Mamie, et je m'apprête à frapper à la porte d'Emma. C'est que le temps doit lui sembler fort long, maintenant qu'elle n'a plus le droit de descendre au rez-de-chaussée. En effet, même ce petit plaisir quotidien lui a été retiré depuis la fin du mois d'août. Alors j'ai décidé de lui tenir compagnie et, si le cœur vous en dit, il ne vous reste plus qu'à vous joindre à moi.

PROLOGUE

Dans la chambre d'Emma sur la Côte-du-Sud, septembre 1893

Emma avait fermé les yeux. Elle offrait son visage aux rayons tièdes qui ondulaient en toute liberté jusqu'à son lit, une des fenêtres de sa chambre donnant vers l'est et l'étable. À peine sept heures du matin, et la chaleur était déjà perceptible, malgré le vent du large qui agitait la tête des arbres.

Ce serait assurément une très belle journée d'automne, de celles qu'Emma aimait particulièrement, quand l'air est doux et que la brise charrie, à coup de petites bourrasques, des senteurs de pommes juteuses et de feuilles mortes. Ou encore, quand on a droit à quelques heures qui s'amusent à faire des clins d'œil à l'été avec un beau soleil tout rond qui chauffe la nuque et les épaules. Dans ce temps-là, Emma aime bien voir elle-même à vider le potager avant de faire quelques conserves en prévision de l'hiver. Malgré la monotonie qui accompagne la ronde immuable des jours, des semaines et des saisons, malgré parfois l'ennui des siens, parents et amis restés de l'autre côté du fleuve,

Emma aimait cette famille, et cette vie qu'ils s'étaient forgée, Matthieu et elle. Même si aujourd'hui, Emma n'était plus vraiment certaine d'être encore amoureuse de son mari, pas comme elle l'avait déjà été en tout cas, et surtout pas comme elle en avait rêvé, la future mère s'ennuyait de ce quotidien qui était habituellement le sien. Une petite routine que le médecin lui refusait depuis de si longs mois, et pour l'instant, elle trouvait éprouvant de devoir s'en remettre à d'autres pour s'occuper du bien-être des siens.

Ce matin, à ses yeux, le bien-être de sa famille ressemblait à un jardin débordant de légumes bien mûrs.

Avait-on prévu le vider aujourd'hui de tous ces légumes qu'il fallait mettre au caveau ? Il faisait si beau, la journée s'y prêterait bien. Mais une fois les légumes cueillis, saurait-on les ranger comme elle-même le faisait, afin de s'assurer qu'ils se conservent jusqu'au printemps ? Gilberte pourrait-elle voir aux marinades qui agrémenteraient certains repas plus monotones de l'hiver ? Emma n'avait jamais pris le temps de montrer à ses filles comment cuisiner, n'en sentant pas vraiment le besoin. Avec Mamie à ses côtés, la routine était facile et agréable. Mais voilà qu'on l'obligeait à se tenir en retrait. Comment, dans de telles conditions, être certaine que tout un chacun ne manquerait de rien durant l'hiver ? Être à la merci du bon vouloir de ceux qui circulaient autour d'elle la blessait parfois, l'impatientait de plus en plus, et l'humiliait quotidiennement dans certains rituels découlant de la plus stricte intimité. Se sentant de plus en plus inutile, Emma n'osait dicter les choses à faire, tant à Gilberte qui y mettait tout son cœur, qu'à Mamie qui, faisant fi de son âge, y consacrait une énergie de jeune femme.

Pour toutes ces raisons et pour une première fois dans sa vie, Emma avait hâte au jour de l'accouchement qu'elle appelait intérieurement le jour de la libération. Aussi pénibles que soient les souvenirs qu'elle gardait de ce passage obligé menant à la naissance d'un enfant, elle n'en pouvait plus de cette immobilité imposée. Elle en était venue à se convaincre que l'accouchement ne serait qu'un mauvais moment à passer, un peu comme une rage de dents que le médecin soulage dans la douleur et les cris en arrachant la dent malade. Quand tout est fini, on est peut-être affaibli, tremblant, mais on se sent bien, envahi d'une force nouvelle. On se sent revivre. Voilà vers quoi tendait Emma : se retrouver le plus vite possible à son poste, habitée d'une joie de vivre qu'elle n'avait pas ressentie depuis longtemps, et permettre ainsi à Gilberte de retourner à l'école pendant peut-être encore un an ou deux. Sa fille en rêvait, c'est elle-même qui le lui avait dit.

Emma ouvrit les yeux quand la porte de la cuisine claqua, indiquant le départ des jeunes qui s'en allaient à l'école pour la première fois cette année. Aussitôt après, elle entendit la voix de Gilberte qui haranguait les jumeaux :

— Grouillez-vous un peu, vous deux ! J'ai pas juste ça à faire, moi, d'aller vous reconduire à l'école !

Emma pinça les lèvres sur cet éclat de voix qui lui parvenait depuis la cuisine. Ce matin, une première dans leur vie, les jumeaux prenaient la route de l'école du rang. Pourtant, ils venaient tout juste d'avoir cinq ans. C'est que Gilberte, dépassée par les tâches quotidiennes qu'elle devait assumer en compagnie de Mamie depuis que le médecin avait cloué sa mère au lit, avait décidé d'intervenir auprès de l'institutrice afin que celle-ci accepte d'intégrer Antonin et Célestin dans sa classe, malgré leur jeune âge. Réflexion faite, mademoiselle Goulet avait acquiescé à ses demandes et c'est ainsi que, ce matin, les jumeaux Bouchard s'apprêtaient à leur tour à prendre le chemin des écoliers. Pour faire la route, Marius avait préparé la calèche afin que Gilberte puisse s'en servir. Le vieux cheval qui y était attelé attendait devant les marches du perron, mâchouillant un vieux bout de foin tout en renâclant de temps à autre.

— Envoye, Célestin! Mon doux que t'es lent, toi. Regarde un peu ton frère! Il est pratiquement prêt, lui.

Gilberte en criait presque d'impatience.

Emma poussa un grognement d'irritation, les lèvres de plus en plus pincées pour s'empêcher de vociférer à travers le plancher que ça ne servait à rien de crier par la tête de Célestin. Depuis la naissance, il était plus lent que son frère, plus lent en tout. Le lui répéter ne faisait que le blesser inutilement, le rendant encore plus malhabile si la chose était possible. C'était dans sa nature d'être d'humeur égale, calme et flegmatique, pour ne pas dire impassible. Ce n'était donc pas ce matin que ça allait changer!

Quelques instants plus tard, après un second claquement de porte, la maison se retrouva plongée dans un silence agréable. Le bruit des sabots sur la terre durcie de la cour se perdit peu à peu au bout du sentier, puis au bout du rang, et bientôt, seule la voix de Mamie qui fredonnait à la cuisine apporta une petite note de vie en s'associant au croassement des corneilles. Haut perchées dans les arbres, elles annonçaient à plein bec les froidures à venir. Pour Emma, le cri de ces gros oiseaux noirs évoquait toujours les saisons de l'entre-deux. Autant pouvait-elle le trouver déprimant à l'automne, prémices de l'hiver et de ses froids à pierre fendre, autant savait-elle goûter les promesses de chaleur que ce même cri laissait présager quand revenait enfin le mois de mars.

Le soleil ayant déserté son oreiller, Emma se tourna péniblement sur le côté. Son ventre ballonné rendait le moindre mouvement difficile, pour ne pas dire douloureux. Elle se trouvait énorme et pourtant, il restait près de deux mois d'attente. Cependant, le médecin l'avait rassurée: dans ce ventre démesuré, il n'y avait qu'un seul bébé, il en était quasiment certain.

— Mais pourquoi, alors, est-ce que je suis si grosse?

— C'est toujours le même problème d'utérus paresseux! Le muscle est fatigué, distendu. Il ne retient plus rien. La peau non plus, d'ailleurs. Alors votre ventre enfle, enfle… Et puis c'est normal qu'avec le temps et l'âge, les bébés soient plus gros. D'où la nécessité de rester allongée!

Le médecin tentait de se faire rassurant et il gardait ses inquiétudes pour Matthieu. Il ne l'aurait jamais dit devant Emma, mais celle-ci avait quand même entendu les mots qui s'échangeaient à la cuisine : Étienne Ferron aurait nettement préféré que sa patiente puisse accoucher dans un hôpital.

— Mais dans l'état où elle se trouve, Québec est beaucoup trop loin pour songer à s'y rendre en calèche... Peut-être le train, avait-il suggéré, tout hésitant, sachant que la famille n'était pas riche.

Depuis toujours, Matthieu réglait la plupart des visites du médecin autrement qu'en espèces : poule, œufs ou conserves et, l'automne venu, en manne de pommes, ce qui témoignait de la précarité des finances de cette famille.

— Québec ? Je vous arrête tout de suite, docteur, avait justement répondu Matthieu, à la suite de la suggestion du praticien. J'ai pas d'argent pour ça... Ni pour le train ni pour les soins ! Comme pour les autres fois, on va donc s'en remettre à Dieu pour veiller sur notre famille. Jusqu'à date, pis vous pouvez pas dire le contraire, Il nous a jamais laissé tomber.

Telle avait été la réponse de Matthieu, sur ce ton glacial qu'il affectionnait depuis quelques années, celui qui coupait toute envie de riposte.

Seule dans sa chambre, Emma avait tout entendu, et les mots indifférents et le ton employé pour les dire. Elle avait alors serré les paupières très fort pour retenir les larmes qu'elle sentait poindre. N'avait-elle pas plus de poids et d'importance qu'une machine dans le cœur de son mari ? Tout comme il avait emprunté de l'argent au notaire afin d'acheter de la machinerie moderne pour sa ferme, et deux fois plutôt qu'une, ne pouvait-il pas, cette fois-ci encore, emprunter quelques sous pour s'assurer que sa femme sorte vivante de cet accouchement? Puisqu'elle n'était d'aucune utilité à la maison, pourquoi ne pas lui permettre de se rendre à l'Hôtel-Dieu de Québec dès maintenant pour attendre la naissance de leur enfant en toute sécurité? Aux yeux d'Emma, l'amour qui devait les unir aurait dû se manifester de la sorte. C'était tout de même le médecin qui le disait: Emma, encore une fois, risquait de sérieuses complications lors de l'accouchement. Complications qui avaient failli lui coûter la vie à la naissance des jumeaux.

Alors?

Depuis cette discussion, toutes ces questions empêchaient Emma de s'endormir, elle qui, à force de rester allongée, avait l'impression d'avoir accumulé suffisamment de repos pour se rendre jusqu'au bout de sa vie sans plus jamais connaître la nécessité d'une nuit complète.

Et quand ce n'étaient pas les inquiétudes devant l'accouchement ou les questionnements sur les sentiments de Matthieu qui la tenaient éveillée, c'étaient l'absence de Lionel et l'ennui ressenti pour son aîné qui prenaient la relève pour ravir quelques heures au sommeil.

Emma avait la désagréable sensation de vivre par procuration, et elle n'en pouvait plus de calculer les heures, les minutes et les secondes.

Septembre fut beau, presque chaud, comme pour la narguer.

De son côté, Lionel n'en menait guère plus large. Quelques semaines avaient passé depuis la rentrée scolaire, mais l'inquiétude continuait de le tarauder, jour après jour. C'était cette même appréhension qui l'avait accompagné jusqu'au collège, le soir du lundi de la fête du Travail, modulée au rythme des pas du cheval qui l'éloignait de chez lui.

— S'il se passe quoi que ce soit, tu viens me chercher, avait-il ordonné à Marius, venu le reconduire.

Le collège était déjà en vue et on pouvait observer le va-et-vient des pensionnaires qui arrivaient les uns après les autres.

— C'est sûr, avait rétorqué Marius en manœuvrant habilement pour se frayer un chemin à travers l'embouteillage des voitures, des calèches et des charrettes.

Il y avait même un fiacre arrêté devant la porte principale.

Lionel n'avait pas besoin d'être plus précis, Marius avait fort bien compris ce que son frère voulait dire. Même si son nom n'avait pas été prononcé, Emma, leur mère, était au cœur de ce bref dialogue.

— Promis? insista Lionel avant de sauter de son banc.

— Promis. Tu peux compter sur moi… Donne-moi une minute, j'attache le cheval et je t'aide à descendre ta malle.

Lionel avait ainsi commencé sa dernière année d'études au collège, le cœur pris dans un étau.

Le jour, ça pouvait aller, il était débordé. Non seulement étudiait-il comme un forcené car il avait de grandes ambitions, mais, en plus, il était utilisé à toutes les sauces par le père supérieur à titre de professeur suppléant. Premier de classe depuis son entrée au collège, Lionel passait avec un égal bonheur du latin aux mathématiques, du grec au français, de l'histoire à la géographie, ce qui faisait grandement l'affaire du directeur qui, depuis quelques années, avait à justifier de façon pointue la moindre demande d'aide auprès de l'évêché. Aide qui lui était accordée, bien sûr, mais au compte-gouttes en la personne de quelques séminaristes venus de la ville prêter main-forte à l'habituel contingent de professeurs. C'est ainsi que Lionel, le jour et le soir, se contentait de mettre toutes ses pensées et son énergie à l'accomplissement des tâches demandées: enseignement reçu ou donné, devoirs à faire, textes à étudier, cours à préparer et corrections à effectuer. C'était difficile, voire éreintant, d'être à la fois élève et professeur. Ce faisant, par contre, au fil de ces deux dernières années, Lionel n'avait dépendu ni de la paroisse ni de ses parents pour payer ses études. Il en tirait une grande fierté.

C'est ainsi que, depuis le début de septembre, il ne restait que la nuit pour penser aux siens, pour penser à sa mère, ce que Lionel faisait jusqu'à ce que l'épuisement l'emporte dans un mauvais sommeil. Heureusement, il n'avait plus à partager un vaste dortoir avec d'autres étudiants. Une minuscule chambre lui était désormais dévolue, comme à chacun de ses confrères de philosophie. À mal dormir et à trop travailler, le jeune homme était tout à fait conscient qu'il y laissait un peu de sa santé chaque jour, mais avait-il le choix? C'était ça ou abandonner ses études et, à ses yeux, c'était la dernière solution envisageable.

N'empêche que lui aussi comptait les jours qui menaient à l'accouchement. Heureusement, dans son cas, ils filaient nettement plus vite que pour Emma. Cependant, la désagréable sensation d'un vertige au creux de l'estomac rendait, à certains moments, le quotidien tout à fait pénible.

Dans la vie de Lionel, trop de choses en même temps logeaient à l'auberge des inconnus pour qu'il puisse vaquer à ses occupations en toute sérénité: la continuité de ses études, alors que le collège serait bientôt chose du passé; la santé de sa mère, tant que l'accouchement ne serait pas derrière eux; la réaction du curé Bédard, quand il comprendrait que la prêtrise n'était peut-être pas le premier choix de son poulain…

Pourtant, quand Lionel fermait les yeux, au cours des secondes qui précédaient le sommeil agité qui le ravissait à la réalité, c'était invariablement le visage de son père qui s'imposait.

Et le son de sa voix autoritaire tonnant sur la famille.

Entre Lionel et Matthieu, le lien s'était rompu le jour où le jeune garçon, grâce aux interventions d'Emma, avait pu réaliser son grand rêve de poursuivre ses études en se présentant au Collège Sainte-Anne de La Pocatière. Malheureusement, la conséquence dans la famille avait été catastrophique. Plus jamais, au cours des années qui avaient suivi, il n'y avait eu entre son père et lui de ces longues discussions enflammées parlant d'avenir. Plus jamais Lionel n'avait ressenti la fierté de ce même père devant des résultats scolaires pourtant spectaculaires et surtout, plus jamais Matthieu n'avait eu à son égard le moindre sourire d'encouragement, la plus infime marque d'affection.

Ni envers personne d'autre dans la famille, d'ailleurs !

Où donc était passée la complicité qui les avait unis durant tant d'années ? Lionel l'ignorait. Pourtant, quand il était enfant, Matthieu n'avait d'yeux que pour lui, et c'était toujours son fils aîné qu'il citait en exemple à la marmaille de ses frères et sœurs, plutôt turbulents.

Aujourd'hui, cette époque était bel et bien révolue, à un point tel que Lionel avait l'impression de ne plus exister aux yeux de son père. En effet, lorsque Lionel revenait chez lui durant les vacances, Matthieu Bouchard l'ignorait de façon systématique.

Un fantôme, voilà ce que Lionel était devenu pour son père.

Et quand Matthieu n'avait pas le choix et qu'il devait s'adresser à Lionel, que ce soit pour une babiole ou pour quelque chose d'important, il fixait toujours un point au-dessus de sa tête, comme s'il avait été incapable de soutenir le regard de son fils, ou comme si la simple vue de ce beau grand jeune homme lui était subitement devenue intolérable.

Ce fut donc sur cette image d'un père autoritaire et sombre que Lionel s'étendit dans son lit ce soir-là. Le vent était à la tempête. Ses assauts répétés faisaient trembler les vitres de la fenêtre. Sans aucun doute, avant le lever du jour, la pluie allait s'en mêler et, demain, les enfants ne pourraient probablement pas se détendre dans la cour de récréation. Un long bâillement de lassitude emporta finalement Lionel dans le sommeil. Les journées lui semblaient toujours plus longues et intenables quand les jeunes restaient à l'intérieur au moment des récréations. Il lui fallait vite s'endormir pour accumuler quelques réserves de patience pour le lendemain.

Hélas, Lionel ne se rendit pas au bout de sa nuit. Un coup frappé à la porte de sa chambre le tira brutalement du sommeil. Le temps de prendre conscience que la nuit n'était pas finie puisque le ciel était d'encre; le réflexe de se dire que le vent fouettait toujours les arbres, mais qu'il n'entendait aucune goutte de pluie contre les carreaux, et Lionel se leva, abasourdi.

Fanal à la main, oreille aux aguets, le frère Ernest, portier de son état, attendait dans le corridor.

— Monsieur Lionel, dit-il précipitamment à voix basse, dès qu'il aperçut un œil hagard dans l'entrebâillement de la porte. En bas, au parloir, il y a votre frère Marius qui vous demande.

Il n'en fallut pas plus. Lionel avait déjà l'esprit alerte. Le cœur battant la chamade, il rétorqua:

— Dites-lui que j'arrive. Le temps de m'habiller et je descends.

À tâtons dans le noir, Lionel récupéra ses vêtements laissés sur le dossier d'une chaise. Emma, sa mère

Emma n'allait pas bien. Qui d'autre pour qu'on vienne le réveiller au collège en pleine nuit? Même si le temps n'était pas encore venu pour l'accouchement, Lionel n'avait aucun doute.

Une seule éclaircie persistait dans le bourbier de ses pensées inquiètes: Marius avait tenu sa promesse. Lionel eut alors une bouffée d'affection tout à fait imprévue à l'égard de son frère.

En moins de deux minutes, le jeune homme était habillé, prêt à descendre. Sur le crochet du battant de la porte, il attrapa une veste.

Ce fut en refermant silencieusement la porte sur lui que Lionel se souvint.

Il hésita un instant, fit la moue. Puis, poussé par les souvenirs, il mania la poignée en sens inverse pour retourner dans sa chambre. N'avait-il pas, lui aussi, une promesse à tenir? Une promesse faite à sa mère en août dernier, quelques jours avant la rentrée scolaire?

— S'il m'arrivait quelque chose, tu liras cette lettre, Lionel, lui avait alors confié Emma, en lui remettant une enveloppe cachetée avec son nom inscrit dessus. Par contre, si tout va bien au moment de la naissance, tu me la remettras sans la lire. Je veux que tu me le promettes et que tu n'en parles à personne.

Lionel avait promis. Par la même occasion, Emma lui avait remis une seconde lettre qu'il devrait donner en mains propres à Clovis et le plus rapidement possible pour que celui-ci, à son tour, la transmette à Victoire, cette amie d'enfance qui habitait Pointe-à-la-Truite. Quant à la lettre qui portait son nom,

Lionel s'était engagé à la garder précieusement. Emma l'avait répété: il la lirait uniquement en cas de besoin.

Voilà à quoi Lionel pensait en retournant dans sa chambre: à cette parole donnée dans un moment de grande émotion entre sa mère et lui.

Était-on arrivé à ce point? Serait-il obligé de lire la lettre comme il l'avait promis à sa mère, là, cette nuit? Pour l'instant, Lionel l'ignorait et il priait de toute son âme pour qu'il n'ait pas à le faire. Ni ce soir, ni demain, ni jamais.

Néanmoins, il emporterait la lettre avec lui et si le destin faisait en sorte que...

La réflexion de Lionel buta sur cette pensée, incapable d'évoquer l'impensable. Il souleva son matelas pour prendre l'enveloppe qu'il y avait cachée à la rentrée, le soir de la fête du Travail. Sans plus attendre, glissant la lettre dans une poche arrière de son pantalon, il quitta sa chambre et descendit rapidement au parloir.

Le visage défait que son frère tourna vers lui arrêta Lionel dans sa course. Ses yeux rougis lui coupèrent le souffle.

— Maman? dit-il en haletant, la gorge nouée, une lourde interrogation dans la voix.

Marius acquiesça d'un lent hochement de la tête, tout en reniflant. Puis, il ajouta, après une longue inspiration:

— Faut se dépêcher, Lionel. Quand je suis parti, le docteur venait de dire à Gérard d'aller chercher le curé. C'est ce que j'ai répété au frère qui m'a ouvert la porte quand je suis arrivé. Fallait le convaincre d'aller te chercher parce qu'il voulait pas te réveiller.

Après une brève hésitation, Marius ajouta, la voix empreinte de colère retenue :

— Papa voulait pas que je parte tout de suite. Il disait que c'était pas nécessaire, qu'encore une fois, le Bon Dieu verrait à toute, mais je l'ai pas écouté.

Le souvenir d'une nuit en tous points semblable, vécue cinq ans plus tôt, remonta dans l'esprit de Lionel en vagues lentes mais tenaces jusqu'à devenir omni-présent. Sans difficulté aucune, il revit sa mère en douleurs, puis sa propre course folle jusqu'au village voisin. Il entendit ses cris accompagnant le martèle-ment de ses poings contre la porte de bois verni pour réveiller le médecin...

Et ce sang, tout ce sang dans le lit de ses parents quand il avait été de retour chez lui, ce sang à peine entrevu mais indélébile dans ses souvenirs.

Lionel se frotta les paupières comme pour effacer l'image. Fébrile, de plus en plus impatient de s'en aller, il montra la porte d'un geste nerveux.

— On y va ?

Quand les deux jeunes hommes sortirent du collège, les premières gouttes de pluie se mirent à tomber et Lionel se dit, en levant la tête, que le ciel aussi était à la tristesse.

Malgré son grand âge, le cheval devait ressentir l'anxiété des mains qui guidaient les cordeaux, car il accéléra le pas et fit de son mieux pour ramener rapi-dement Lionel et Marius à la maison.

Toutes les lampes de la bâtisse semblaient allumées, car chacune des fenêtres de la façade découpait une échancrure dans la nuit.

Lionel n'attendit pas l'arrêt complet de la charrette pour se précipiter vers la galerie. Il sauta de son siège dès que le cheval se mit à ralentir. Il grimpa l'escalier deux marches à la fois et ouvrit la porte à la volée. Sans enlever son manteau ou retirer ses chaussures comme on devait tous le faire dès qu'on entrait chez Matthieu Bouchard, et ce, sous peine de représailles, Lionel se précipita à l'étage suivi de près par Marius.

Tous les enfants étaient réunis dans le corridor, silencieux, visiblement inquiets. Faisant les cent pas, Gérard esquissa un sourire qui ressemblait à un réel soulagement quand il aperçut ses frères.

Louis et Marie se tenaient par la main, blottis contre la porte de la chambre des filles, et les jumelles, Clotilde et Matilde, couchées en chien de fusil l'une contre l'autre, s'étaient rendormies à même le plancher. Assise le dos contre le mur, Gilberte entourait les épaules des jumeaux et les tenait tout contre sa poitrine. À l'interrogation muette qu'elle crut lire dans le regard de Lionel, la jeune fille répondit d'un imperceptible haussement des épaules pour ne pas réveiller les bambins appuyés contre elle. Lionel remarqua les traces blanchâtres de quelques larmes séchées qui soulignaient l'arrondi des joues de sa sœur et son cœur bondit d'inquiétude. Pendant ce temps, d'une voix ténue, Gilberte précisait :

— On sait rien de ce qui se passe dans la chambre

des parents, souffla-t-elle. Sinon que le curé est là, arrivé à la fine épouvante avec Gérard. C'est donc que ça va mal. Il y a le docteur, aussi, avec la sage-femme. Pis papa. C'est le docteur qui lui a demandé de rentrer quand le curé est arrivé. Laisse-moi te dire qu'il avait pas l'air de bonne humeur, le docteur. Je dirais même qu'il avait l'air vraiment fâché. À moins qu'il soye ben fatigué. Ça fait des heures qu'il est là avec maman. Elle a tellement crié, Lionel. C'était épouvantable à entendre.

Pourtant, après quelques instants de réflexion, Gilberte ajouta :

— Mais je pense que le silence d'astheure est encore pire à supporter.

Lionel approuva d'un hochement de la tête, grave et triste. Nul besoin d'aller plus loin dans les explications, il imaginait aisément la scène puisqu'il l'avait déjà vécue : sa mère était en train de mourir, vidée de son sang. À moins d'un miracle, comme à la naissance des jumeaux, elle ne passerait pas la nuit, comme l'avait dit le médecin, cinq ans plus tôt.

Et les miracles, tout le monde le sait, ça n'arrive pas tous les jours.

Lionel inspira bruyamment tout en retenant ses larmes. Puis, il regarda autour de lui, conscient, tout à coup, qu'il manquait quelqu'un.

— Où est Mamie ? murmura-t-il.

Du menton, Gilberte désigna l'escalier.

— En bas, dans sa chambre, répondit-elle sur le même ton empreint de retenue. Elle a dit que des moments difficiles comme ceux-là, ça se vivait en famille et qu'elle voulait pas nous déranger. Je pense qu'elle est en train de dire son chapelet.

Malgré sa tristesse et sa profonde inquiétude, Lionel arriva à esquisser un sourire attendri.

— La bonne vieille, murmura-t-il, ému. Toujours à espérer le meilleur pour nous autres. Elle ne voulait pas nous déranger… Comme si elle ne faisait pas partie de notre famille…

Tout en parlant, Lionel hochait la tête. Puis, il s'arrêta brusquement et planta son regard dans celui de sa sœur.

— Mamie est toujours bien la seule grand-mère qu'on a eu la chance de côtoyer, n'est-ce pas, Gilberte ? Les autres, de l'autre côté du fleuve, on ne les connaît même pas. Ce qui fait que, parente ou pas, c'est Mamie qui a toujours été là. C'est encore elle qui t'aide, tous les jours, malgré son âge avancé… Sa place est ici, avec nous tous. Attends-moi, je reviens.

Sans faire de bruit, Lionel descendit au rez-de-chaussée où il frappa doucement à la porte tout à côté de l'escalier, là où Mamie avait sa chambre. Le temps d'une brève discussion à voix basse et il revint avec la vieille dame qui semblait encore plus menue, vêtue simplement de sa robe de nuit, les épaules enveloppées dans un grand châle de laine. Avec une délicatesse qu'on ne lui connaissait pas, Lionel soutenait le coude de Mamie pour l'aider à monter l'escalier. Tout aussi prévenant, dès qu'il avait aperçu son frère en compagnie de Mamie, Gérard s'était précipité vers la chambre des garçons pour quérir une chaise, afin que la vieille dame puisse s'asseoir.

Et l'attente recommença dans un silence lourd de suppositions et de prières. Une attente qui fut fort brève pour Lionel puisque le médecin entrouvrit la porte presque aussitôt pour lui demander d'entrer dans la chambre de ses parents.

— Ta mère veut te parler.

Un souffle de détente passa dans le corridor et les enfants échangèrent des regards soulagés. Si Emma demandait à voir son fils aîné, c'est qu'elle était toujours vivante et qu'elle avait les idées claires. Peut-être bien, après tout, que la situation était moins grave qu'ils ne le craignaient.

Seul Lionel sentit son cœur se mettre à battre d'affolement à cause de la lettre qu'il sentait craquer dans la poche de son pantalon, chaque fois qu'il faisait un pas.

Si sa mère Emma voulait le voir lui et pas un autre, c'était à cause de la lettre, il en était convaincu. C'était donc dire que ça n'allait pas du tout.

Pourtant, Lionel ne laissa rien voir de son inquiétude et, au prix d'un effort incroyable, il réussit même à sourire à Gilberte avant de disparaître derrière la porte que le médecin avait à peine entrouverte, juste assez pour que Lionel puisse se glisser dans la chambre.

Le jeune homme s'attendait à une vision d'horreur, il n'en fut rien.

Couchée sur le dos, sous les couvertures, Emma semblait dormir. Son visage était diaphane et Lionel constata que sa mère avait beaucoup maigri depuis la dernière fois qu'il l'avait vue, à la fin de l'été. Dans le berceau posé de l'autre côté du lit, un minuscule bébé poussa un vagissement comme pour lui faire comprendre qu'il était bien vivant. La sage-femme le veillait tandis qu'en retrait, le curé lisait son bréviaire.

Est-ce le petit cri poussé par le bébé qui amena Emma à ouvrir les yeux, ou le simple fait de sentir la présence de Lionel qui s'était approché du lit? Dès qu'elle aperçut son aîné, Emma s'agita, sortit une main des couvertures pour agripper celle de son fils.

— Lionel, murmura-t-elle, haletante. Je suis contente de te voir, contente que tu sois là... As-tu pensé à ce que je t'avais demandé?

— Oui, répondit Lionel, la gorge si serrée que même les mots avaient de la difficulté à passer. Oui, j'y ai pensé. Mais pourquoi en parler maintenant? Vous m'aviez dit de la lire uniquement en cas d'absolue...

— Le temps est venu, Lionel, coupa Emma avec une fermeté dans la voix et une vivacité dans le regard qui le surprirent, lui ôtant aussitôt toute envie de s'entêter.

Il se dégagea de l'étreinte de sa mère et, d'une main tremblante, il sortit alors l'enveloppe de la poche arrière de son pantalon. Il la lissa longuement avant de la décacheter à petits gestes saccadés. Surpris, Matthieu le regardait faire, sourcils froncés. Ce fut ce moment-là qu'Emma choisit pour tourner lentement les yeux vers son mari.

— Cette lettre-là, Matthieu, c'est la dernière chose que je te demande.

La voix d'Emma n'était plus qu'un souffle. Matthieu, le visage ravagé par l'accablement et la peine, fit un pas vers le lit.

— Tais-toi, Emma. Dis pas des choses comme ça. Tu le vois bien que le Bon Dieu est de notre bord. Tu t'en es encore tirée, pis on a une autre petite fille.

— Tant mieux si c'est ce que tu crois, murmura Emma. Moi, vois-tu, le Bon Dieu pis sa miséricorde envers nous autres, j'y crois pus tellement.

À ces mots, le curé fit un pas vers le lit, l'air soucieux. Emma ne pouvait parler de la sorte alors que le médecin venait de dire qu'elle était mourante. Il prit l'étole qu'il avait posée sur la commode et la glissa autour de son cou. Ainsi paré, il devenait le fidèle représentant du Seigneur. S'il avait le temps, il pourrait confesser Emma et le ciel lui serait alors tout grand ouvert. Sinon...

Pourtant, il n'y avait qu'une infinie lassitude dans les mots qu'Emma venait de prononcer. Elle ne voulait ni blasphémer, ni se mettre le Ciel à dos. Elle était épuisée, fatiguée de vivre. Les dernières heures avaient eu raison de l'ultime étincelle d'énergie subsistant en elle. Sans se soucier de la présence du curé qui s'était approché de son lit, Emma ferma les yeux et demanda tout bas:

— S'il te plaît, Lionel, lis la lettre. Maintenant.

Lionel dut se pencher pour entendre ce que sa mère avait à dire.

— Je veux que ton père l'entende et monsieur le curé aussi.

Alors, Lionel se redressa. Pour une des rares fois de sa vie, il était intimidé par tous ces regards subitement braqués sur lui. Pourtant, il avait l'habitude de parler en public. Il le faisait devant une classe bondée à quelques reprises chaque semaine.

Dans l'enveloppe, il n'y avait qu'une feuille que Lionel déplia soigneusement. Il dut se reprendre deux fois avant que les mots puissent sortir de ses lèvres avec suffisamment de fermeté pour être entendus par tous, comme demandé par sa mère.

— « Si tu lis ces quelques mots, Lionel, c'est que ma vie sera finie ou qu'elle tirera à sa fin », commença-t-il à lire.

Lionel se tut brusquement, tellement l'émotion l'étreignait. D'un rapide regard sur les mots qui suivaient, il comprit, en quelques phrases à peine, que si la lettre lui avait été remise, elle s'adressait d'abord à son père. Brusquement, il fut horriblement gêné d'avoir à prononcer les mots qu'Emma avait choisis pour son mari. Il avait l'impression d'être le témoin involontaire d'une intimité qui ne le concernait pas.

Le jeune homme ferma les yeux une fraction de seconde tandis que l'envie folle de ressortir de la chambre lui passa par l'esprit. Une envie qu'il maîtrisa d'une longue inspiration. N'empêche qu'il bafouilla, rougit comme un coquelicot, se reprit et, s'il poursuivit jusqu'au bout, c'est que le fils en lui avait pris toute la place. Lionel savait devoir beaucoup à sa mère. Aujourd'hui, s'il pouvait regarder l'avenir avec confiance, c'était grâce à cette femme qu'il appelait maman. Alors, qu'importe ces quelques instants d'inconfort ressenti à lire en son nom ce qu'elle avait décidé de mettre au clair. Ce serait sa façon à lui de dire à sa mère qu'il l'aimait. Peut-être pour une dernière fois.

Il se racla la gorge pour raffermir sa voix et, sans trop savoir pourquoi, il reprit au tout début de la lettre.

Si tu lis ces quelques mots, Lionel, c'est que ma vie sera finie ou qu'elle tirera à sa fin. Avant de poursuivre, je veux que tu sois en présence de ton père et de quelques témoins.

Pour la seconde fois, après la lecture de ces quelques mots, Lionel se tut et il leva subrepticement les yeux. Il fut soulagé de constater que plus personne, maintenant, n'osait le regarder directement. Lui, ce fut sa mère qu'il n'osa pas regarder. Cependant, quand il reprit la lecture, sa voix était un peu plus ferme.

Voilà donc mes dernières volontés, Matthieu. J'espère que le souvenir que tu garderas de moi sera à la hauteur de l'amour que tu as dit éprouver pour moi, même si, en fait, je reste persuadée que tu aurais fait un meilleur prêtre qu'un bon mari. Pardon pour ces quelques mots, ils disent quand même ce qu'a été ma vie à tes côtés, surtout ces dernières années où, malgré de nombreuses fausses couches qui me laissaient chaque fois plus fatiguée, tu t'es entêté à vouloir un autre enfant. Tu disais que c'était notre devoir de chrétiens, moi je n'en suis pas certaine. Alors quand tu passeras à la cathédrale de Québec, au mois de septembre comme tu le fais chaque année pour négocier ton avoine, prie pour moi, j'en ai peut-être besoin.

Donc, voici mes dernières volontés. Je ne connais pas les formules à employer mais qu'importe.

Je m'appelle Emma Lavoie et je suis mariée à Matthieu Bouchard. Je n'ai ni argent ni biens d'importance. En fait, ma seule fortune, c'est ma famille. C'est donc de cette famille dont j'aimerais disposer.

Si le bébé à naître a survécu, je veux qu'il soit confié à mon amie Victoire qui habite Pointe-à-la-Truite. Je sais qu'elle saura s'en occuper comme il le mérite, elle me l'a écrit. Ainsi, la tâche sera peut-être un peu moins lourde pour Gilberte à qui je donne l'anneau de mariage que Matthieu m'avait offert. Ce n'est pas ce que j'aurais voulu pour elle, mais la vie en a ainsi décidé. Après mes funérailles, je veux être enterrée dans le cimetière de Pointe-à-la-Truite. C'est le seul endroit où je me suis vraiment sentie chez moi. Comme ça, je serai tout près de mes parents et de mes amies dont je me suis beaucoup ennuyée durant les vingt dernières années. Ça ne devrait pas être trop compliqué de me ramener là-bas, Victoire a promis d'en parler à Clovis.

Quant à toi, Lionel, je te demande de voir à tes frères et sœurs. Veille sur eux comme moi je l'aurais fait, si j'en avais eu la chance. Veille sur eux comme je l'ai fait pour toi, aide-les à réaliser leurs rêves. Dis-leur que même si je ne l'ai pas souvent montré, je les ai tous beaucoup aimés.

Tu salueras Mamie pour moi. Elle a été d'un grand

réconfort durant toutes ces années. Sans elle, je ne sais pas ce que je serais devenue.

Voilà. C'est tout ce que j'avais à dire, à part le fait que la vie a passé trop vite et que je regrette de m'en aller avant d'avoir fini ma tâche ici-bas. Que Dieu vous garde tous.

Lionel garda les yeux baissés un long moment, unissant ses prières aux derniers mots inscrits dans la lettre, tourmenté, cependant, par le ton froid du message de sa mère. Pour écrire ainsi, cette femme-là n'avait pas vraiment été heureuse, et de le constater lui planta un poignard dans le cœur. Ce fut donc un regard noyé de larmes qu'il leva finalement, espérant croiser celui de sa mère, espérant y lire que tout n'était pas perdu et que le temps permettrait d'aplanir les difficultés.

Que le temps, justement, aiderait à réaliser les rêves de tout le monde.

Malheureusement, le temps de lire une lettre et il était trop tard.

Le médecin, penché sur sa patiente, était en train de refermer ses paupières tandis que le curé sortait une burette en verre taillé du sac qu'il emportait toujours auprès des malades. Il donnerait l'extrême-onction qu'Emma avait d'abord refusée, espérant qu'une partie de l'âme n'avait pas encore quitté le corps décharné qui gisait devant lui. Puis, il ondoierait le bébé.

Matthieu, agenouillé à côté du lit, pleurait comme un enfant.

Lionel comprit alors que, pour le reste de ses jours, il vivrait avec une déchirure dans le cœur.

Il se redressa, essuya son visage du revers de la main, et, sur un regard du médecin, il se dirigea vers la porte qu'il ouvrit toute grande, cette fois-ci.

— Venez.

Les bras tendus vers ses frères et sœurs, sans chercher à cacher sa peine, Lionel les invitait à entrer dans la chambre.

— On a une dernière prière à réciter tous ensemble, arriva-t-il à articuler alors que des sanglots s'élevaient dans le corridor et que les plus vieux réveillaient les plus jeunes. Comme maman l'aurait probablement voulu, on va se serrer les coudes et on va prier.

PREMIÈRE PARTIE

Hiver 1898 ~ Printemps 1899

CHAPITRE 1

Cinq ans plus tard, chez Victoire et Albert, en décembre 1898

Tout en fredonnant de vieux cantiques, Victoire accrochait dans l'arbre les quelques décorations supplémentaires achetées par catalogue, un peu plus tôt cet automne. Elle recula d'un pas pour juger de l'effet d'une boule particulièrement brillante, et elle fit un sourire radieux. C'est la petite Béatrice qui allait être contente !

Pour une seconde fois en autant d'années, un sapin immense dont la cime frôlait le plafond trônait dans un coin du salon. Un arbre qu'Albert avait coupé le samedi précédent dans le petit boisé jouxtant la maison et qu'il avait caché derrière le hangar durant toute la semaine pour ménager l'effet de surprise. Il faut cependant avouer que pour arriver à ce résultat, Victoire avait dû tirer quelque peu l'oreille de son mari.

— C'est plus de mon âge de courir les bois comme un gamin, avait-il soupiré au déjeuner, alors que Victoire venait de lui faire part de ses intentions de créer sous leur toit une nouvelle tradition, en renouvelant la décoration de l'année précédente, à savoir un sapin tout frais coupé, garni de mille et une babioles.

— Mais c'est de l'âge de notre fille d'avoir un sapin décoré dans le salon, avait-elle souligné entre deux bouchées de pain grillé. Souviens-toi de l'an dernier, quand on l'a réveillée pour aller à la messe de minuit ! On aurait dit des étoiles dans ses yeux, tellement ils brillaient.

Éclat d'un sourire à travers les rides d'Albert, vite remplacé, cependant, par une moue agacée. Parfois, et bien malgré lui, l'âge prenait le pas sur le ravissement d'avoir enfin une enfant qui partageait leur vie.

— Pis ça ? Y' a personne d'autre dans le village qui s'amuse à décorer un arbre comme toi tu le fais, juste parce que tu l'as vu dans une revue, avait-il argumenté en bougonnant. Pis c'est pas parce que les autres parents aiment pas leurs enfants qu'ils s'amusent pas à faire entrer la forêt dans leur salon.

— On n'est pas tout le monde, je te l'ai déjà dit, avait rétorqué Victoire sans la moindre hésitation. Et notre fille Béatrice n'est pas n'importe qui, non plus. Alors…

Quand Victoire lâchait un de ses « alors » sur ce ton tout empreint de menaces, Albert n'avait plus qu'à s'incliner s'il voulait continuer à se remplir la panse de bons gâteaux et de tartes fondantes. Cela faisait longtemps qu'il l'avait appris à ses dépens: les desserts se faisaient nettement moins abondants quand Victoire était de mauvaise humeur, et comme Albert avait développé une véritable dépendance aux sucreries de sa femme…

— C'est beau, avait-il ronchonné pour la forme. M'en vas y aller, chercher ton sapin. Après le dîner. Mais viens pas te plaindre, dans deux ou trois jours d'icitte, si t'es obligée de me soigner parce que j'ai attrapé la grippe. Tu le sais que je suis fragile des poumons !

Victoire avait balayé l'objection d'un éclat de rire cristallin, enfin rassurée sur les intentions de son mari.

— Habille-toi dans le sens du monde, et tu n'auras pas le rhume, avait-elle recommandé, avec une certaine désinvolture. Tu passes ton temps à circuler de la forge à la maison avec la falle à l'air, comme dirait ma mère. Si tu mettais ton foulard, comme je n'arrête pas de le répéter, tu ne serais pas malade. C'est de même que tu attrapes tes grippes, mon homme, pas autrement. Et sûrement pas dans le bois, bien habillé, à couper un sapin pour faire plaisir à ta femme et à ta fille. Maintenant, chenaille, sors de ma cuisine ! J'ai un gâteau à préparer pour le notaire Bellavance. Paraîtrait-il qu'ils fêtent leurs trente ans de mariage, lui et sa femme, ce soir avec toute leur famille. Pis en passant, jette donc un œil sur notre fille. Elle me semble bien silencieuse, depuis un petit moment.

Leur fille !

Le simple fait de prononcer ces deux mots et aussitôt Victoire avait l'irrésistible envie de sourire.

Dans des circonstances provoquant à la fois rires et larmes, cinq ans plus tôt et du jour au lendemain, la vie avait changé sous le toit de Victoire et Albert Lajoie. Non que cette vie ait été désagréable jusqu'à ce moment précis, bien au contraire! De part et d'autre, un travail apprécié et satisfaisant les tenait fort occupés, son mari et elle. Ainsi, les journées passaient rapidement, souvent pimentées de petites joies ou ponctuées de quelques beaux bonheurs, et Albert comme Victoire avaient appris à s'en contenter, pour ne pas dire à en être heureux. Seule l'absence d'enfants venus bénir leur mariage avait toujours été la petite tristesse sous-jacente qui enveloppait le quotidien.

Mais ce jour-là…

Victoire poussa un long soupir en reprenant une boule de verre coloré pour la placer dans l'arbre.

«Oui, ce jour-là, songea-t-elle en accrochant délicatement la décoration scintillante à une branche toute collante de gomme odorante à souhait, notre petite vie de tous les jours a définitivement basculé vers le beau côté des choses. Béatrice, notre Béatrice…»

Dès l'arrivée de cette enfant dans leur demeure, tout avait changé en mieux. Tout comme Albert, Victoire en était consciente et remerciait le Ciel de leur avoir donné cette chance.

Pourtant, quand Lionel, de toute évidence ébranlé, était venu frapper à leur porte, tenant à deux mains un panier d'osier où reposait sa nouvelle petite sœur, Victoire avait blêmi de douleur et de tristesse.

On était en septembre 1893, et si Lionel était là, à sa porte, avec un bébé vagissant dans un panier, c'est qu'Emma était morte en couches.

C'est ce que Victoire avait d'abord retenu: Emma, son amie d'enfance Emma, était morte.

Cela faisait peut-être des années que les deux femmes ne s'étaient pas revues, la douleur n'en était pas moindre, et deux grosses larmes avaient aussitôt débordé de ses paupières. Puis les mots de la lettre envoyée par son amie durant l'été lui étaient revenus à la mémoire avec une précision photographique. Ce bébé que Lionel emmenait avec lui, c'était elle et personne d'autre qui devrait l'élever. Victoire s'y était engagée dans une lettre en réponse à celle d'Emma.

Au même instant, la nouvelle mère adoptive avait ressenti le besoin impérieux d'avoir son mari à ses côtés. Après tout, il était tout aussi concerné qu'elle.

— Entre, avait-elle proposé à Lionel, en reculant d'un pas pour libérer l'accès à la maison. D'après ce que ta mère m'a écrit, au mois d'août, je comprends que les choses n'ont pas...

Victoire avait laissé échapper un hoquet rempli de sanglots, incapable de prononcer un mot de plus.

— Toutes mes sympathies, mon garçon, avait-elle ajouté sur un ton solennel, dès qu'elle avait réussi à prendre sur elle. Tu dois être Lionel, n'est-ce pas ? Alors viens, fais comme chez toi. Donne-moi quand même deux minutes pour aller chercher mon mari. Je pense que le moment est d'importance et qu'il doit être là. Je...

De l'index, Victoire montrait le panier qu'elle n'osait pas encore prendre. En fait, elle n'avait même pas osé jeter un coup d'œil au bébé qui allait, fort certainement, partager le reste de sa vie.

— Je n'ai rien ici, moi, pour un bébé comme lui,

avait-elle conclu d'une voix étranglée. Je ne pensais jamais que ce que ta mère m'avait demandé se réaliserait. Jamais...

À la tristesse sincère et profonde que ressentait Victoire s'ajoutait brusquement un sentiment de panique.

— J'ai besoin de mon mari, avait-elle répété, visiblement dépassée par les événements, le visage inondé de larmes. Attends-moi, ça ne sera pas long. La forge est juste à côté.

De cette journée qui avait bouleversé sa vie, leur vie, c'était là tout ce que Victoire avait retenu: une petite fille belle comme un ange, un seul regard l'en avait convaincue, et un cœur trop lourd de chagrin pour en profiter pleinement.

— Papa a voulu choisir son prénom, avait dit Lionel, tout hésitant, un peu plus tard durant cette même journée.

Albert venait de reprendre le chemin de la forge, pressé par les clients qui s'impatientaient, et Victoire en était à siroter une troisième tasse de thé pour se remettre les idées en place, comme elle l'avait elle-même mentionné. Au bout de la table, toujours dans son panier, la petite fille qui venait de lui tomber du ciel dormait à poings fermés.

De toute évidence, à cause de ses soupirs et de sa visible impatience à quitter les lieux, Lionel détestait la situation où il se trouvait, sorte de trait d'union entre ses parents dont il ne restait plus que son père et cette famille Lajoie, des inconnus pour lui, mais en qui sa mère avait une confiance absolue puisqu'elle avait décidé de leur confier sa petite fille.

— Béatrice, avait-il ajouté sur le même ton incertain. Mon père l'a fait baptiser Béatrice. Comme sa grand-mère à lui. J'espère que ça vous va ?

Victoire avait approuvé d'un hochement de tête vigoureux.

— C'est un très beau prénom... Et c'est juste normal que ton père ait voulu choisir celui de sa fille.

— Merci de le comprendre...

Depuis ce jour, Victoire s'était donc occupée de la petite Béatrice au nom d'Emma, au nom de leur ancienne amitié. Non, ce n'est pas tout à fait exact. Il faudrait plutôt dire que Victoire s'était mise à aimer la petite Béatrice de tout son cœur, de toute son âme, et elle en avait bien vite oublié que ce merveilleux bébé n'était pas de son sang, même si le soir, sans jamais se soustraire à ce devoir, elle mêlait désormais les noms de Matthieu Bouchard et de toute sa famille à ses remerciements adressés au Seigneur.

Le soir même de l'arrivée de Béatrice, Lionel était reparti sans passer par la maison de ses grands-parents maternels qu'il ne connaissait pas. Il considérait que ce n'était pas à lui de leur annoncer la terrible nouvelle parce qu'il n'était qu'un étranger pour eux. Il avait donc passé la nuit chez Clovis et Alexandrine avant de retourner chez lui pour les funérailles de sa mère.

En quelques jours à peine, la fibre maternelle de Victoire s'était éveillée aux innombrables joies d'une vie familiale comblée, soutenue par Alexandrine venue lui prêter main-forte pour voir au nourrisson.

— À croire que t'avais ça dans le sang, d'être mère, constatait Albert, tout surpris de découvrir un trésor de patience chez une femme plutôt encline à diriger son monde à la baguette. Je t'ai jamais connue aussi douce.

— C'est que notre Béatrice est encore bien petite.

— Ouais... Pis que moi, j'étais déjà ben vieux quand tu m'as connu.

— Tais-toi donc, espèce de vieux grognon! rétorquait Victoire, tout émue, douloureusement consciente que son mari n'était plus très jeune. Toi aussi, je t'aime et tu le sais!

Quand Victoire lui parlait sur ce ton, le vieil Albert se sentait rajeunir de dix, de vingt ans, et c'est ainsi que la présence de Béatrice avait permis de bonifier leur relation, à Victoire et lui.

Émerveillé, il avait donc regardé ce petit bout de femme apprendre à sourire puis à gazouiller. Il l'avait vue faire ses premiers pas et dire un premier «papa», suivi bien vite d'un premier «maman». Il s'était senti blêmir quand il avait vu cette même Béatrice, encore bien chancelante sur ses petites jambes, se hasarder dans le long escalier qui menait aux chambres, et il s'était réchauffé le cœur à ses éclats de rire quand elle avait enfin réussi l'exploit d'atteindre l'étage.

De son côté, Victoire lui avait appris à prononcer ses premiers mots et à respecter les fleurs qu'on ne cueillait pas n'importe comment. Elle lui avait fait remarquer l'éclat des couleurs d'un papillon monarque et lui avait dit de prendre le temps de s'arrêter au chant d'un oiseau.

— Le plus beau chant du monde! Il n'y a pas un être humain capable de chanter comme ça, Béatrice.

Un peu plus tard, Victoire lui avait aussi montré comment faire son signe de croix et les paroles d'un *Je Vous salue Marie*. Elle lui avait présenté sa grand-maman Ernestine, mais lui avait expliqué qu'il n'y avait plus de grand-papa Évariste, celui-ci étant décédé depuis quelques années déjà.

Quant à Béatrice, elle avait rapidement compris que la vieille dame qu'elle appelait « matante Catherine », celle qui avait une très grande maison au bout de la rue où toutes sortes de gens s'arrêtaient pour dormir, eh bien, cette tante Catherine-là avait toutes les faiblesses pour elle. La jeune Béatrice, encore aujourd'hui, en abusait sous l'œil indulgent de ses parents. En effet, curieux hasard, la mère Catherine, aubergiste de son métier et sœur d'Albert, n'avait pas eu d'enfants, elle non plus.

Puis, quand Victoire et Albert avaient jugé que Béatrice était assez vieille pour comprendre, ils l'avaient emmenée au cimetière pour prier sur la tombe d'Emma. La petite venait d'avoir cinq ans, et comme elle avait vu Alexandrine avoir un autre bébé, une petite fille tout comme elle, les détails entourant sa naissance devenaient plus faciles à expliquer, même si Albert et Victoire en étaient venus, avec le temps, à considérer Béatrice comme leur propre fille. Ils auraient pu s'en tenir à cela. Toutefois, comme elle portait toujours le nom de Bouchard, Victoire préférait clarifier la situation avant que Béatrice elle-même demande des explications. Jusqu'à maintenant, Victoire et Albert avaient commodément réussi à escamoter ce patronyme différent du leur, puisque la plupart du temps, il n'était d'aucune utilité dans la vie d'une adorable gamine de cinq ans. Ils se disaient que l'école et ses exigences viendraient bien assez vite.

Devant la tombe d'Emma, ensevelie au cimetière de Pointe-à-la-Truite, selon ses souhaits, Béatrice était restée songeuse un long moment, puis elle avait eu ces quelques mots :

— Comme ça, j'ai deux mamans. Une dans le ciel pour veiller sur moi, comme mon ange gardien, et toi, pour tous les jours, pour m'aider à attacher mes souliers et faire ma prière, avait-elle constaté en levant les yeux vers Victoire. Je suis chanceuse.

Victoire et Albert avaient alors échangé un sourire ému et ils s'étaient dépêchés de passer à autre chose.

Il n'en restait pas moins qu'à certaines périodes de l'année, les souvenirs devenaient impossibles à retenir, comme en ce moment, alors que Victoire se préparait à fêter Noël.

Et comme tous les printemps, quand les arbres reverdissaient et que Victoire avait une pensée amicale pour un certain grand roux, irlandais de naissance, venu leur rendre visite il y avait de cela maintenant bien des années, et qui avait eu la délicate attention de lui faire parvenir, plusieurs mois plus tard, des boîtes de différentes grandeurs pour livrer plus facilement ses gâteaux. Il lui avait même fourni une adresse pour en commander d'autres, ce que Victoire faisait scrupuleusement tous les ans à l'arrivée de la belle saison.

— C'est fou de voir comment certains souvenirs s'attachent à nous comme un réflexe, murmura-t-elle tout en déposant l'Enfant-Jésus dans la crèche de papier mâché fabriquée par Albert pour le premier Noël de Béatrice, même si, du haut de ses trois mois, elle n'y comprenait rien.

Puis Victoire secoua la tête et se redressa pour contempler son œuvre. Nul doute, l'arbre était encore plus beau cette année, plus majestueux, orné de ses nouveaux atours et cela fut suffisant pour faire mourir les souvenirs un peu tristes qui lui chatouillaient l'esprit depuis quelques minutes. Heureusement, Victoire n'était pas d'une nature portée à la nostalgie. Règle générale, elle ne perdait pas son temps en réminiscences inutiles. L'avenir lui avait toujours semblé plus attrayant que le passé et le présent suffisamment essoufflant pour y consacrer la majeure partie de ses pensées.

Comme en ce moment.

Victoire eut une dernière pensée attendrie pour Emma, puis elle se tourna résolument vers les boîtes délivrées de leurs décorations. Le temps de tout ranger sur une tablette au fond de la grande armoire de la cuisine et elle irait se préparer pour la messe de minuit. Ensuite, elle réveillerait le mari et la fille pour qu'ils s'habillent à leur tour. En effet, depuis quelques années déjà, Albert s'offrait une petite sieste en soirée pour pouvoir tenir le coup tout au long des trois messes que le curé enfilait les unes à la suite des autres, en cette nuit de Noël. La grand-messe, toute solennelle avec sa musique à l'orgue et ses cantiques, la messe basse, sans aucun artifice, et la messe de l'aurore, où la plupart des paroissiens somnolaient en espérant le dernier « Amen ».

Au retour de l'église, ils partageraient une légère collation avant de retourner au lit, car chez les Lajoie, c'était à midi, à Noël, que se faisait la véritable fête, et ce, depuis la toute première année où Béatrice fut parmi eux. Demain n'échapperait donc pas à la règle. Catherine, la sœur d'Albert, se joindrait à eux avec son mari ainsi que toute la famille d'Alexandrine et de Clovis. On réservait le jour de l'An pour rendre visite à Ernestine, la mère de Victoire, occasion où ils échangeaient friandises et cadeaux, avant de faire bombance une seconde fois.

En attendant, tôt demain matin, Victoire se lèverait silencieusement pour ne pas troubler le sommeil des siens. Elle agrandirait alors la table de la cuisine à l'aide de quelques planches bien droites posées sur des tréteaux. Une longue nappe brodée, vestige du passage de la première ou de la deuxième madame Lajoie, Albert hésitait toujours à se prononcer, une nappe brodée, donc, de très belle qualité, camouflerait le tout avec élégance. Puis Victoire se mettrait au fourneau pour qu'à midi pile, le repas soit enfin prêt et que la maison embaume la tourtière et la soupe aux légumes, le pain et les tartes à la ferlouche, spécialité que la cuisinière gardait pour le temps des fêtes. De petits bols en verre coloré, garnis de concombres marinés et de betteraves dans le vinaigre, seraient disposés au centre de la table, entre les salières et les assiettes de beurre.

Ce fut ainsi qu'au moment où les cloches de l'église sonnaient l'angélus à toute volée, la mère Catherine et son mari frappaient à la porte des Lajoie tandis qu'au bas de la côte, là-bas un peu plus à gauche, Clovis et les siens apparaissaient en faisant de grands signes de la main.

On s'embrassa comme si on ne s'était pas vus depuis des lustres alors qu'on s'était salués à peine quelques heures plus tôt, en sortant de l'église tout endormis. Clovis rafla les manteaux qu'il monta à l'étage pour les déposer sur le lit des maîtres de la maison. On s'extasia devant le sapin et Marguerite, du haut de ses quatorze ans, fit contre mauvaise fortune bon cœur et suivit la petite Béatrice qui lui avait pris la main avec autorité pour la conduire à sa chambre, tout excitée d'avoir une amie chez elle. Léopold, toujours aussi gentil, se joignit aux deux filles sans se faire prier tandis que les aînés de la famille Tremblay, Paul, Anna et Rose, rejoignaient les adultes au salon, Victoire ayant chassé à coups de cuillère en bois celles qui avaient manifesté l'intention de l'aider à la cuisine. Pendant ce temps, Albert avait sorti sa carafe de sherry pour servir un petit cordial aux dames, et la flasque de gin qu'il gardait pour les grandes occasions afin d'en offrir une bonne lampée aux hommes.

— Un petit boire pour tout le monde, annonça-t-il à la ronde.

Assise dans le meilleur fauteuil, Alexandrine tenait

dans ses bras la petite Justine, née en octobre dernier. À quelque dix ans de la naissance de Léopold et après avoir douloureusement perdu Joseph, son aîné, lors d'une tempête particulièrement violente, Alexandrine considérait la venue de ce bébé comme un cadeau du ciel.

— Ma petite Justine ne remplacera jamais Joseph, disait-elle justement à la mère Catherine venue la rejoindre, mais c'est une belle joie quand même. Regardez-la! Il me semble que c'est un beau bébé, non?

— Pour être belle, votre fille est vraiment belle, déclara la vieille dame, un index repoussant la couverture du bébé.

Durant un court moment, la mère Catherine contempla le nourrisson endormi dans les bras de sa mère, puis elle se redressa avant d'ajouter, sur un ton vaguement mélancolique:

— Vous êtes ben privilégiée, madame Alexandrine, d'avoir pu mettre au monde des beaux enfants en santé. Même si votre plus vieux est parti ben vite, pis dans des circonstances trop tristes pour avoir envie d'en reparler, ça enlève rien à votre belle famille. Mon homme pis moi, on aurait aimé ça, nous autres aussi, avoir une grande famille comme la vôtre.

Sur ce, la mère Catherine poussa un long soupir résigné.

— Mais ça a pas marché, murmura-t-elle en conclusion. Astheure, allez donc savoir pourquoi!

Tout en parlant, la vieille dame hochait lentement la

tête, le regard vague, happée probablement par quelques vieux souvenirs. Puis elle secoua vigoureusement la tête et porta de nouveau son attention sur Alexandrine.

— Curieux quand même que ça soye pareil pour mon frère Albert, constata-t-elle avec la voix assurée de celle qui y a maintes fois pensé. Dans la vie, y' a de ces hasards des fois ! Vous trouvez pas, vous ?

Puis baissant le ton, la mère Catherine ajouta :

— D'un bord, y' a moi qui peux pas avoir de p'tits, ça c'est le docteur qui me l'a dit, c'est donc que ça doit être vrai, pis de l'autre bord, y' a mon frère qui marie des femmes qui sont comme moi. Pis trois fois plutôt qu'une !

La vieille femme jeta un regard autour d'elle. Personne ne leur prêtait attention alors elle poursuivit.

— Pauvre homme... Je le sais, moi, qu'Albert aurait ben aimé ça avoir des enfants ben à lui. Des enfants de son sang, comme on dit. Mais non ! Le Bon Dieu avait toute décidé ça autrement. Ça fait que l'un dans l'autre, la descendance de nos parents va s'arrêter là.

— N'empêche qu'il y a la petite Béatrice, hasarda Alexandrine.

Un nom, un seul, et le visage chiffonné de la vieille dame passa de chagrin à radieux, les rides de l'âge subitement envahies de sourires.

— Béatrice ! Parlez d'une belle enfant ! Même si elle sera toujours une Bouchard de par sa naissance parce que son père tenait mordicus à ce que sa fille garde le même nom que lui, ça reste qu'au jour le jour, la p'tite Béatrice fait partie de notre famille à nous autres. Moi, en tout cas, je la vois un peu comme une Lajoie. Après toute, c'est mon frère pis sa Victoire qui l'élèvent, cette enfant-là, non? Pis y' font bien ça. Y' a rien qu'à regarder pour le voir! Belle comme un ange, pis fine, pis polie…

La mère Catherine avait la conversation facile, cela faisait partie de son métier d'hôtelière. Directe, joviale, elle tutoyait à peu près tout le monde, parfois même les étrangers. Il n'y avait que les dignitaires reconnus et les femmes qui étaient mères à qui elle s'adressait avec déférence. Alexandrine, même si Catherine l'avait vue naître et grandir, ne faisait pas exception à la règle. Cette femme avait eu de nombreux enfants, ce qu'elle-même n'avait pas réussi à faire à son grand désespoir, elle méritait donc tout son respect. Ce fut ainsi que la conversation se poursuivit sur le même ton jusqu'à ce que Victoire claironne, depuis la cuisine, que la soupe était servie.

— À table tout le monde! De la soupe aux légumes, c'est bien meilleur quand c'est chaud!

Tout en s'essuyant les mains sur son tablier, toute souriante, Victoire conviait ses invités depuis l'embrasure de la porte de la cuisine. On s'empressa de répondre à son appel.

Le repas fut bruyant, enjoué et surtout succulent.

— De la tourtière de même, c'est pas mêlant, j'en mangerais tous les jours, lança Clovis en nettoyant une seconde assiettée avec un bout de pain.

Après la mort de son fils aîné, Clovis n'était plus jamais remonté aux chantiers. Il disait regretter le temps passé loin de son aîné qu'il aurait aimé mieux connaître avant de le voir partir aussi vite. C'est ainsi que depuis cinq ans, sans exception, il avait partagé les fêtes de fin d'année avec sa famille.

— Ben c'est ce que je fais, mon homme, manger de la bonne tourtière de même, pis je m'en plains pas une miette, rétorqua Albert, tout gonflé de fierté comme s'il était lui-même le cuisinier.

Tout comme Clovis, il sauçait son pain dans les jus de cuisson qui restaient au fond de l'assiette.

— Serais-tu en train de dire, mon Albert, que je ne sais pas cuisiner autre chose que de la tourtière ?

Assise à l'autre bout de la table, Victoire regardait son mari avec une lueur amusée au fond des prunelles. Un bref silence succéda à ces quelques mots.

Ainsi interpellé par sa femme, le pauvre Albert s'en étouffa presque avec sa dernière bouchée.

— C'est pas ce que j'ai dit ! se défendit-il avec véhémence.

Tout rouge, Albert avala une grande gorgée d'eau pour faire passer une dernière bouchée avant de reprendre d'une voix étranglée :

— J'ai juste dit que...

Un éclat de rire à l'autre bout de la table mit un terme à l'explication d'Albert qui s'annonçait pénible. Victoire lui fit alors un clin d'œil taquin, l'embarras d'Albert changea de cap et les adultes s'esclaffèrent autour de la table. Le brouhaha général réveilla la petite Justine installée dans un coin de la pièce et elle en profita pour faire entendre un pleur vigoureux.

— N'empêche que c'était pas mal bon tout ça !

D'un large geste du bras, Alexandrine montrait la table tout en se levant précipitamment.

— Maintenant, vous allez m'excuser…

Du regard, Alexandrine interrogeait Victoire.

— Tu permets que je m'installe dans ta chambre, n'est-ce pas ? La jeune personne qui crie de plus belle a probablement très faim, elle aussi.

Quand Alexandrine quitta la cuisine, Clovis lui emboîta le pas.

— Vous allez m'excuser, moi aussi. Je vais aider ma femme à s'installer.

Alors que plusieurs villageois avaient prédit que le couple ne tiendrait pas le coup lors du décès de Joseph, et on en avait beaucoup parlé sur le ton de la confidence en rappelant certaines autres tragédies du même genre à avoir frappé le village, Clovis et Alexandrine les avaient tous fait mentir. En effet, leur couple semblait plus soudé que jamais depuis le tragique événement. Comme si la profonde tristesse ressentie de part et d'autre n'était qu'une formidable et unique émotion qui les avait avalés de but en blanc, tous les deux ensemble. Plusieurs mois plus tard, le décès d'Emma avait eu le même résultat, recréant le réflexe de se rapprocher, de pleurer à deux l'absence d'une amie.

Il faut dire aussi que depuis cet orage-là, Clovis ne s'éloignait de chez lui que peu de jours à la fois et uniquement si le déplacement en valait la peine. Tout comme Alexandrine, les menaces d'orage s'étaient mises à l'effrayer. Sa prudence n'avait d'égal que la hantise d'un nouvel accident qui s'emparait de lui en même temps que les terribles souvenirs remontaient à la surface dès que le ciel se faisait menaçant et que le vent se levait. Si Clovis arrivait à cacher ses angoisses pour que personne au village ne puisse se douter de quoi que ce soit, Alexandrine, elle, voyait la peur au fond du regard de son homme. Elle ne l'en aimait que plus. La fragilité, la vulnérabilité de ce grand gaillard émouvaient la belle Alexandrine, faisant vibrer ses émotions les plus secrètes.

Quant à Paul, témoin de l'accident qui avait coûté la vie à son frère, il n'était jamais remonté sur le bateau de son père. Ni sur aucun autre d'ailleurs. Il ne voulait même plus entendre parler de navigation, lui qui avait jadis rêvé de devenir constructeur de goélettes. Quelques jours après les funérailles de Joseph, seul au bout du potager, là où devant lui le fleuve ressemblait à la mer, le jeune Paul avait brûlé le livre offert par son père. Le beau bouquin relié en cuir, à la tranche dorée et si bien illustré de navires en tous genres, celui qui l'avait tant fait rêver au cours des dernières années s'était envolé en fumée. De la maison, Alexandrine l'avait vu faire et elle avait versé quelques larmes amères quand le vent avait emporté les cendres du papier. Puis elle avait compris la portée de ce geste et elle avait été soulagée. Voilà un des hommes de la maison qui ne risquait plus de disparaître sous la surface glauque des flots.

À partir de ce jour, Paul avait plutôt rabattu ses aspirations d'un avenir prometteur sur l'architecture.

— Maison ou bateau, c'est construire pareil, papa. Moi, c'est ça qui m'intéresse : la construction !

Alexandrine l'avait approuvé, Clovis n'avait su que répondre.

Cependant, la semaine suivante, Clovis rapportait de son voyage à Québec un second livre qui traitait, cette fois, des grands projets d'architecture dans le monde et au fil des époques.

— Je l'ai trouvé à la librairie Garneau, avait-il dit, embarrassé.

Comme si cette explication excusait le geste !

— J'espère que tu vas l'aimer.

Paul s'était contenté de sourire à son père tout en s'accaparant le livre dans un geste possessif. En quelques jours à peine, ce recueil sur l'architecture avait remplacé celui sur les navires et plus jamais Paul n'avait parlé de navigation ou de bateaux.

C'est ainsi que les années avaient passé.

Clovis était persuadé que son fils devrait reprendre la mer pour arriver à conjurer les mauvais souvenirs, mais Paul avait toujours refusé ses offres et aujourd'hui encore, il s'entêtait. Chaque fois qu'il devait se rendre à Québec où il avait finalement entrepris un cours préparatoire au Séminaire de Québec, le jeune homme préférait se déplacer sur terre, même si les voyages étaient plus longs et plus éreintants. Si quelqu'un, un jour, prenait la relève de Clovis sur la *Marie-Madeleine*, ce serait sans aucun doute le jeune Léopold, car, pour sa part, il ne gardait aucun souvenir de son grand frère Joseph. Il n'avait que deux ans lors du terrible événement, et l'accident pour lui n'était que traduit par des mots de moins en moins souvent répétés. Alors, la mer ne l'inquiétait pas. Bien au contraire, le jeune garçon trépignait d'impatience en attendant le jour où il aurait enfin le droit de monter à bord du bateau pour entreprendre un voyage avec Clovis.

— À treize ans, Léopold. Pas avant.

C'était là la décision de sa mère, et elle était irrévocable. Comme Léopold était un jeune garçon obéissant, facile à vivre et souriant, un peu comme l'avait été Joseph, il n'avait pas protesté. Pour tromper l'attente, il apprenait à faire toutes sortes de nœuds pour se rendre utile le jour où il naviguerait enfin avec son père. Pour l'instant, il se contentait de suivre Clovis dès qu'il était question de radouages ou de ménage à bord de la goélette. Tant que le bateau ne quittait pas le quai, Alexandrine n'intervenait pas.

Pourtant, malgré la tolérance de tous les siens à l'égard de ses exigences, et malgré l'absence de Paul durant l'hiver, Alexandrine en était venue à préférer, et de loin, la saison froide, alors que marins et bateaux patientaient au village. Chaque automne depuis le décès de Joseph, elle avait l'impression qu'un poids glissait de ses épaules pour se lover contre la goélette mise en hibernation, bien en hauteur sur la plage. Alexandrine redevenait alors la femme joyeuse et disponible qu'elle avait déjà été. Elle ne retrouvait son fardeau et sa morosité qu'au printemps suivant, quand Clovis regagnait la mer, et, de mai à octobre, l'inquiétude palpitait sourdement en elle au rythme des

battements de son cœur. Clovis en était douloureusement conscient, mais avait-il le choix ? Le fleuve, c'était
son gagne-pain, et comme il le disait lui-même, il ne
savait pas faire autre chose.

C'est pourquoi, en ce midi de Noël, tandis que
Clovis refermait doucement la porte de la chambre
pour qu'elle puisse allaiter leur fille en toute tranquillité, Alexandrine se sentait particulièrement heureuse.
Sa famille était réunie autour d'elle, on venait de se
régaler en compagnie d'amis sincères et, un peu plus
tard, dans le courant de l'après-midi, on irait visiter ses
parents, toujours vivants et en bonne santé. La journée
serait simple, belle et sans surprise. Alexandrine se dit
alors que l'essentiel était préservé.

Petit à petit, le temps avait fait son œuvre. Même si
la guérison ne serait jamais totale – comment peut-on
oublier la mort d'un de ses enfants ? –, Alexandrine
avait pourtant réappris à sourire, puis, un peu plus
tard, elle s'était surprise à laisser échapper un rire. À
la naissance de Justine, elle avait même confié à Clovis
qu'elle pourrait encore être vraiment heureuse.

— Je me sens si bien en ce moment, avait-elle murmuré à l'oreille de son mari, quelques heures après la
naissance de leur fille. Si j'osais, pour une première fois
depuis le départ de Joseph, j'aurais envie de dire que je
suis vraiment heureuse.

— Pourquoi est-ce que t'oserais pas, Alex ?

Pour lui répondre, Clovis avait employé cette voix
grave dont il n'usait que dans l'intimité avec son
Alexandrine.

— Pourquoi est-ce que t'aurais pas le droit d'être heureuse ? Le passé sera toujours le passé. On peut rien y changer. Mais me semble qu'on a aussi un avenir, toi pis moi. Pis que cet avenir-là, il pourrait être beau, ben beau… Malgré tout.

Alexandrine n'avait pas répondu. Avec Justine blottie au creux de ses bras, elle s'était contentée de poser sa tête sur la poitrine de Clovis et lui, il avait passé un bras autour de ses épaules.

Depuis ce jour-là, il arrivait souvent à Alexandrine de repenser aux quelques mots de son mari et, tout doucement, elle commençait à se donner la permission d'y croire.

« La vie a la couenne dure, songea Alexandrine, tout en caressant du bout de l'index la joue de sa fille qui buvait goulûment. Le bonheur est encore à portée de main. »

Alexandrine regardait sa fille avec une infinie tendresse. Le bébé blotti contre son sein avait les mêmes cheveux bouclés que ceux de Joseph quand il était petit et le même regard d'un bleu profond.

— Mais heureusement, t'es une fille, murmura Alexandrine, en resserrant tout doucement son étreinte, émue comme elle l'était chaque fois qu'elle prenait conscience de la ressemblance si frappante entre Justine et son grand frère Joseph.

La joie d'être de nouveau mère avait été totale quand Alexandrine avait su qu'elle venait de mettre au monde une petite fille. De grosses larmes de soulagement avaient alors débordé de ses paupières. Même si cette nouvelle enfant osait poser un jour la candeur de ses grands yeux bleus sur l'immensité des flots, avec envie et curiosité, comme son grand frère l'avait fait bien avant elle, Justine ne pourrait jamais rejoindre son père sur la goélette. Une fille ne prenait pas la mer pour gagner sa vie. Quand le besoin s'en faisait sentir, en l'absence d'un mari ou d'une famille, une fille devenait institutrice ou garde-malade, femme de chambre ou ménagère, peut-être même maître de poste si elle était instruite, mais elle ne devenait jamais marin. Aux yeux d'Alexandrine, c'était là l'essentiel.

Un coup léger frappé à la porte interrompit sa réflexion et elle leva les yeux.

— Je peux entrer ?

Une moue embarrassée au coin des lèvres, Victoire avait tout juste entrouvert la porte pour se montrer la tête.

— Je ne veux surtout pas te déranger, dit-elle précipitamment à mi-voix, voyant que son amie allaitait toujours.

Alexandrine esquissa un sourire taquin. Ce regard gêné et cette intonation toute en interrogation ressemblaient si peu à la nature habituellement fonceuse de son amie que c'en était amusant. D'un petit geste de la main, elle l'invita à la rejoindre dans la chambre.

— Entre, voyons ! Tu le sais bien que tu me déranges pas.

Victoire se glissa dans la pièce et referma soigneusement derrière elle. Puis elle contourna le lit et s'y laissa tomber, devant Alexandrine installée dans la chaise berçante tout près de la fenêtre.

— Tu as tout ce qu'il te faut ? demanda Victoire de la voix de celle qui n'y connaît pas grand-chose. En bas, c'est réglé. Ta fille Anna m'a chassée de la cuisine quand est venu le temps de faire la vaisselle.

Tout en parlant, Victoire examinait la chambre sans oser regarder franchement Alexandrine. À ce geste, cette dernière comprit que son amie était mal à l'aise. C'était sans équivoque. Bien qu'elle soit une femme accomplie et une maman exemplaire, Victoire ignorait tout de cette intimité particulière qui pouvait unir une mère à son bébé, d'où probablement ce visible malaise.

— J'ai tout ce qu'il me faut, crains pas. Pis toi ? Pas trop fatiguée ?

— Fatiguée ?

Ramenée à elle-même, Victoire se détendit et elle éclata d'un beau rire franc.

— C'est pas la préparation d'un repas comme celui de ce midi qui pourrait m'éreinter. Tu le sais, Alexandrine, que je suis faite forte.

— C'est vrai… C'est même depuis qu'on est toutes petites que t'es une force de la nature. Y' a rien qui te fait peur, à toi ! Et y' a rien pour t'abattre non plus !

— Tu penses ça ?

— Oui… On en parle chaque fois qu'on a la chance de se rencontrer, Emma pis moi.

Emma… L'indissociable de leur trio d'enfance.

Alexandrine se tut brusquement. Le nom lui avait échappé au présent avec la spontanéité d'une certaine habitude. La tristesse fut immédiate.

Les deux femmes échangèrent un regard ému.

— Déjà cinq ans qu'elle est partie... C'est fou comme le temps passe vite, soupira Alexandrine.

— Oui, trop vite, approuva Victoire sur le même ton.

Et comme elle emmêlait toujours le nom de sa petite Béatrice à ceux de ses parents, peu importe que ce soit celui d'Emma ou de Matthieu, elle ajouta ces quelques mots qui, pour elle, coulaient de source :

— Oui, le temps passe trop vite... En septembre prochain, Béatrice commence déjà l'école, te rends-tu compte ?

Alexandrine soutint le regard de son amie.

— Emma m'a déjà avoué qu'elle aimait bien quand ses enfants commençaient l'école, se souvint-elle. Ça lui donnait un petit répit, qu'elle disait. Alors, je suis certaine qu'elle serait fière de voir sa fille Béatrice. De voir surtout ce qu'elle est devenue.

À ces mots, Victoire se sentit rougir.

— Tu crois ?

— Sûrement. C'est vraiment une gentille petite fille, la jolie Béatrice.

Victoire savoura les quelques mots d'Alexandrine, visiblement fière d'elle-même, avant d'ajouter, plus tristement :

— Dire que c'est à cause d'elle si Emma est morte.

Victoire était songeuse et, pour éviter les larmes, elle laissa son regard s'évader par la fenêtre. Mais comme il se posa sur le ciel d'hiver, presque blanc, elle y vit l'image d'Emma s'imprimer contre les nuages et les larmes parurent malgré sa bonne volonté.

— Chut! Parle pas comme ça... Si ça n'avait pas été elle, ça aurait été un autre, murmura Alexandrine du ton qu'elle aurait pris pour consoler un enfant.

— Peut-être, oui.

— Je t'en avais jamais parlé, mais je le savais, moi, que les accouchements d'Emma étaient toujours difficiles.

Victoire reporta les yeux sur Alexandrine.

— Je le savais moi aussi. Elle me l'avait écrit...

Un bref silence succéda à ces quelques mots et ce fut comme si Emma se joignait à elles.

— Quand je pense à Emma, reprit Victoire d'une voix retenue, je suis contente de ne pas avoir eu d'enfant à moi. Savoir qu'on peut en mourir, ça fait peur, crois-moi. Surtout quand on ne connaît pas vraiment ça. D'un autre côté, quand je te regarde, comme en ce moment, ça me fait un petit pincement au cœur.

Alexandrine jeta un regard attendri sur sa fille qui buvait toujours aussi goulûment, les deux menottes pressées contre son sein, puis elle leva les yeux vers Victoire en fronçant les sourcils sur sa réflexion. Avait-elle eu peur, elle, quand elle avait appris qu'elle attendait un enfant? Alexandrine haussa les épaules avec une certaine désinvolture. Juste à se poser la question, c'était y répondre. Non, elle n'avait jamais eu peur, bien au contraire. Avoir un enfant, le porter et le mettre au monde, c'était la chose la plus belle, la plus vraie qui lui ait été donné de vivre.

Ça et l'amour de son Clovis, malgré les douleurs au

corps comme au cœur au fil des années. Alexandrine poussa un soupir tout léger.

— On peut aussi se faire renverser par une carriole lancée à toute allure, affirma-t-elle finalement, tout en pointant son amie du doigt. Rappelle-toi! L'an dernier, Osias Garant s'est fait casser les deux jambes par la jument de Clotaire Pomerleau qui avait pris le mors aux dents en plein village... S'il fallait s'arrêter à tout ce qui peut être dangereux dans une journée, on sortirait jamais de sa maison.

— Tant qu'à ça...

À son tour, Victoire échappa un long soupir.

— Dans le fond, on parle bien pour parler... Tu le sais, toi, que mon plus grand rêve aurait été d'avoir un bébé avec Albert! Un, pis deux, pis trois... Pis dix! lança Victoire sur un ton légèrement exaspéré. C'est pas parce que l'accouchement me fait un peu peur que j'aurais boudé ma chance, crois-moi, Alexandrine. Non, moi, c'est pas la possibilité d'une certaine douleur qui me fait peur.

— Parce qu'il y a des choses qui te font peur? À toi, Victoire Lajoie, la pâtissière des hôtels de la région? Ben voyons donc!

Pour désamorcer la tension qu'Alexandrine sentait monter dans la pièce, elle avait volontairement pris un petit ton désinvolte.

— Oui, il y a des choses qui me font peur.

Le ton de Victoire, cependant, raviva toute la gravité du moment.

— Savoir que mon mari n'est plus tout jeune, ça fait

partie de mes peurs. C'est ma hantise d'arriver un beau matin dans la forge et de le trouver...

La voix de Victoire s'étrangla et celle-ci dut toussoter à quelques reprises avant de pouvoir continuer.

— Oui, ça c'est quelque chose qui me fait peur : trouver mon mari mort tout seul à la forge parce qu'il continue de travailler trop fort pour un homme de son âge, juste pour que Béatrice et moi on ne manque de rien...

— Pis moi, c'est le fleuve, la hantise de ma vie, compléta Alexandrine. Avant, j'arrivais à me contrôler mais depuis l'accident...

Alexandrine n'eut pas besoin de poursuivre. Victoire acquiesçait d'un lent mouvement de la tête, montrant par là qu'elle comprenait fort bien les inquiétudes de son amie.

— On a toutes nos croix à porter, n'est-ce pas ? murmura-t-elle en soutenant le regard d'Alexandrine.

— Oui, c'est vrai. Mais y en a d'aucunes qui sont plus pesantes que d'autres.

Alexandrine avait subitement le cœur gros. Elle serra la petite Justine tout contre elle comme pour se consoler, puis elle reprit.

— C'est vrai que certaines croix sont plus pesantes que d'autres, murmura-t-elle. Comme le fait que Léopold s'est mis dans la tête de suivre son père un jour. J'ai beau en avoir repoussé l'échéance, j'ai beau me dire pis me répéter que durant les années à venir, Léopold a en masse le temps de changer d'idée, je le sais bien que c'est juste des accroires que je me fais. Je le sais bien, va, qu'un bon matin, j'aurai pus rien à dire pis que mon fils va suivre son père. Comme pour son frère Joseph. C'est pas parce que j'arrive pas à me raisonner que ça lui enlève ses droits... Toi, tu t'inquiètes peut-être pour ton mari, mais moi, j'en ai deux qui me causent ben du souci : mon Clovis, qui continue de gagner sa vie sur son bateau, pis mon fils Léopold, qui rêve du jour où il va enfin avoir le droit de l'accompagner.

Victoire resta un long moment sans répondre. Puis, le regard de nouveau tourné vers la fenêtre, devinant la présence du fleuve à quelques remous noirâtres entre les glaces et apercevant l'autre rive dont elle voyait le clocher du village à travers les arbres dégarnis, tout au bout de son jardin, elle avoua dans un souffle :

— Je l'ai peut-être jamais dit à personne, mais on est égales, Alexandrine. Si j'ai peur pour mon mari, c'est rien à côté de ce que je ressens face à Béatrice.

— Béatrice ?

— Oui, Béatrice...

Victoire tourna alors la tête vers Alexandrine qui sentit aussitôt son cœur se serrer tant il y avait de tristesse dans le regard de son amie.

— S'il fallait que Matthieu, un beau matin, vienne frapper à notre porte pour réclamer sa fille, je pense que j'en mourrais...

— Ben voyons donc, toi ! Matthieu ferait jamais ça.

— C'est là que tu te trompes, Alexandrine. Je le sais, je le sens, fit alors Victoire en se pointant le cœur. Après tout, Béatrice porte toujours le nom des

Bouchard, et ça, c'est Matthieu qui l'avait exigé. De là à imaginer qu'il pourrait nous revenir un beau matin…

Alexandrine ne répondit pas, parce qu'il n'y avait rien à répondre. Seul un long regard unit les deux amies avant que Victoire se relève pour retourner à la cuisine.

CHAPITRE 2

L'été suivant, à Montréal, chez James et Lysbeth, en mai 1899

La journée avait été particulièrement belle et chaude. Une de ces journées de mai qui donne une erre d'aller à la belle saison. Une de ces journées qui rend les sourires lumineux, les pas légers et les humeurs accommodantes.

En ce moment, le soleil inondait la petite cour de terre battue de ses rayons obliques. Accroupi dans un coin, sous les branches d'un lilas sur le point de fleurir, un enfant jouait sagement. Un tout jeune garçon, encore à cet âge où l'on sait jouer avec un rien. Lui, il s'amusait avec une petite charrette en bois, tirée par un cheval de plomb. Le cheval était brun avec une crinière noire et l'enfant, tout concentré sur son jeu, tentait d'imiter le bruit des sabots avec sa langue.

— Hey, Johnny boy !

Le bambin d'à peine quatre ans, occupé fort sérieusement à accumuler une montagne de petits cailloux dans sa charrette, rouge et brillante, reçue récemment pour son anniversaire, releva vivement la tête. Une étincelle de soleil, se faufilant entre les branches du lilas, s'accrocha à ses boucles orangées. Quand il reconnut l'homme qui l'interpellait, le petit Johnny esquissa un sourire heureux qui illumina son visage parsemé de taches de son.

— Viens voir! J'en ai mis beaucoup, dit-il avec un geste de la main qui soutenait ses paroles.

Puis, élargissant son sourire, le petit garçon lança:

— Elle est grosse, ma charrette! Très grosse. Ça prend vraiment beaucoup de cailloux pour la remplir.

— Tu es un petit garçon bien chanceux. Moi, à ton âge, j'avais juste les cailloux, pour m'amuser.

Johnny fronça les sourcils tandis que l'homme s'approchait de lui.

— Pas de charrette?

Le ton annonçait clairement que Johnny doutait énormément de la véracité de ces quelques mots. Pour lui, tous les enfants de la terre avaient évidemment des charrettes pour s'amuser.

Et un cheval à bascule, et un beau tambour de métal, et des blocs en bois tout colorés...

Alors pourquoi Lionel avait-il dit qu'il n'avait que des cailloux pour s'amuser? Ça ne se pouvait pas. Lionel devait se moquer de lui. Pour cette raison, le petit Johnny resta souriant, comme devant une bonne blague, attendant peut-être une explication. Pourtant, Lionel lui répéta:

— Non, pas de charrette jouet. Où j'habitais, il y avait juste des vraies charrettes, pour les grandes personnes. Les jouets, on se les fabriquait avec un peu n'importe quoi.

— Oh…

Le sourire de Johnny disparut subitement à l'idée de ce que serait sa vie sans jouets pour s'amuser. Cette perspective semblait dépasser tout entendement. Sur ce, le petit garçon se mit à réfléchir avant de dire sur un ton légèrement hésitant :

— Ben… Veux-tu jouer avec moi ? Même si t'es grand maintenant ?

— Pourquoi pas ! C'est une très bonne idée que tu as là.

La réponse avait été si spontanée que le sourire du gamin revint instantanément. À deux mains, il se mit à gratter la terre pour empiler les cailloux qui roulaient sous ses doigts. Tant pis pour les autres, lui, il avait une belle charrette et il allait en profiter avec Lionel.

— Toi, tu vas être le vendeur de cailloux. Ici c'est ton magasin, annonça-t-il en montrant le tas de terre. Moi, j'achète tes cailloux pour les transporter.

— Et où vas-tu les transporter, tes cailloux ?

L'enfant leva les yeux et regarda tout autour de lui.

— Là-bas, décida-t-il en pointant du doigt la petite clôture chaulée qui délimitait un minuscule jardin potager.

Le bambin était déjà debout.

— Maman va être très contente parce que c'est joli, des cailloux de toutes les couleurs.

Alertée par le murmure des voix, Lysbeth arrivait justement à la porte de la cuisine à l'instant où, pour donner suite à ses propos, Lionel retroussait ses manches pour se transformer en marchand de cailloux.

En le voyant faire, le visage tout aussi concentré que s'il s'était apprêté à étudier, Lysbeth éclata de rire.

— Tu as décidé de changer de métier, Lionel? La maçonnerie ou le commerce t'attirent?

Pris sur le fait d'une envie de gaminerie qui aurait pu être interprétée comme une faiblesse, Lionel se tourna vivement vers la jeune femme. Lui, habituellement si sérieux, si maître de lui, était rouge de confusion.

— Pas du tout, rétorqua-t-il sur un ton offusqué.

Et comme il détestait avoir tort, Lionel ajouta du même souffle, pour se justifier:

— Ça va bientôt faire partie de mon métier de m'entendre avec les enfants, tu sais. Tous les enfants.

— C'est vrai, tu as raison.

Tandis qu'elle parlait, Lysbeth avait soulevé sa jupe d'une main et elle descendit les quelques marches qui menaient à la cour d'un pas tout léger. Puis, d'un geste machinal, elle fit un chignon avec son épaisse chevelure et secoua la tête pour se rafraîchir la nuque avant de laisser retomber ses boucles tandis que le petit Johnny courait vers elle.

— Maman!

Le bambin se jeta dans les jupes de sa mère en riant. Lysbeth se pencha vers lui et elle le prit sous les bras pour le soulever et le faire tournoyer au-dessus de sa tête.

Même si cela faisait des années que Lionel était le témoin quotidien de ces effusions entre Lysbeth et son fils, chaque fois, il était tout aussi ému. Jamais, chez lui, à l'Anse-aux-Morilles, il n'avait vu de telles démonstrations entre ses parents et leurs enfants. Car ici, il en allait de même quand James revenait du travail : les retrouvailles entre ce dernier et le petit Johnny étaient bruyantes et joyeuses alors que, chez les Bouchard, c'était plutôt le silence qui s'abattait sur la pièce quand Matthieu revenait des champs. Même avec sa mère, Emma, aux instants les plus intimes et les plus intenses qui avaient pu exister entre eux, la relation avait toujours été empreinte de réserve et d'embarras.

Lionel détourna la tête, le cœur gros.

Qu'en était-il, maintenant, de la vie quotidienne chez lui ? Cela faisait des années que le jeune homme vivait à Montréal, et il n'avait pas la moindre idée de ce qui se passait sous le toit de la famille Bouchard. Au matin des funérailles d'Emma, une laconique discussion avec son père avait scellé sa vie en coupant définitivement les ponts entre lui, vivant et étudiant à Montréal, et tous les siens, restés à l'Anse-aux-Morilles.

— Maintenant que nous voilà en grand deuil, avait dit Matthieu à Lionel, je compte sur toi pour nous aider.

La maison venait de se vider des amis et voisins accourus pour les soutenir après le décès d'Emma. Un peu plus tôt, ce matin-là, dès la cérémonie funèbre terminée, le cercueil avait été mis dans un tombeau en attendant son transport vers Pointe-à-la-Truite, là où Emma avait manifesté le désir d'être inhumée. Le transport entre les deux rives du fleuve se ferait dès le lendemain, Clovis l'avait promis. Présentement, les deux hommes étaient au salon qui ne servait à peu près jamais et les femmes étaient à la cuisine, occupées à tout ranger.

Les mots de Matthieu avaient frappé Lionel de plein fouet. Pour être bien certain d'avoir compris, il avait demandé :

— Vous aider ? Ça veut dire que…

— Ça veut dire que c'est fini le collège, Lionel.

La voix de Matthieu était tranchante, sans la moindre émotion.

— Sans ta mère, dorénavant, tous les bras vont être nécessaires pour qu'on puisse s'en sortir.

— Ce n'est pas sérieux !

La réponse avait fusé, claire et sans équivoque, dans un élan du cœur. Une réponse à laquelle Matthieu avait répondu du tac au tac.

— Oh oui, ça l'est, sérieux. Je pense que j'ai jamais été aussi sérieux de toute ma vie. Pis si mes conditions te conviennent pas, tu dois savoir ce qu'il te reste à faire, hein ? Ta mère trouvait peut-être un certain contentement à te voir te pavaner avec ton grand savoir pis tes beaux habits du collège, moi, dans les circonstances actuelles, ça me dit rien pantoute. Même en temps normal, ça me plaisait pas outre mesure de te voir prendre des grands airs.

— Prendre des grands airs ? Moi ?

— Oui, oui, prendre des grands airs. Comme si on était pus assez bons pour toi, Lionel. Non, fais pas c'te face-là, ta face de père supérieur comme si je disais des niaiseries. Ça me choque de voir que tu comprends pas. Que t'as jamais compris que dans la vie, on fait pas toujours juste ce qu'on veut. Faut croire que j'avais raison, puisque c'est à toi qu'Emma avait confié sa lettre.

Lionel n'arrivait pas à suivre la logique sous-jacente au discours de son père. Néanmoins, le connaissant bien, il n'avait pas osé l'interrompre pour demander des explications.

— Ça fait que...

Sur ce, Matthieu s'était relevé de sa chaise en expirant longuement et bruyamment. Puis, il avait marché jusqu'à la fenêtre dont il avait repoussé le rideau. Dehors, un vilain crachin gommait le paysage. C'était un monde de grisaille qui s'étalait devant lui, un peu comme il entrevoyait le reste de sa vie. Désormais seul, sans Emma à ses côtés, la vie serait uniformément grise.

Pourquoi? Pourquoi Dieu avait-il permis un tel gâchis?

Et comme si la mort de sa femme ne suffisait pas, dans un ultime message, elle lui avait avoué ne pas avoir été heureuse.

Les poings de Matthieu s'étaient serrés contre sa cuisse. Pourquoi avait-elle laissé entendre une telle chose? Ce serait son tourment, cette éternelle question à laquelle il n'aurait probablement jamais de réponse.

D'un geste rageur, Matthieu avait écrasé une larme au coin de ses paupières.

Pourquoi la vie était-elle si dure? Ne faisait-il pas assez confiance à Dieu, ne le priait-il pas suffisamment?

Non, Matthieu ne comprenait pas. Il était triste, déçu, blessé.

Alors, parce qu'il avait besoin d'un exutoire pour ne pas devenir fou de chagrin et d'incompréhension, Matthieu avait fait comme si son fils Lionel était responsable du contenu de la lettre écrite par sa mère, comme s'il était responsable du grand malheur qui venait de s'abattre sur leur famille. Il avait montré la porte à son aîné en précisant qu'il serait préférable de ne jamais revenir.

— Ma vie à moi, ça ressemble pas à ce que tu veux faire de la tienne, pas une miette, avait-il expliqué péniblement. Ça fait que je vois pas ce qui reste à nous dire, toi pis moi... On vit plus dans le même monde. C'est ben triste à dire, mais c'est ça... De toute façon, oublie jamais que pour un père, c'est plein d'agrément de voir ses fils prendre le même chemin que lui. Ouais, plein d'agrément.

Sur ce, sans un dernier regard en direction de Lionel, Matthieu avait tourné les talons en ajoutant, juste avant de quitter la pièce:

— Bon ben... Comme j'ai pas entendu de réponse de ta part, je comprends que t'as rien à redire à mes propos. Je comprends que t'as choisi le collège. Ça fait que pour à soir, j'vas dire à ta sœur de mettre une place de moins à table.

Ce furent là les derniers mots que Matthieu avait adressés à Lionel. Dans l'heure, ce dernier était reparti pour le collège et, au mois de juin suivant, le cœur rempli de colère et de rancœur envers son père, il avait pris la route pour Montréal sans même passer par chez lui. Il se souvenait qu'un jour, un certain James O'Connor, venu à la maison de ses parents par le plus grand des hasards, lui avait dit qu'en cas de besoin, il serait heureux de l'accueillir dans la métropole.

Lionel était arrivé à Montréal par une journée de pluie et de grands vents, mais le sourire de James en l'apercevant, quand il s'était retourné sur le quai où il transbordait des caisses, avait suffi à réchauffer le souvenir que le jeune homme gardait de ces quelques instants.

— Hey, Lionel! Heureux de te voir, le jeune!

James s'était approché à grands pas souples.

— T'as peut-être pas mal grandi, avait-il déclaré en le détaillant de la tête aux pieds, mais j'ai tout de suite reconnu ton visage.

Sa poignée de main avait été chaleureuse.

— J'ai souvent pensé à vous tous, tu sais. Alors? Comment va ta famille?

Sans fausse pudeur, Lionel avait tout raconté. Les études, le décès de sa mère, la réaction de son père, son envie de devenir médecin…

— Médecin?

— Oui, médecin. Pour qu'il y ait de moins en moins de femmes qui meurent comme ma mère est morte à la naissance de ma sœur.

James avait alors poussé un sifflement à la fois admiratif et respectueux.

— C'est sérieux, ton affaire, avait-il apprécié, d'un ton grave. Je comprends maintenant pourquoi tu veux devenir médecin. Alors tu viens chez nous et on va voir ce qu'on peut faire pour t'aider... Lysbeth, ma femme, va être sûrement très heureuse de te rencontrer.

Ce fut ainsi que Lionel s'intégra à la famille de James, tout naturellement, comme s'ils se connaissaient tous depuis toujours. Une semaine plus tard, Lionel s'était inscrit à l'université et, l'été suivant, il avait travaillé comme garçon de café pour payer ses études. James et lui avaient convenu qu'en échange du gîte et du couvert, il rendrait de menus services à Lysbeth, tant dans la maison que sur le terrain où il avait, entre autres choses, entretenu le potager. Lionel s'était alors dit, mi-figue mi-raisin, que par amitié et gratitude, ça ne lui pesait pas trop d'avoir les mains sales.

Quelques mois plus tard, le petit Johnny était venu au monde. Un gros bébé de dix livres, en parfaite santé. Par contre, Lysbeth avait eu un accouchement long et pénible. James avait donc juré que ce serait le premier et dernier accouchement de sa femme. Tant pis pour son rêve d'avoir une famille nombreuse.

— Pas question de faire prendre des risques inutiles à ma femme. Toi, le futur médecin, tu dois comprendre ça, n'est-ce pas ?

C'étaient là la réflexion et la promesse d'un homme amoureux et sensé.

Lionel avait longuement pleuré dans son oreiller, cette nuit-là. Au matin, la rage avait remplacé le chagrin. Son père était l'unique responsable de l'éclatement de leur famille. Non seulement parce qu'il l'avait renié lui, le fils aîné, pour des raisons qui n'existaient que dans sa tête, mais surtout à cause du décès de sa mère. Une famille sans mère ne peut être tout à fait la même, puisque le cœur n'est plus là. Matthieu Bouchard aurait dû le savoir et prévenir la tragédie.

Puis, les années avaient passé. Lionel avait écrit à quelques reprises à sa sœur Gilberte pour donner des nouvelles et en prendre. Ses lettres lui étaient revenues sans même avoir été décachetées. Devant ce fait, Lionel avait perdu les quelques illusions qui pouvaient persister, devinant aisément que son père était derrière le geste.

Pourquoi s'entêter? Malgré le temps qui passait, Matthieu Bouchard resterait toujours fidèle à lui-même.

Alors, petit à petit, péniblement, même s'il s'était toujours tenu un peu à l'écart de ses frères et sœurs, Lionel avait réussi à faire son deuil d'une famille qui l'avait abandonné.

— Je suis passé par là, lui avait un jour confié James. Dans d'autres circonstances, bien sûr, mais la douleur reste la même. Cette sensation de perte, de vide en soi et autour de soi… Mais ne crains pas. Un jour, tu l'auras, ta famille. Comme moi j'ai enfin la mienne. Et qui sait? Peut-être retourneras-tu chez toi, un jour. Tandis que pour moi, il n'y a plus de maison familiale.

Lionel osa croire que James avait raison et il décupla ses efforts pour devenir le meilleur médecin qui soit. Heureusement, il adorait étudier, apprendre, découvrir, et les semaines, puis les mois et les années, avaient rapidement et agréablement passé.

Et ça y était! Encore quelques examens qui ne l'effrayaient nullement et la vie d'étudiant serait bientôt derrière lui.

Saurait-il être à la hauteur de ses propres aspirations, de ses espoirs les plus sensibles quand il pensait à sa mère? Pourrait-il une seconde fois quitter sans regret et sans trop de tristesse ceux qui étaient sa nouvelle famille? Parce que c'est ce que Lysbeth et James étaient devenus pour lui: une véritable famille dans laquelle il se sentait respecté, accepté et aimé. Une famille grâce à laquelle il avait compris, un peu surpris, agréablement surpris, que le rire, les blagues et la musique étaient autant de vertus pour l'âme qu'une pilule pour le corps.

Mais pour l'instant, il y avait un gamin qui l'appelait oncle Lionel et ce gentil petit garçon attendait qu'il s'amuse avec lui.

Le jeu aussi avait son importance, Lionel en était maintenant convaincu. Il replia soigneusement la seconde manche de sa chemise, puis il leva le bras.

— J'arrive Johnny!

La cour se remplit alors de rires et de courses.

— Je veux des cailloux, monsieur!

Comme tous les enfants du monde, Johnny se prenait au sérieux et Lionel en faisait tout autant.

— J'ai les plus beaux cailloux de la ville, monsieur! Des ronds et des carrés. Combien en voulez-vous?

Lysbeth resta un moment à contempler celui qu'elle considérait comme son jeune frère jouer avec son fils, se demandant, le cœur gros, pendant combien de temps encore Lionel serait là, avec eux. Puis, elle retourna à la cuisine pour préparer le souper. Elle entendit des échos joyeux lui parvenir depuis la cour jusqu'au moment du repas, quand James se joignit enfin à eux.

Lionel ne revint à sa difficile réflexion qu'en toute fin de soirée. L'air était encore chaud, lourd et humide. Chevauchant les toits, la lune glissait rapidement d'un nuage à l'autre, laissant présager un orage pour la nuit.

James et Lionel profitaient de la brise qui venait de se lever pour se rafraîchir. Ils fumaient une dernière cigarette sur le perron avant de se préparer pour la nuit. Incapable de penser à autre chose depuis le souper, Lionel avait confié toutes les options qui s'offraient à lui, options qui n'étaient pas forcément à l'image des intentions entretenues avec passion et espoir tout au long de ses années d'étude.

— Je n'arrive pas à me décider.

— C'est vrai que ce n'est pas nécessairement facile.

— Pas facile ? C'est même pénible. Ce qui me choque, surtout, c'est de voir que ce qui a déclenché cette envie de devenir médecin ne se réalisera probablement pas, malgré toute la meilleure volonté du monde.

— Pourquoi dire ça ?

— Parce que je ne me vois pas débarquer à l'Anse-aux-Morilles comme si de rien n'était.

— À cause de ton père ?

— Qui d'autre ?

D'un geste rageur, Lionel lança sa cigarette

par-dessus la balustrade et il la regarda rouler sur la terre battue de la rue, emportée par le vent, jusqu'à ce que le petit point rougeoyant disparaisse dans la nuit.

— Si tu savais à quel point je le déteste. À cause de lui, j'ai l'impression d'être menotté.

— Allons donc ! Tu as quand même des perspectives d'avenir assez alléchantes, non ? Ce n'est pas à tous les finissants que l'Hôpital général a fait des propositions d'embauche aussi intéressantes.

— Je le sais. N'empêche que ce n'est pas ce que j'aimerais faire.

Regrettant d'avoir jeté sa cigarette à moitié consumée, Lionel en alluma une seconde. Ses gestes étaient nerveux, saccadés. Il inhala une longue bouffée qu'il rejeta en soupirant.

— Et si tu voyais ton passage à l'hôpital comme une sorte de stage ? suggéra James. Question d'acquérir de l'expérience.

— Ouais… C'est aussi ce que je me dis.

Lionel avait l'air découragé, déçu, alors qu'il avait tant attendu ce moment où il serait enfin reçu médecin. Actuellement, il aurait dû être rempli d'énergie, d'espoir, et non pessimiste comme il l'était.

— Mais ce n'est pas un an ou deux à l'hôpital qui vont m'ouvrir toutes grandes les portes de mon ancien patelin, analysa-t-il après quelques instants de silence. Et tu le sais, toi, que c'est ce dont je rêve le plus au monde.

— Je le sais ! Tu veux retourner à la campagne. Je ne comprends pas ce que tu as contre la ville, mais c'est un fait: depuis le tout premier jour passé à vivre ici, tu parles de retourner d'où tu viens.

— Et tu sais pourquoi! Ce n'est pas que je déteste la ville, bien au contraire. La vie serait probablement beaucoup plus facile pour moi ici, et j'en suis conscient. Que ce soit à l'Hôpital général, comme tu viens de le souligner, ou comme associé du docteur Gamache, comme il me l'a proposé, j'aurais un bel avenir à Montréal. Malgré tout, j'hésite. Je crois que mon devoir est de retourner là-bas, tout simplement. Je me suis juré de ne jamais oublier qu'il y a des gens qui meurent faute de soins adéquats.

D'une voix sourde, blessée, il conclut:

— Je suis bien placé pour le savoir. En restant ici, j'aurais l'impression de trahir ma mère.

Un court silence succéda à ces quelques mots douloureux. Quand il se décida à rompre ce silence d'introspection, James tenta de mettre une bonne dose d'enthousiasme dans sa voix pour essayer de briser l'espèce de cercle vicieux où Lionel semblait tourner sans fin.

— Et si tu reportais ta décision à plus tard?

Lionel se tourna vers son ami.

— À plus tard? Pourquoi?

— La fatigue est une bien mauvaise conseillère. Ça fait cinq ans que tu étudies, que tu fais des stages et qu'en plus, tu travailles tous les vendredis et les samedis soir. Sans compter les étés où tu n'as jamais pris la moindre journée de repos! Même le dimanche, tu te lèves à l'aube pour étudier.

Lionel esquissa un sourire rempli d'indulgence envers lui-même.

— C'est vrai que je n'ai pas arrêté! Et c'est vrai aussi que je suis épuisé. Tu n'as pas tort de le dire.

— Comment peux-tu prendre une décision éclairée dans de telles circonstances?

— Là encore, tu as raison.

— Bon, tu vois!

À son tour, James se pencha sur la balustrade et, d'une chiquenaude, il lança sa cigarette vers la rue.

— Crois-moi, ajouta-t-il en même temps, ça fait du bien de se reposer, de n'avoir rien à faire et rien à penser. Je le sais! J'en ai pris, moi, des vacances.

— C'est vrai... Tu étais même passé à la maison chez nous, au cours de ton voyage... Curieux hasard, n'est-ce pas? C'est finalement à cause de ces vacances-là si je suis ici. Si je suis médecin.

— Disons, pour être honnête, que c'est peut-être à cause de moi si tu es à Montréal, d'accord, mais pour le reste, je dirais plutôt que c'est grâce à ta persévérance... Et alors? Que dis-tu de mon idée de prendre un peu de recul?

— Et l'hôpital? Et le docteur Gamache? Dans les deux cas, on attend une réponse que j'hésite à donner.

— Eh bien, qu'ils attendent encore un peu!

— Et si je perdais ma chance?

À ces mots pleins de valse-hésitation, James éclata d'un rire franc et légèrement moqueur.

— Pauvre Lionel! Faut-il que tu sois fatigué pour être aussi hésitant... Si jamais tu décidais de partir et qu'à ton retour, il n'y avait plus rien pour toi ici, à Montréal, ça voudrait tout simplement dire que tu as raison et que tu dois penser à t'établir à la campagne! La vie aura pris la décision à ta place. Mais je ne m'en ferais pas pour ça. Je suis persuadé que l'hôpital et le docteur dont tu parles seront toujours prêts à t'accepter si telle est ta décision.

À son tour, Lionel égrena un petit rire.

— Ouais... C'est vrai que je ne suis pas très logique, dans tout ça. D'accord, je remets ma décision à plus tard...

Heureux du dénouement de cette discussion, James prit une profonde inspiration. Au même instant, une lueur orangée souligna l'horizon au bout de la rue.

— On dirait bien que l'orage s'en vient, constata-t-il. Ça devrait ramener un peu de fraîcheur. Tant mieux. C'était particulièrement pénible sur les quais aujourd'hui.

Puis, se tournant vers Lionel, James demanda:

— As-tu une idée de ce que tu vas faire, pour ces vacances que tu viens de t'accorder?

— Oui... Je pense, oui, que j'ai une idée. C'est un peu fou, parce que je ne savais même pas que je prendrais un moment de repos, il y a de ça quelques minutes à peine, mais maintenant que la décision est prise, je sais ce que je veux faire de ces quelques semaines.

— Et on peut savoir?

— Bien sûr...

Un grondement de tonnerre, comme une vilaine

toux longue et soutenue, interrompit Lionel. Au même instant, de grosses gouttes de pluie commencèrent à marquer une par une les pierres de la petite allée qui menait à la rue.

— À défaut d'avoir le courage de me présenter à l'Anse-aux-Morilles, expliqua Lionel en haussant le ton, je crois que je vais me rendre à Pointe-à-la-Truite. Après tout, j'y ai une petite sœur que je ne connais pas.

— C'est vrai.

James soupesa l'idée en hochant la tête en guise d'appréciation.

— Comme j'ai arpenté ce village-là durant toute une semaine, je peux te dire que c'est un endroit merveilleux pour se reposer. Oui, une vraie bonne idée que tu as là.

— Heureux de te l'entendre dire.

— Et moi, je vais en profiter pour te confier quelques lettres à remettre aux gens de là-bas. Même si je n'y suis jamais retourné, je crois que j'y ai encore quelques amis.

— Des lettres ? Pas de problème. Ça va me faire un grand plaisir de les distribuer pour toi.

Un coup de vent rabattit la pluie jusque sur le perron. Lionel et James se levèrent précipitamment en riant. Subitement, Lionel ne sentait plus aucune tension. L'été qui s'annonçait serait un moment inoubliable, s'il se fiait aux souvenirs que James gardait de ses propres vacances, prises des années auparavant, et dont il parlait encore abondamment.

— Je vais écrire dès ce soir à Clovis pour lui annoncer mon arrivée, lança-t-il, enthousiaste, en attrapant sa chaise par le dossier. Comme ça, je ne pourrai pas changer d'idée demain matin au réveil.

— Je vois que tu te connais bien, Lionel Bouchard, lâcha James en riant. Vite, ouvre la porte, c'est déjà le déluge !

Les deux hommes rentrèrent dans la maison en se bousculant comme des gamins, chacun une chaise à la main.

CHAPITRE 3

Le mois suivant, chez les Bouchard à l'Anse-aux-Morilles, en juin 1899

Quand la porte de la cuisine claqua sur la voix des plus jeunes qui partaient pour l'école, Gilberte lança son torchon au fond de l'immense évier en fonte tout éraflé et elle soupira de lassitude. Bien que la journée soit encore jeune, elle était déjà fatiguée. Puis, elle retira son tablier avec des gestes impatients en songeant qu'elle serait longue, cette journée, et surtout éreintante, car il y avait le potager à semer, en plus de tout le reste qui constituait l'ordinaire de ses journées.

En plus, surtout, de l'oubli de tous les siens.

Gilberte inspira longuement pour refouler les larmes qui menaçaient de s'échapper.

Aujourd'hui, elle fêtait ses vingt ans et personne n'y avait pensé.

La jeune femme prit quelques bonnes inspirations pour reprendre le contrôle d'elle-même, puis elle s'approcha de la porte donnant sur la cour.

— Si vous avez besoin de moi, j'vas être dehors, lança-t-elle en haussant le ton à la limite du cri pour que Mamie l'entende. Je m'en vas m'occuper de préparer le jardin pour faire les semis. Avec toute la pluie qu'on a eue la semaine passée, j'ai pris du retard.

La vieille dame, assise dans une chaise berçante près de la fenêtre, lui adressa un sourire édenté.

— Tu fais quoi, chère ? J'ai mal entendu !

Armée d'une patience infinie, Gilberte retint le soupir d'impatience qu'elle aurait eu envie de pousser et elle revint vers Mamie pour répéter. La vieille dame avait beau être de plus en plus sourde, elle ne l'en aimait pas moins.

— Au jardin ! reprit Gilberte, en articulant jusqu'à l'exagération. Je m'en vas travailler dehors dans le jardin.

Mamie opina du bonnet pour montrer que, cette fois-ci, elle avait fort bien entendu.

— Travailler dans le jardin ? C'est une bonne idée, rapport qu'y fait ben beau, à matin.

— C'est ça, oui. Y fait pas mal beau, même si c'est encore un peu frais. Si le cœur vous en dit, vous pourriez venir me rejoindre.

Malgré ses quatre-vingts ans bien sonnés, Mamie avait toujours tout son jugement et sa mémoire. Quand l'arthrite ne l'accablait pas trop, elle continuait même de se rendre fort utile, tant à l'intérieur qu'à l'extérieur de la maison.

— Donne-moi l'avant-midi pour me sentir d'aplomb, chère, précisa-t-elle, pis m'en vas aller te rejoindre durant l'après-midi.

— Ça va me faire plaisir.

Gilberte était revenue près de la porte. Attrapant son chandail de laine, elle quitta la cuisine pour remonter vers le potager, tandis que Mamie la surveillait depuis la fenêtre. Dès qu'elle comprit que Gilberte ne reviendrait pas sur ses pas puisqu'elle avait déjà commencé à bêcher, la vieille dame se releva de sa chaise d'un mouvement plutôt alerte. Pour une fois, le réveil n'avait pas été accompagné de ses douleurs habituelles.

— Astheure, le gâteau, lança-t-elle pour elle-même, tout heureuse de voir qu'elle serait seule pour un bon moment.

Cela faisait une semaine qu'elle attendait cette date avec impatience, espérant faire une petite surprise à Gilberte. Si elle ne savait pas lire, Mamie avait quand même appris à déchiffrer un calendrier et, tous les matins, elle avait compté les jours en pointant les chiffres sur le calendrier à l'effigie du Sacré-Cœur que le marchand général distribuait à ses meilleurs clients. S'aidant de ses doigts, elle avait donc suivi le cours des jours la séparant de la date anniversaire de Gilberte, incluant dans le secret les jumeaux, Célestin et Antonin, qui lui avaient confirmé qu'elle avait raison: dans quelques jours, ce serait bien l'anniversaire de Gilberte. En apprenant l'intention de Mamie de souligner l'événement, les deux garçons, qui auraient onze ans à l'automne, avaient été ravis de cet aparté dans une vie familiale plutôt austère.

— Wow! Une fête? Une vraie fête avec un gâteau comme celui que Gilberte a l'habitude de nous faire?

— En plein ça.

— Ben oui, on veut une fête.

Les deux garçons, aussi différents l'un de l'autre que les jumelles Clotilde et Matilde se ressemblaient, avaient échangé un sourire qui en disait long sur leur appréciation.

— Pis ben oui, on va garder le secret !

C'est Antonin qui avait répondu, selon un code tacite entre les jumeaux. Antonin, déluré et rapide en tout, était celui qui répondait spontanément à ceux qui s'adressaient à eux, et c'était encore lui qui expliquait patiemment les consignes à l'heure des devoirs. Par contre, quand venait le temps des corvées plus difficiles, Célestin, nettement plus grand et plus costaud que son frère, prenait la relève.

— Est fine, Gilberte, avait répliqué Antonin à Mamie avec une mine de conspirateur. A' va être contente d'avoir une fête, elle aussi.

— Ouais, est pas mal fine, Gilberte, avait réitéré Célestin en approuvant vigoureusement de la tête.

Ce matin-là, les jumeaux étaient donc partis pour l'école, imbus de fierté pour la confiance que Mamie leur avait témoignée en les incluant dans le secret. Pour une fois qu'il se passait quelque chose chez eux !

Au fil des années, la famille Bouchard s'était décimée. Après les funérailles d'Emma, Lionel était parti pour le collège et n'était jamais revenu. On ignorait tout de lui, et leur père, Matthieu, avait interdit que l'on prononce son nom en sa présence, de telle sorte que plus personne ne parlait de lui, aujourd'hui. Gérard et Marie, quant à eux, s'étaient mariés l'an dernier, en septembre, lors d'une cérémonie double. Ils habitaient maintenant pour l'une le village, et, pour l'autre, un rang voisin. Quant à ceux qui n'avaient pas encore quitté la maison, à l'exception de Mamie et de Gilberte, ils avaient tendance à considérer les jumeaux comme étant encore des bébés, ce qui les peinait ou les faisait enrager, selon les circonstances. Mais ça ne serait pas le cas aujourd'hui. Chez les Bouchard, ça serait la fête, pour les grands et les petits, Mamie leur avait promis d'y voir et comptait sur eux pour l'aider.

— Comme Emma l'aurait fait, murmura la vieille dame en ajoutant une bûche dans l'âtre du gros poêle qui trônait dans un coin de la cuisine. Jamais Emma n'aurait oublié la fête d'un de ses enfants. Et surtout pas les vingt ans de sa grande fille Gilberte.

Malgré le passage des années, il y avait encore une pointe de tristesse dans la voix de Mamie. Chaque fois qu'elle mentionnait le nom d'Emma ou qu'elle y pensait, la vieille dame avait le cœur gros.

En effet, pour cette femme qui n'avait jamais eu d'enfants bien à elle, la mort d'Emma avait été la source d'une douleur quasi intolérable. Au moment de ce décès, ce n'était pas une simple compagne qu'elle avait perdue, c'était son enfant, parce qu'elle avait aimé Emma comme elle aurait aimé sa propre fille.

Tout en pensant à Emma, Mamie avait sorti les œufs, le sucre et la farine, jetant fréquemment quelques regards furtifs par la fenêtre. De toute évidence, elle s'en faisait pour rien. Même si Gilberte retournait la terre avec énergie, maniant la bêche avec assurance, il y en aurait encore pour quelques heures à bêcher et à biner le jardin avant qu'elle revienne préparer le dîner. La jeune femme avait enlevé sa veste de laine et l'avait accrochée à un poteau de la clôture de perches qui ceinturaient le jardin et elle avait remonté les manches de son chemiser jusqu'aux coudes. Le soleil devait gagner en chaleur. Après tout, le mois de juin était bien entamé.

— Et maintenant, le gâteau! lança Mamie, tout en cassant soigneusement un premier œuf pour en séparer le jaune du blanc. M'en vas faire un gros gâteau éponge dans le beau moule en forme de tube, comme Gilberte les aime tant! Avec de la crème fouettée par-dessus pis toutes les petites fraises des champs que les jumeaux ont ramassées hier en revenant de l'école. Ça va être pas mal bon.

Bien malin serait celui qui aurait pu affirmer que cette femme alerte était octogénaire! Mamie trottina dans la cuisine durant les quelques heures précédant le repas, sans prendre le moindre instant de repos.

Quand Gilberte entra enfin dans la maison, les cloches sonnaient déjà l'Angélus à l'église du village. Le vent en apportait l'écho jusque dans la cour de la ferme Bouchard. Les jumeaux, filles et garçons, étaient revenus de l'école et Mamie avait eu le temps de préparer une belle table, avec la nappe des grandes occasions et un bouquet de fleurs des champs que Clotilde et Matilde avaient cueillies sur le chemin du retour.

— Bonne fête Gilberte!

La jeune femme entrant dans la cuisine les yeux au

sol, épuisée par toutes les heures passées à bêcher, releva vivement la tête. Quand elle aperçut la table bien mise et le sourire éclatant de tous ceux qui l'attendaient, de grosses larmes débordèrent aussitôt de ses paupières.

— Ben voyons donc !

Peu habituée d'être le centre d'intérêt d'une fête, ou même le sujet d'une banale conversation, Gilberte était mal à l'aise et, à l'instant, ses pommettes devinrent aussi rouges que les fraises qui garnissaient le gâteau posé au beau milieu de la table. Malgré ce visible embarras, Gilberte était heureuse, tellement heureuse qu'on ait finalement pensé à elle.

— Merci.

Son regard ému passait de l'un à l'autre.

— Ouais, merci ben gros. Je m'attendais pas à ça.

— Pensais-tu, chère, qu'on était pour t'oublier ? Ça serait ben mal connaître ta famille.

Mamie s'activait, désignait des places pour tout un chacun, maladroite mais combien touchante dans sa tentative d'insuffler un peu d'apparat à ce simple repas du midi.

— C'est pour être ben certains de pas rater notre coup qu'on a décidé de faire ça durant le dîner, ajouta-t-elle en montrant le bout de la table pour qu'à son tour, Gilberte puisse s'asseoir.

L'allusion était à peine voilée : avoir attendu au souper pour souligner l'anniversaire de Gilberte n'aurait pas été une bonne idée, car selon l'humeur de Matthieu au moment où il reviendrait des champs avec

Marius et Louis, on courait un grand risque de voir la fête annulée, tout bonnement.

— Bon! C'est beau de vous voir, affirma la vieille dame en promenant un regard satisfait autour de la table.

Puis, quand elle arriva devant Gilberte, elle précisa:

— Je t'ai faite un bon pâté chinois.

Les yeux de la jeune fille brillèrent de gourmandise.

— Avec du blé d'Inde? osa-t-elle demander.

À ce temps de l'année, c'était plutôt rare d'en avoir à mettre dans le pâté chinois. D'où la question de Gilberte, qui adorait le maïs.

— Avec du blé d'Inde! confirma joyeusement Mamie. J'avais quelques sous qui traînaient depuis un boutte dans le fond de ma sacoche. Ça fait que j'ai demandé à Clotilde d'aller en acheter une canne chez Baptiste.... C'est pour ça que les jumelles étaient en retard, hier après l'école. Astheure, chère, assis-toi. À midi, c'est moi pis Matilde qui font le service.

Pour une fois, en l'absence de Matthieu qui, invariablement, agissait comme un éteignoir sur sa famille, le repas fut bruyant de rires et de plaisir. L'atmosphère était si détendue qu'on en avait oublié le bénédicité.

— Tant pis, on dira les grâces!

Puis, un peu plus tard, entre deux bouchées, Clotilde lança:

— Ah oui, j'allais oublier! Mademoiselle Goulet te fait dire bonjour pis elle te souhaite une ben belle fête.

— Mademoiselle Goulet? L'institutrice?

Gilberte ouvrit de grands yeux surpris.

— Elle se rappelle de moi?

— Ben quin! C'est toujours ton nom qui sort quand quelqu'un a de la misère à lire. La maîtresse dit qu'avec de la persévérance pis de l'application, on peut arriver à tout et c'est là qu'elle dit: comme Gilberte Bouchard.

— Ben voyons donc!

— C'est vrai.

Antonin ajouta son grain de sel.

— Pis pour montrer qu'elle pense toujours à toi en bien, elle nous a donné congé pour l'après-midi.

— Ah oui? Congé? C'est drôle, ça.

De toute évidence, Gilberte était sceptique.

— Explique-moi donc ça, mon Antonin! Dis-moi, selon toi, ça serait quoi le rapport entre ma fête à moi pis le fait de pas aller à l'école pour vous deux?

— Pour t'aider, c't'affaire!

Les jumeaux échangèrent un sourire ravi. Non seulement, ils avaient bien gardé le secret, comme Mamie le leur avait demandé, mais, en plus, ils avaient, eux aussi, grâce à mademoiselle Goulet, une surprise à offrir à leur sœur.

— La maîtresse a dit que c'est ben serviable de ta part de t'occuper de nous autres comme tu le fais, depuis que maman est pus là, expliqua le jeune garçon. C'est pour ça qu'elle a rajouté que tu méritais un p'tit congé, toi avec. Pis pour ça, ben, on peut rester ici pour t'aider.

Encore une fois, les yeux de Gilberte débordèrent. Mal à l'aise, elle renifla bruyamment, s'essuya le visage du revers de sa manche.

— Est ben fine, mademoiselle Goulet.

Gilberte resta silencieuse le temps de se remettre de

toutes les émotions ressenties en quelques minutes à peine. Pour quelqu'un qui se sentait abandonné, plus tôt ce matin, il y avait pas mal de gens qui avaient pensé à lui faire plaisir. Gilberte savoura cette constatation quelques instants, puis son regard s'assombrit. Bien sûr, elle aurait vraiment aimé avoir un après-midi juste à elle, sans corvée. Malheureusement, ce serait impossible. Pas aujourd'hui. Elle tourna un regard déçu mais ferme vers son jeune frère.

— Ça marchera pas, votre idée, fit-elle avec une évidente trace de désappointement dans la voix. Pis je pense que ça serait un brin malhonnête de votre part, surtout vis-à-vis de votre maîtresse, de rester ici pour rien. Même si c'est ben décevant.

— Pourquoi ?

— C'est juste que mademoiselle Goulet le savait pas, mais j'avais prévu semer le jardin, aujourd'hui ! On est déjà pas mal en retard par rapport aux autres années, à cause de la pluie qui arrêtait pas de tomber.

— Pis ? Qu'est-ce que ça change ? On est pas manchots, Antonin pis moi !

Pour une fois, Célestin avait pris les devants et c'est d'une voix indignée qu'il avait protesté.

— On est capables de le semer, ton jardin.

Il y avait un certain défi dans la voix de Célestin, ce qui amena un sourire sur les lèvres de Gilberte.

— Tu penses ça, toi ?

— Ouais, je pense ça. On a juste à te sortir une chaise de la cuisine pour que tu soyes ben confortable, pis toi, t'auras juste à nous donner des ordres ! T'es bonne là-dedans, donner des ordres. Pis nous autres, Antonin pis moi, on est pas mal bons pour obéir.

À ces mots, tous les convives s'esclaffèrent, dont Gilberte. Comment, alors, résister à une telle proposition ?

— D'accord. On va faire comme tu dis.

— Youpi !

— Mais avant…

Mamie fit un petit geste en direction d'une des jumelles.

— Avant d'aller s'installer dans le jardin tout le monde ensemble, on va manger le dessert. Matilde, va chercher des p'tites assiettes, pis toi, Gilberte, comme t'es la fêtée, tu vas couper le gâteau. C'est de même que ma mère faisait ça, quand j'étais petite : le fêté coupait toujours le gâteau. Mais faudrait pas trop lambiner, par exemple, parce que la crème fouettée commence à fondre !

Au même instant, dans un tout autre registre, Matthieu et ses fils s'apprêtaient à reprendre le travail après un repas plutôt frugal, composé de pain, d'eau et d'un morceau de jambon.

Depuis le matin, ils travaillaient à l'autre bout du champ nord de la ferme, labourant en prévision des semis d'avoine. Là aussi, on accusait un certain retard à cause du mauvais temps. Comme chaque année, Matthieu avait gardé ce lopin de terre pour la fin parce que c'était celui qu'il préférait, là où il voyait le bout du monde, comme il le disait lui-même.

— D'ici, y' a rien pour arrêter le regard, déclarait-il

invariablement et avec une certaine emphase chaque fois qu'il se retrouvait au bord de la falaise. Le ciel est immense, la mer aussi, rendons grâce à Dieu pour Ses merveilles.

Là-dessus, il se signait avant de détourner la tête en tendant le bras devant lui, l'index pointé vers le nord.

— D'ici, je peux même apercevoir le village de mon enfance, juste là, de l'autre bord du fleuve. C'est ici, je pense ben, que chus le plus heureux quand je travaille sur ma terre. J'ai l'impression que les deux parties de ma vie sont enfin réunies.

Depuis la mort d'Emma, il parlait souvent de ce village où ils avaient grandi, elle et lui. À deux reprises, tout récemment, en plus de la visite annuelle qu'il n'omettait jamais en gage de souvenir quand venait le mois de septembre, Matthieu avait demandé à Clovis de l'emmener sur sa goélette jusqu'à Pointe-à-la-Truite.

— Pour prier sur la tombe de votre mère, avait-il expliqué. Pis pour saluer la parenté.

Ce à quoi Gilberte avait répondu qu'elle aussi, elle aimerait bien prier sur la tombe de sa mère et rencontrer cette parenté qu'elle ne connaissait pas.

Ce soir-là, quelques années plus tôt, Matthieu n'avait pas répondu. Il s'était contenté de soupirer avant de quitter la pièce.

Le lendemain, au déjeuner, en quelques mots, il avait précisé qu'il était désolé mais qu'avec les animaux et le train à faire deux fois par jour, il était inutile d'espérer quitter la ferme en famille, ne serait-ce que pour quelques heures.

— Je parlais pas de la famille, papa, avait alors rétorqué spontanément Gilberte. Je parlais juste de moi. Moi, je pourrais peut-être vous accompagner.

Autant dire que Gilberte s'était adressée à un mur, même si elle avait mis beaucoup d'espoir dans sa voix. Matthieu l'avait à peine regardée avant de poursuivre sur le même ton monocorde, sans tenir compte de l'intervention.

— Si Marius pis Louis peuvent pas venir à cause des animaux, ça serait pas juste que les autres traversent vers la Pointe.

— Mais, papa, je viens de vous le dire ! Je parle pas des autres. Je parle de moi. Après tout ce que je fais ici depuis des années, me semble que...

— Je veux pus en entendre parler.

Le ton de Matthieu avait clos le sujet.

Cependant, cela ne l'empêchait pas, lui, de prendre le large en direction de Pointe-à-la-Truite à sa convenance, aussi souvent qu'il semblait en avoir envie.

Et il s'y rendrait une fois de plus dans quelques jours. Probablement pour une dernière visite, car si tout allait comme il l'espérait, il n'irait plus jamais se recueillir sur la tombe d'Emma. À ses yeux, le geste aurait été de mauvais goût. Il continuerait de le faire dans le secret de son cœur, certes, car il ne pourrait jamais oublier Emma, mais personne autour de lui ne pourrait savoir ce qu'il pensait et ressentait vraiment.

La traversée était prévue pour le vendredi suivant, en fin d'après-midi, avec Clovis qui le ramènerait le lendemain, à temps pour le repas du soir. La famille

Bouchard, qui se résumait maintenant à son père et à deux frères, tout comme celle d'Emma, les Lavoie, qui étaient nettement plus nombreux, attendait cette visite depuis un bon mois déjà, alors que Matthieu avait profité du retour de la navigation entre les deux rives pour se diriger vers Pointe-à-la-Truite.

La traversée de samedi devrait mettre un terme à ses absences, et une fois que Matthieu serait de retour, la vie de ce côté-ci du fleuve devrait être plus facile pour tout le monde, à commencer par Gilberte.

En pensant à ce qui s'en venait, un drôle de tressaillement souleva l'estomac de Matthieu à un point tel qu'il en eut un frisson.

Crainte et expectative ou désir et espoir ? Matthieu ferma précipitamment les yeux sans oser se répondre à lui-même.

— Allez commencer le labour du champ d'en haut, ordonna-t-il à ses fils, d'une voix intentionnellement bourrue pour cacher son embarras.

Tout en respectant le silence de leur père, les deux jeunes hommes commençaient à trépigner d'impatience. Matthieu sentait leur présence nerveuse dans son dos et ça l'agaçait.

— Je fume une dernière pipée pis je vous rejoins.

Marius et Louis ne se le firent pas dire deux fois. Dans la minute, Matthieu les entendit haranguer la jeune pouliche pas très docile qui avait remplacé le vieux cheval fatigué qu'on avait été obligé d'abattre.

Puis les voix s'éloignèrent et Matthieu put reprendre sa réflexion en toute quiétude. Même si sa décision était prise depuis un certain temps déjà, il aimait y revenir pour en soupeser le pour et le contre.

Cependant, il devait l'admettre : plus le temps passait et moins il voyait d'obstacles à son projet, bien au contraire. Ce qu'il s'apprêtait à faire était rempli de bon sens, tant pour lui que pour toute la famille.

Tout avait commencé par une confession embarrassée que Matthieu s'était senti obligé de faire pour se remettre dans le droit chemin, comme il le disait quand un des enfants faisait une bourde qui méritait l'absolution du curé. Dans son cas à lui, c'était l'absence d'Emma qui se faisait cruellement sentir. Elle n'était plus là pour réchauffer son lit et calmer l'impétuosité de ses sens. Au bout d'une longue année d'abstinence, Matthieu, n'en pouvant plus, avait succombé à ses envies, se laissant aller à quelques instants d'un plaisir solitaire qu'il avait aussitôt qualifié de coupable. Même si sa femme lui avait écrit dans une ultime lettre qu'il aurait fait un meilleur curé qu'il avait été un bon mari, Matthieu savait, lui, qu'il n'était pas fait pour le célibat. Il venait d'en avoir la preuve.

Le curé Bédard n'avait pas semblé surpris par ces aveux qui ressemblaient à ceux d'un adolescent dans la force de l'âge.

— C'est la nature humaine qui est ainsi faite, avait-il psalmodié de cette voix susurrante qu'il employait comme par obligation dès qu'il se cachait derrière la grille du confessionnal. La chair est faible, mon fils, la chair est faible ! C'est pourquoi, dans Sa grande sagesse,

Dieu notre Père a institué pour tous les liens sacrés du mariage.

— Pourquoi d'abord, est-ce qu'Il est venu chercher ma femme ?

Ces mots à peine prononcés, Matthieu s'était senti rougir. Qui était-il, lui, pour oser discuter les voies du Seigneur ?

Ces quelques mots lui avaient tout simplement échappé et le curé Bédard qui n'en laissait jamais passer une les avait rattrapés au bond.

— Matthieu !

Cette fois, la voix du curé frémissait d'indignation et le nom de Matthieu avait probablement été entendu jusque dans l'église.

— Tu diras tout un chapelet pour avoir osé mettre en doute la clairvoyance de Dieu, débita le curé avec une intonation plus discrète. Ce qu'Il fait est toujours bien fait, ne l'oublie surtout pas. Peut-être avait-Il besoin d'une sainte femme comme Emma pour chanter Ses louanges.

Depuis qu'elle était morte, Emma avait trouvé grâce aux yeux du curé Bédard. En effet, n'avait-elle pas sacrifié sa vie pour celle de cette enfant partie vivre de l'autre côté du fleuve, faisant d'Emma une sainte au même titre que les saints martyrs canadiens ? Du coup, les qualités d'Emma étaient devenues tout aussi nombreuses que les innombrables défauts que le curé lui avait jadis trouvés, alors qu'elle lui tenait tête avec les enfants qu'elle n'avait pas et qu'elle aurait dû avoir, selon la conception toute personnelle que ce même curé avait d'une belle famille canadienne-française.

Le temps de se signer au moment où il faisait référence à Emma et le curé revint à Matthieu.

— De toute façon, ce n'est pas à toi de décider ce qui est bon ou pas, avait-il tranché pour mettre un terme à la conversation qui se déroulait à voix basse, dans l'obscurité du confessionnal. Laisse Dieu se charger de ce qui est bien ou mal et contente-toi de lui demander de te guider.

Jamais conseil n'avait trouvé oreille plus réceptive ! Matthieu s'en était alors remis à Dieu, pieds et poings liés, l'implorant de lui indiquer le chemin à suivre.

S'étaient ensuivies de nombreuses soirées de prières ferventes et, à la lumière d'une intense réflexion, il s'était avéré que ce chemin qui serait désormais le sien ferait un détour par Pointe-à-la-Truite.

Et pourquoi pas ?

Matthieu décida dans l'heure qu'il lui fallait le vérifier.

Le temps d'un deuil de bon aloi, d'un été maussade où il ne trouva ni le temps ni le courage de se rendre de l'autre côté du fleuve, puis une autre année passa, durant laquelle Matthieu soupesa les tenants et les aboutissants de cette démarche qu'il espérait mettre en branle un jour. Puis il s'était enfin décidé à faire le grand saut.

D'où ces deux traversées plutôt rapprochées dès le printemps bien installé. Contre toute attente, il n'avait pas été repoussé.

C'est pourquoi, il y avait maintenant ce troisième

voyage prévu le vendredi et le samedi suivants, et qui approchait à grands pas.

Après, la vie sous son toit reprendrait un certain sens, un rythme plus normal. Du moins Matthieu l'espérait-il.

Quand il se décida enfin à rejoindre ses fils, sa placidité coutumière avait repris la place qu'elle occupait habituellement. Personne n'avait besoin de savoir ce qui se tramait dans son cœur comme dans les faits. Comme le disait si bien Emma de son vivant, et paix à son âme: lui, Matthieu Bouchard, était le maître incontesté de la famille, après Dieu, et il entendait bien le rester.

La décision qu'il avait prise était donc la bonne.

Matthieu secoua sa pipe contre le talon de sa botte, s'assura, avec le pouce, qu'elle était bien éteinte avant de la glisser dans une poche de son large pantalon, et il se releva en grimaçant. L'âge le rattrapait. Lentement, soit, mais aussi inexorablement que demain, le jour allait se lever après la nuit. Matthieu poussa un long soupir, puis marchant d'un pas régulier entre les mottes de terre fraîchement retournée, il se dirigea vers le champ de travers pour retrouver Marius et Louis. Il avait l'âme en paix, l'après-midi serait bon.

Élevés à la dure par un père intransigeant et sévère, les deux jeunes hommes avaient déjà retourné une bonne partie du champ quand Matthieu se joignit à eux. Tant et si bien que le soleil était encore haut dans le ciel quand Matthieu déclara, tout en regardant autour de lui pour apprécier le travail accompli:

— Suffit pour aujourd'hui. On rentre à la ferme.

Profitons de ce moment de repos pour emmagasiner de la force pis de l'endurance parce que demain, si Dieu le veut pis qu'on a du beau temps, on commence à semer. Il est plus que temps de s'y mettre si on veut une belle récolte à l'automne.

Les trois hommes se dirigèrent alors vers les bâtiments que l'on devinait derrière un bosquet de peupliers et de bouleaux, à l'autre bout du champ. En marchant, Marius tenait fermement la bride de la pouliche rétive et ils devisaient tous trois sur les semis à faire.

— On en a ben pour une bonne semaine !

— Au moins.

Ils étaient encore loin de la maison quand l'attention de Matthieu fut attirée par des rires qui s'élevaient dans l'air chaud de ce bel après-midi. Il tendit l'oreille en ralentissant le pas. Nul doute, cette bonne humeur inattendue venait de chez lui.

— Voulez-vous ben me dire ce qui se passe là-bas ? demanda-t-il en pointant la main vers la maison.

Louis, un jeune homme de vingt et un ans plutôt déluré, aussi grand et nerveux que son frère Marius était fort et trapu, se tourna vers son père. Même si Célestin avait demandé de garder le secret, il jugea qu'en plein milieu de l'après-midi, ce n'était plus nécessaire.

— Si j'ai ben compris ce que les jumeaux m'ont confié, hier au soir avant de se coucher, expliqua-t-il, à midi, Mamie voulait organiser une p'tite fête pour Gilberte. Ça doit être ça qu'on entend.

— Un fête pour Gilberte ? En quel honneur ? C'est juste bon pour les enfants, une fête. Pas pour une grande comme Gilberte. Pis comment ça se fait qu'on m'en a pas parlé ?

Marius et Louis échangèrent un regard discret avant que ce dernier, encore lui, se hasarde à répondre.

— C'est juste que Gilberte a vingt ans aujourd'hui. Mamie trouvait que c'était important de le souligner.

Cependant, Louis garda pour lui que si on ne l'avait pas consulté, lui, le père de famille, c'est que Mamie craignait de le voir annuler la fête. Du moins, était-ce là l'explication donnée par Célestin. À des lieues d'une telle considération, Matthieu hochait la tête, l'air songeur.

— Gilberte a vingt ans ? Eh ben...

Un autre instant de réflexion puis Matthieu tourna les yeux vers son fils.

— T'es ben certain de ça, toi ? Est encore ben petite, la Gilberte, pour avoir vingt ans !

— C'est vrai qu'elle est pas ben grande, ni ben grosse, mais ça change rien au fait qu'elle a vingt ans aujourd'hui.

— J'aurais pas cru. C'est fou comme le temps passe vite...

Sur ce, Matthieu enfonça les mains dans ses poches et, laissant les jeunes prendre un peu d'avance sur lui, il poursuivit son chemin vers la maison. Après quelques pas, voyant qu'on le distançait de plus en plus, il leva les yeux au ciel dans ce geste devenu une habitude quand il pensait à Emma. Une forte émotion tout à fait inopinée lui étreignit le cœur.

Il y avait vingt ans, après lui avoir donné quatre fils

en bonne santé, Emma mettait au monde une première fille. Matthieu se souvenait tout à coup à quel point il avait été heureux de cette naissance.

Il se souvenait à quel point Emma et lui avaient été heureux de cette naissance.

La seule naissance, d'ailleurs, pour laquelle Emma avait pleuré de joie après avoir hurlé de douleur.

Matthieu arrêta de marcher car ses yeux embués l'empêchaient de voir où il mettait les pieds. Lui qui, durant de nombreuses années, s'était fait une fierté de n'avoir jamais pleuré, avait rapidement rattrapé le temps perdu depuis le décès d'Emma.

Maintenant qu'il y repensait, la naissance de Gilberte avait été l'un des plus beaux moments de leur vie à deux.

Ça et leur voyage de noces en Gaspésie.

Matthieu esquissa une moue d'incompréhension en secouant la tête. Il renifla et s'essuya les yeux d'un geste machinal.

Il se souvenait fort bien de la date de son mariage, même maintenant qu'Emma était décédée depuis tant d'années et n'était plus là pour la lui rappeler. Alors comment avait-il pu oublier l'anniversaire d'aujourd'hui?

Un rire plus soutenu et quelques éclats de voix lui firent lever les yeux. Un peu plus loin, tout contre le blanc immaculé de sa maison, il distingua des silhouettes qui se déplaçaient dans l'immense potager qui servait à nourrir sa famille. Sur cette terre de la Côte-du-Sud, les fruits et les légumes poussaient en abondance et si, parfois, les temps étaient plus difficiles, ils avaient toujours pu manger à satiété. À ses yeux, mettre du pain sur la table était l'un des devoirs sacrés auxquels il ne s'était jamais dérobé.

Matthieu avançait toujours aussi posément vers sa famille, revoyant en pensée toutes ces années vécues ici, sur cette ferme qui serait très bientôt la sienne. Malgré les embûches, les difficultés et les grands chagrins, au fil du temps, il avait eu le sentiment d'être heureux, dans la satisfaction du devoir accompli, et ce, même s'il était loin de ses racines. Après tout, c'est lui qui avait choisi de s'établir ici. Il ne l'avait jamais regretté, contrairement à Emma qui, sans jamais le montrer de son vivant, lui avait écrit qu'elle s'était beaucoup ennuyée de son village natal.

Un autre rire monta dans l'air et Matthieu comprit que Marius et Louis venaient de se joindre au reste de la famille.

Là-bas, c'étaient la bonne humeur et les rires de sa famille qu'il entendait, et Matthieu était conscient qu'il aurait dû être attiré par cela. Qu'il aurait dû se sentir heureux de voir les siens profiter d'une belle journée de fin de printemps.

Or, il n'en était rien. La joie et les fêtes ne l'attiraient pas, ne l'avaient jamais fait.

Pourquoi ? Il ne l'avait jamais su, et ne s'était pas plus attardé à le comprendre. Il était ainsi fait, un point c'est tout. Aurait-il dû s'en inquiéter ? Peut-être bien, après tout.

Matthieu se sentait tout hésitant pour une première fois de sa vie.

Serait-ce qu'Emma avait eu raison quand elle lui

avait écrit qu'il n'avait pas été un bon mari ?

Durant de longs mois, Matthieu avait lu et relu la lettre, méditant longuement ces quelques mots qu'il ne comprenait pas.

Pourquoi Emma avait-elle écrit ça ?

Matthieu n'avait jamais eu le sentiment d'être un mauvais homme. Il n'était pas porté sur la fête et les réjouissances, soit, mais était-ce là un défaut ? Il travaillait jusqu'à épuisement et jamais sa famille n'avait manqué de nourriture. Leur maison, bien que modeste, était confortable et personne n'avait eu froid quand venait l'hiver. N'était-ce pas là son devoir de père et de mari, de s'occuper du confort des siens ? Pour le reste, il s'en remettait à Emma pour un partage normal des tâches et des responsabilités et ils étaient heureux. Humainement heureux, comme Dieu offrait la possibilité de l'être à Ses enfants. Du moins, Matthieu l'avait toujours cru.

Mais voilà que sa femme avait pensé autrement.

Matthieu lâcha un long soupir.

Jusqu'à quel point Emma avait-elle pensé autrement ? Matthieu ne le saurait jamais, et cette incertitude resterait toujours comme un supplice dans sa vie, une longue et pénible interrogation sans réponse.

Supposer qu'Emma n'avait pas été heureuse planerait sur le reste de sa vie comme un lamentable échec, lui qui l'avait tant aimée, à être jaloux du moindre regard posé sur elle.

À moins de se tourner résolument vers l'avenir, Matthieu ne voyait pas comment il allait retrouver la tranquillité d'esprit. Voilà ce que de longues heures de prière et de réflexion lui avaient donné lieu de croire. Se tourner vers l'avenir pour survivre au décès de sa femme et cet avenir, il lui faudrait le partager avec quelqu'un. Les envies de son corps le lui avaient clairement indiqué. C'est pourquoi, en ce moment, il osait croire qu'il avait à portée de main une solution à ses maux, une raison de vivre qui effacerait le passé et l'aiderait à concentrer ses efforts sur le présent tout en incitant Gilberte à regarder vers l'avenir avec plus d'espoir, plus de liberté. Après tout, elle avait droit à sa vie comme tout le monde.

Cette idée décida enfin Matthieu à accélérer le pas. Tout compte fait, lui aussi avait un petit quelque chose à offrir à Gilberte pour ses vingt ans. Lui aussi participerait à la fête.

À sa façon.

Tout entier à ses réflexions, les yeux au sol et priant Emma de lui venir en aide pour trouver les mots à dire et la manière de les dire, Matthieu ne s'aperçut pas que les rires venaient de tarir et que même les voix s'étaient brusquement tues à son approche.

Arrivé à la clôture qui délimitait le potager, Matthieu releva la tête vers tous ceux qui étaient encore au jardin. Tous semblaient figés. Cependant, il ne vit que Gilberte, debout à côté de l'une des chaises de la cuisine. Elle triturait un coin de son tablier, comme une gamine prise en défaut. Alors, pour elle, Matthieu afficha un sourire, convaincu que c'est ce qu'Emma lui aurait conseillé.

— Gilberte... On m'a dit que c'était ta fête aujourd'hui... Tout seul, j'y aurais pas pensé, vu que c'est ta mère qui s'occupait de ces choses-là.

À ces mots, Gilberte baissa les yeux. Aujourd'hui, sa mère lui avait beaucoup manqué, malgré les attentions et les gentillesses de toutes sortes qu'on avait eues à son égard. Pendant ce temps, profitant de sa lancée, Matthieu poursuivait.

— Je le sais, va, que sans toi, j'y serais pas arrivé. Ça fait que je te dis merci... Voilà c'est fait...

Matthieu prit une profonde inspiration, l'air soulagé, à l'instant où Gilberte relevait la tête, visiblement émue. C'était la première fois que son père la remerciait avec une certaine émotion dans la voix et le geste. Tout comme l'intention, cela la toucha. C'était là une très belle façon de souligner son anniversaire.

— Je suis contente que vous soyez là, papa. Avec nous autres.

— C'est mon devoir d'y être, Gilberte. À défaut d'avoir votre mère...

Le dernier mot sortit péniblement. Matthieu se racla la gorge, regarda autour de lui. Pour dissoudre la boule d'émotion qui entravait sa gorge, il se mit à fixer la pouliche qui piaffait, attachée à un poteau de la clôture. Quand il se décida enfin à poursuivre, il le fit sans regarder sa fille.

— Je veux que tu saches, Gilberte, que je le sais ben que c'est pas toujours facile pour toi. Mais ça va changer. Je pense. Bientôt. Je te demande juste de te fier sur moi... Ouais, je te demande juste de me faire confiance. Je pense que j'ai pris la bonne décision pour toutes nous autres pis que, un dans l'autre, c'est petête toi qui vas en profiter le plus… Ça va être comme une sorte de cadeau de fête pour toi. Ouais, c'est de même qu'il faut voir ça… Astheure, j'vas rentrer, je me sens fatigué. La journée a été longue pis, dans quelques jours, comme tu le sais déjà, j'vas traverser à la Pointe. Je voudrais être en forme.

Jamais Matthieu n'avait tenu un aussi long discours devant ses enfants et c'est probablement pour cette raison que personne n'osa lui avouer qu'il n'avait pas compris grand-chose à cette suite échevelée de mots. Matthieu avait parlé d'un cadeau pour Gilberte, ils attendraient donc le cadeau sans autre questionnement.

Mais alors qu'il allait entrer dans la maison, Matthieu s'arrêta brusquement et se retourna. Gilberte ne l'avait pas quitté des yeux, et comme c'était à elle en particulier que Matthieu voulait s'adresser, il reprit tout en soutenant son regard.

— J'aimerais ça que tu fasses un bon souper, samedi, pour quand j'vas revenir. Comme un souper de fête, mettons, avec un gâteau pis toute… Avec Mamie, tu devrais être capable de nous préparer quelque chose de bon, hein ?

Sur ce, sans attendre de réponse, Matthieu entra dans la cuisine, laissant les enfants sur leur appétit.

D'abord, leur père, celui qui n'avait jamais participé à quelque fête que ce soit, refusant même catégoriquement que ses enfants acceptent la moindre invitation, avait parlé d'un cadeau pour Gilberte et, maintenant, il demandait un souper d'apparat.

— C'est le monde à l'envers, murmura Antonin, résumant assez bien ce qu'ils ressentaient tous.

Puis il reprit sa bêche et Célestin s'accroupit pour continuer de planter ses graines de tomates.

La semaine passa sans que Matthieu ne revienne sur le sujet.

Ce fut un chaud rayon de soleil qui le réveilla, le matin du vendredi, et Matthieu eut le réflexe de se dire que la journée serait parfaite pour terminer les semis.

Puis la mémoire lui revint, tandis qu'il s'étirait. Il interrompit son geste en se tournant sur le côté, les yeux brusquement grands ouverts.

Dans quelques heures, il rejoindrait Clovis sur le quai pour passer de l'autre côté du fleuve et brusquement, il avait peur.

Tout comme un jour, il avait pris la décision de s'établir ici, sur la Côte-du-Sud, sans qu'on l'oblige à le faire, dans quelques heures, une journée à peine, il donnerait un autre sens à sa vie et, là encore, il avait pris sa décision seul, sans avoir consulté qui que ce soit.

Aurait-il dû en parler aux enfants ?

Peut-être bien. Après tout, ils étaient tout aussi concernés que lui. Pourtant, il s'était abstenu du moindre commentaire, de la moindre allusion qui aurait pu ouvrir un certain dialogue.

Pourquoi avait-il agi ainsi ?

Matthieu n'en savait trop rien. Cette décision était

à l'image de ce qu'il avait toujours été: un solitaire. Comme il jugeait que tout le monde y gagnerait, il n'avait pas cru bon dévoiler ses intentions.

Ce matin, Matthieu comprenait que s'il avait agi ainsi, c'était par gêne, par embarras, comme malheureusement trop souvent durant sa vie. Mais comme il était trop tard pour faire marche arrière...

Matthieu poussa un long soupir. Il n'avait plus aucune latitude et s'en tiendrait donc à son choix premier: il mettrait les enfants devant leur nouvelle vie quand il reviendrait demain.

Ce matin-là, Matthieu n'eut pas la tête aux semis et, quand la brise porta l'angélus jusqu'à lui, il prétexta une violente crampe pour retourner précipitamment à la maison. Devant les regards inquisiteurs de Mamie et de Gilberte, il déplia le paravent devant l'évier de la cuisine et les deux femmes l'entendirent faire une toilette soignée.

— J'ai besoin d'eau chaude pour me raser.

Puis il refusa le repas qu'on lui offrit.

— Un thé bien chaud va me suffire, Gilberte. Rappelle-toi que j'avais ben mal au ventre, tout à l'heure.

Sur le coup de trois heures, il quitta la maison à pied, prétextant qu'une longue marche lui ferait du bien.

Debout sur le quai, fumant sa belle pipe en écume de mer, Clovis l'attendait.

Au beau milieu du mois de juin, les journées sont longues. Le soleil planait donc bien au-dessus de la falaise quand la goélette de Clovis accosta au quai de Pointe-à-la-Truite.

La traversée avait été calme.

Sitôt la goélette accostée, Matthieu débarqua.

Les deux pieds bien arrimés dans le sable chaud, les poings sur les hanches, Prudence, la sœur cadette d'Emma, vêtue de blanc, était seule à l'attendre. Sa silhouette plutôt gracile se découpait contre le vert profond de la falaise et Matthieu l'avait repérée de loin.

Alors qu'Emma avait toujours porté ses cheveux sagement attachés en toque sur le dessus de sa tête, Prudence les laissait flotter librement sur ses épaules dès que l'occasion se présentait. Le soleil avait tout de même trouvé moyen d'accrocher quelques rayons chaleureux, tirant sur le blond, au brun quelconque de sa chevelure et, pour la première fois, Matthieu se dit que sa belle-sœur pouvait être jolie, elle aussi. À sa manière, un peu discrète, sans prétention, mais en même temps plutôt crâneuse.

Une drôle de femme que cette Prudence, entendait-on souvent murmurer sur son passage. Effectivement, Prudence savait où elle allait dans la vie et ne se laissait pas marcher sur les pieds. Contre toute attente, ce trait de caractère, si différent de l'apparente impassibilité d'Emma, avait tout de suite plu à Matthieu.

Après quelques années passées à travailler comme vendeuse à la ville, puis comme secrétaire particulière d'un homme d'affaires bien en vue, Prudence était revenue à Pointe-à-la-Truite, arguant avec aplomb, et à qui voulait l'entendre, que l'air des villes n'était pas fait pour elle. Elle avait surtout compris, après le décès d'Emma, que ses parents étaient désemparés. Livrés à eux-mêmes, ils risquaient de ne pas s'en remettre et, comme elle-même voulait mettre un terme à une relation sans lendemain, Prudence avait donc sauté sur le premier prétexte pour s'éloigner de Québec.

— J'étouffe dans la poussière, avait-elle déclaré en déposant son bagage devant la porte de la maison familiale, une semaine après la mise en terre de sa grande sœur Emma. Y a-t-il encore une place pour moi, ici ?

Il y en avait une, et ce fut ainsi que Prudence Lavoie revint au village pour s'y installer. L'été, pour garder une certaine indépendance, se plaisait-elle à expliquer, elle travaillait comme domestique à l'auberge de la mère Catherine. L'hiver, elle cousait et tissait, incapable de rester désœuvrée durant tous ces longs mois de grande froidure. L'été venu, elle vendait le produit de ses mains, des couvertures et des nappes de fort belle facture. Les touristes arrivés de la ville en même temps que les oies se les arrachaient. Le seul drame de sa vie était de n'avoir su faire chavirer un cœur. Les quelques hommes qui avaient traversé son existence n'avaient jamais été vraiment sérieux dans leurs intentions, mais comme Prudence aimait les hommes…

De cela, par contre, Prudence ne parlait jamais, à personne. Quelle femme oserait dire qu'elle a eu des aventures ? Alors, autour d'elle, on croyait sincèrement que Prudence Lavoie avait coiffé sainte Catherine par choix, comme tant d'autres l'avaient fait avant elle, et on louait sa grande disponibilité auprès de ses parents vieillissants.

— Elle était secrétaire particulière, vous savez! Faut-il qu'elle ait grand cœur pour sacrifier une si belle carrière et revenir vivre auprès de Georgette et d'Ovide!

C'était cette femme indépendante, aux manières parfois masculines et à la langue bien pendue, que Matthieu avait choisi de courtiser. Elle était libre et ne se gênait pas pour le laisser savoir tandis que lui, veuf depuis quelque temps déjà, ne se sentait pas l'âme ou l'humeur de conter fleurette à une jeune inconnue.

Par contre, il s'ennuyait de la présence d'une femme à ses côtés, tant le jour que la nuit.

C'est pourquoi, malgré une gêne qui le faisait trembler, il osa dire, un certain soir:

— Et si on réunissait nos deux solitudes?

Matthieu en était à sa seconde visite en quelques semaines à peine.

À ces mots, Prudence avait éclaté de rire, laissant Matthieu pantois, pour ne pas dire pétrifié.

— Solitudes? Moi avec mes parents et l'auberge tandis que vous, vous avez une si grande famille? Allons donc, Matthieu! Venez-en au fait, voulez-vous!

Ce dernier, qui détestait que l'on remette en question ses décisions ou ses propos, ne savait sur quel pied danser. Maladroit avec les mots comme avec les émotions, il était alors resté immobile et silencieux, le chant des ouaouarons meublant commodément ce silence entre la belle Prudence et lui.

Ils étaient assis à se bercer sur la galerie des parents de Prudence, sans surveillance, comme elle l'avait exigé, car après tout, elle avait vécu de nombreuses années seule et sans chaperon. La conversation pouvait donc prendre n'importe quelle tournure. Devant le mutisme persistant de Matthieu, Prudence en avait profité.

— Bien que célibataire, je ne suis pas née de la dernière pluie, Matthieu, avait-elle expliqué d'une voix catégorique. J'ai vécu et j'ai vu vivre, comme on dit. La solitude aussi, je l'ai connue. Alors…

Prudence avait ménagé une courte pause avant de demander :

— La solitude, c'est la nuit qu'elle vous pèse le plus, n'est-ce pas ?

La question avait des intonations d'affirmation.

Cette manière de dire, cette manière de faire, directes et sans fausse pudeur, avaient déclenché chez Matthieu une irrésistible envie, un désir foudroyant. Il avait décidé sur-le-champ que Prudence serait sienne. Alors, commençant à comprendre le caractère de cette femme entière, tellement différente d'Emma, il avait choisi d'être honnête jusqu'au bout.

— C'est vrai que mon lit est bien froid, avait-il admis d'une voix étranglée.

— Voilà qui est clair. J'apprécie. Alors je répondrai que je n'ai rien contre.

— Rien contre ?

— Rien contre votre demande, très cher Matthieu. Vu sous cet angle, je n'ai rien contre le fait d'unir nos deux solitudes, comme vous le dites. Car en la matière, il est vrai que vous comme moi nous sommes bien seuls et, en parlant comme vous venez de le faire, vous me demandiez en mariage, n'est-ce pas ?

Un bras passé autour de ses épaules et Prudence avait su qu'elle avait fort bien compris. La demande officielle auprès d'Ovide Lavoie s'était donc faite dans l'heure. Pourquoi attendre alors que des fréquentations en bonne et due forme se seraient révélées plutôt mal-commodes, avec un fleuve à traverser chaque fois qu'ils auraient voulu se parler.

Comme il avait déjà dit oui à Matthieu pour sa fille Emma, le vieil homme ne voyait pas pourquoi il refu-serait cette fois-ci, sinon qu'ils allaient encore une fois s'ennuyer, sa femme et lui. Il lui fallait donc vérifier avant de donner sa bénédiction.

— J'espère que toi, au moins, tu reviendras nous visiter, avait-il précisé sur un ton qui se voulait sévère, tout en fixant Prudence droit dans les yeux.

Puis il avait tourné la tête vers Matthieu, ne sachant trop si celui-ci était l'unique responsable du fait qu'une fois établie sur la Côte-du-Sud, Emma n'était jamais venue leur rendre visite. De son côté, se souvenant sans effort combien ses parents s'étaient ennuyés d'Emma et à quel point ils avaient déploré ne pas connaître leurs petits-enfants, Prudence avait rassuré son père d'une pression de la main sur son bras.

— Comment pouvez-vous imaginer que je ne reviendrai pas ? Promis, papa, je vais venir vous voir. Et régulièrement, en plus. J'aime naviguer, vous le savez. Je quêterai donc quelques passages sur la goélette de Clovis ou sur une autre, au besoin.

— Si c'est ainsi, je suis heureux pour toi, ma fille. Je demanderais simplement un peu de discrétion autour de ce mariage. Après tout, t'es la sœur d'Emma. Ça pourrait alimenter les ragots.

Matthieu et Prudence n'étant plus des jeunots, la date de la cérémonie avait donc été fixée au mois de juin, soit tout juste dans quatre semaines, et Matthieu était retourné chez lui.

C'est ainsi que cet après-midi, à bord de la goélette de Clovis, il était revenu célébrer son second mariage dans la plus stricte intimité, comme il l'avait expliqué à Clovis en embarquant sur le bateau, au quai de l'Anse-aux-Morilles.

— J'aurais ben voulu que tu soyes là avec Alexandrine. Vous êtes les seuls amis que j'ai. Mais j'ai pas eu droit de parole sur le déroulement de la cérémonie. Je regrette…

— Dans les circonstances, je peux accepter cet excès de discrétion. Crains pas, notre amitié n'en souffrira pas.

Une cérémonie toute simple dans la sacristie, un repas sans exubérance préparé par Prudence elle-même, et les mariés gagnèrent le large sous le regard humide de Georgette, la mère de Prudence.

— J'espère que cette fois-ci, Matthieu va faire attention, soupira-t-elle à l'oreille de son mari.

— Comme s'il était responsable du fait que notre Emma soye morte en couches, grommela le vieil homme à voix basse pour ne pas être entendu par les nombreux curieux venus voir partir Prudence et son nouveau mari.

Dans un petit village, même les secrets les mieux gardés finissent toujours par se savoir et, au moment où la goélette de Clovis appareillait, comme par hasard, ils étaient nombreux à avoir choisi le quai comme destination de promenade par un si beau samedi.

Même Ernestine, la mère de Victoire, assistait à ce départ, sourcils froncés sur sa curiosité. Par contre, dans son cas, ce n'était pas le mariage qui alimentait ses questionnements.

La grosse dame inspira bruyamment, braquant son regard sur le dos de Matthieu, en train d'embarquer dans la goélette.

Comment se faisait-il que ce même Matthieu, que l'on voyait régulièrement au village depuis quelque temps, n'ait pas eu l'idée, ou la tentation, ou la décence, grands dieux! de se présenter chez Albert et Victoire pour aller voir sa fille Béatrice? Il aurait pu, à tout le moins, exprimer un semblant de politesse en prenant de ses nouvelles, non? Aux yeux d'Ernestine, cette indifférence manifeste dépassait tout entendement.

Et c'est à cet homme insensible qu'Ovide Lavoie donnait sa deuxième fille en mariage? Après qu'une première soit morte et enterrée?

Ernestine expira tout aussi bruyamment qu'elle avait inspiré l'instant auparavant.

C'était à n'y rien comprendre.

Pendant ce temps, les yeux fixés sur la pointe de ses

bottines pour éviter de croiser le regard des curieux, Georgette faisait la morale à son mari.

— Taisez-vous, Ovide, ordonna-t-elle, accompagnant ces quelques mots d'une petite tape sèche sur la main de son mari. Je sais fort bien que vous avez compris ce que je voulais dire... Maintenant, ramenez-moi à la maison. Je déteste me donner en spectacle, ajouta-t-elle, toujours sur un ton de messe basse, en reniflant sa tristesse et ses inquiétudes.

Comme la veille, ce fut une traversée sans histoire. Le soleil brillait, la brise était douce et l'odeur de varech pas trop insistante.

Le premier regret de Matthieu fut de prendre conscience qu'en gardant son projet secret, il n'y avait personne venu l'attendre au quai de l'Anse-aux-Morilles.

Il retint un soupir d'impatience. Il aurait dû prévoir. Quel idiot pouvait-il être parfois !

À moins de demander à Prudence de marcher les quelques milles qui les séparaient de sa demeure, il devrait quêter un transport. Un regard discret sur les bottines de cuir fin et le chapeau garni de tulle suffit à lui indiquer la voie à suivre.

Et cela était sans compter la grosse malle que Clovis était justement en train de déposer sur le quai. Prudence avait été une femme de la ville, il ne devait pas l'oublier, qui plus est une secrétaire particulière ; la garde-robe était donc à l'avenant !

Matthieu n'aurait pas le choix et devrait définitivement quêter un transport jusque chez lui.

Ce qui voulait dire qu'il devrait probablement, en même temps, donner quelques explications quant à la présence de Prudence, endimanchée comme pour une noce, c'était le cas de le dire, et trimbalant à sa suite une malle grosse comme le ventre d'un bateau !

L'intensité de la prière de Matthieu, à ce moment-là, n'eut d'égal que les papillonnements qui lui soulevaient l'estomac.

Il jeta un regard inquiet tout autour de lui, espérant apercevoir un visage connu, à défaut de voir un visage ami, lui qui en avait si peu.

Pour une rare fois, le quai était désert. Pour un samedi c'était curieux. On n'entendait que le clapotis de l'eau contre la coque des bateaux et les cris colériques de quelques goélands.

Mais Matthieu avait toujours été un fervent croyant et il comprit, au premier regard lancé vers le village, que Dieu veillait précisément sur lui en cet instant de grand désarroi. Enveloppée d'un tourbillon de poussière, la charrette de Paul-Émile venait de se matérialiser sur la route principale du village. Matthieu n'eut qu'à lever le bras pour que son plus proche voisin l'aperçoive.

Façonné dans le même bois dur que Matthieu, Paul-Émile, un homme rustre et taciturne, ne posa aucune question. Il aida Matthieu à soulever la malle pour la déposer dans la charrette. Le chemin menant au rang trois se fit dans un parfait silence, au grand soulagement de Matthieu.

Ne restait plus qu'à affronter la famille !

La prière de Matthieu, après un bref détour par la reconnaissance, se transforma en supplication dès qu'il aperçut le toit de sa maison.

« Mon Dieu, faites que toute se passe ben ! Je Vous en supplie, faites que les enfants soyent contents ! Amen. »

Malgré la chaleur de la journée, un mince filet de fumée grisâtre s'échappait de la cheminée de tôle. Gilberte avait probablement donné suite à sa requête et un bon repas attendait Prudence.

Matthieu vit dans cette fumée qui s'élevait paresseusement un signe venant directement du ciel. Devait-il en remercier Dieu ou Emma ?

Comme la charrette s'immobilisait devant la galerie de sa maison, il tendit la main à Prudence pour l'aider à descendre du haut banc en recommençant à respirer normalement. Quelques explications à donner en entrant dans la cuisine et le tour serait joué.

C'était sans compter les mille et une questions qui assaillaient Prudence depuis le tout premier instant où elle avait mis le pied sur le quai.

« Mais où donc sont les enfants ? » avait-elle aussitôt pensé, regardant à droite, inspectant à gauche, persuadée qu'un comité d'accueil les attendrait, Matthieu et elle.

Comment se faisait-il que la famille ne soit pas là, avait-elle alors pensé, franchement déconcertée.

Un regard furtif mais attentif vers Matthieu et Prudence avait alors admis qu'elle ne connaissait de cet homme que ce qu'Emma en avait écrit, puisque c'était elle qui avait lu les lettres à ses parents. Et encore! Son célibat de plus en plus lourd avait fait en sorte que, commodément, elle n'avait gardé des lettres de sa sœur que ce qui faisait bien son affaire, c'est-à-dire pas grand-chose.

Mais on ne débat pas d'une telle découverte en public. Pas sur le quai d'un village de pêcheurs où elle risquait de voir arriver n'importe qui à tout moment.

Prudence avait donc ravalé toutes ses questions et elle s'était alors assise bien droite aux côtés de Paul-Émile, évitant de toutes ses forces que son épaule touche la sienne. La pauvre femme venait de comprendre, affolée, qu'elle avait épousé un pur étranger.

Bringuebalée sur quelques milles, une main tenant le chapeau et l'autre agrippée au banc de la charrette, Prudence pria, comme Matthieu, mais d'une tout autre manière. C'est à l'intérieur d'elle-même qu'elle tenta de trouver la force de dire ce qui allait, fort probablement, préparer le terrain aux années à venir.

L'esprit en ébullition, Prudence surveilla d'un œil distrait le transbordement de sa malle qu'on déposa sans grand ménagement devant l'escalier. Mais alors que Matthieu posait le pied sur la première marche, plutôt que de lui emboîter le pas, Prudence le retint par la manche tandis que la charrette s'éloignait dans son nuage de poussière.

— Je ne comprends pas, dit-elle d'une voix claire et impérative.

Tant pis si on l'entendait depuis l'intérieur de la maison, il lui fallait montrer à Matthieu, et pourquoi pas à toute sa famille, que Prudence Lavoie n'était pas Emma et vice-versa.

Prudence jeta un regard autour d'elle avant de revenir sur Matthieu pour le détailler de la tête aux pieds. « Un étranger, pas de doute, se dit-elle, accablée. Mais au moins, il est bel homme. »

— Non, je ne comprends pas, répéta-t-elle, une pointe de colère dans la voix. Que se passe-t-il ici ? On ne m'attendait pas ?

Matthieu resta sans voix. Jamais il n'avait imaginé la situation qu'il vivait à cet instant du point de vue de Prudence. Dans chacun des scénarios conçus, analysés et rejetés jusqu'à ce que l'effet de surprise l'emporte, il n'avait pris en compte que la réaction de ses enfants, se répétant jusqu'à s'en convaincre qu'il était le seul à décider et qu'eux n'avaient qu'à obéir. C'est ainsi qu'Emma et lui avaient élevé leur famille, et c'est ainsi qu'il continuerait de le faire.

Du moins, c'est ce qu'il avait toujours cru.

Mais voilà que Prudence s'en mêlait. Du coup, Matthieu comprit que bien des choses risquaient de changer dans sa vie. Dans leur vie à tous. Ce n'était pas parce qu'il avait épousé la sœur d'Emma qu'il allait reprendre là où la vie l'avait laissé tomber.

Même si Matthieu avait déjà compris et accepté que sa seconde épouse ne ressemblerait en rien à Emma, cette attitude bravache le contraria. Il redressa les épaules et planta son regard dans celui de Prudence. Il n'était pas dit que Matthieu Bouchard, le jour de son mariage en plus, allait perdre la face devant toute sa famille, incluant Mamie. Une famille qui devait certainement les épier depuis la fenêtre du salon, bien à l'abri derrière la tenture.

Il fit un effort à la limite de sa volonté pour ne pas jeter un coup d'œil derrière lui, sur la fenêtre.

— Je vous demanderais, Prudence, d'être un peu plus discrète.

La voix de Matthieu était sèche et incisive, un peu trop forte et remplie d'autorité. Seul le mariage célébré quelques heures auparavant tempérait la colère qu'il sentait monter en lui.

— Pas besoin de vous époumoner, ajouta Matthieu, je suis juste là, à côté de vous. Les enfants n'ont pas à être les témoins involontaires d'une dispute entre vous et moi, conclut-il en crachant les mots plus qu'il ne les prononçait.

Le ton était peut-être désagréable, néanmoins, Matthieu avait prononcé exactement ce qu'il fallait dire pour rejoindre Prudence dans ses convictions les plus intimes concernant l'éducation des enfants.

— Bien d'accord avec vous, cher Matthieu. En effet, les enfants n'ont pas à être les témoins de certaines choses, de certaines discussions. Encore moins des discussions les concernant quand nous ne sommes pas d'accord sur la marche à suivre... Comme c'est le cas présentement.

À ces mots, Matthieu sentit sa colère diminuer. Homme de longue réflexion avant de prendre la parole, il n'avait retenu que les premiers mots de Prudence qui affirmaient qu'elle était d'accord avec lui. C'était un pas dans la bonne direction. Il osa alors un demi-sourire et il admit:

— Vous avez raison, Prudence, quand vous supposez que les enfants ne savent rien de ce qui s'est passé entre nous.

Autant s'en tenir à la vérité.

— J'ai hésité ben longtemps avant de prendre ma décision. J'aurais dû vous en parler, comme de raison.

Le temps d'un soupir aussi éloquent qu'une remontrance et Prudence prit la situation en main.

— Il ne servirait à rien de s'épandre sur ce qui aurait dû être fait et qui ne l'a pas été. Ça serait inutile et je déteste perdre mon temps. J'aurais dû en discuter avec vous, voilà mon erreur. Un fait demeure, cependant: il est trop tard pour tout recommencer! Nous sommes mariés, vous et moi. Devant Dieu et les hommes, comme l'a dit monsieur le curé, tout à l'heure. C'est donc ainsi que nous allons rentrer dans la maison, déclara Prudence en posant sa main gantée sur le bras de Matthieu. Nous allons rentrer chez nous la tête haute et les épaules droites, car je suis persuadée que nous n'avons rien à cacher et presque rien à nous reprocher.

Et sur un regard détaillant l'escalier qui menait à la maison, mais qu'elle vit aussi comme une longue échelle menant au reste de sa vie, accompagnée d'une grande famille de nièces et de neveux qu'elle ne connaissait pas, à l'exception de Lionel qu'elle avait brièvement rencontré presque six ans auparavant quand il était venu à la Pointe, Prudence lança:

— Maintenant, allons-y, Matthieu, nous avons déjà trop tardé. Et à la grâce de Dieu!

Un silence de plomb régnait dans la cuisine quand Matthieu entra, flanqué de Prudence qui affichait son meilleur sourire.

Matthieu constata aussitôt que Marius et Louis manquaient à l'appel. Ils étaient probablement encore aux champs. En juin, il n'était pas rare que les hommes ne reviennent qu'à la noirceur. C'était ainsi chez lui comme chez tous leurs voisins.

Les jumeaux, debout à côté de la table, se mirent à dévorer Prudence des yeux, l'examinant avec insistance de la tête aux pieds, tandis que Clotilde et Matilde, du haut de leurs seize ans, semblaient plutôt mal à l'aise. Qui donc était cette femme pendue au bras de leur père? Curieusement, les jumelles lui trouvaient un air vaguement familier et elles en convinrent d'un simple regard échangé à la sauvette.

Elles n'étaient pas les seules à se poser des questions.

Une louche à la main, et à demi tournée vers ceux qui venaient d'entrer dans la cuisine, Gilberte n'osait fixer la nouvelle venue. Elle triturait le coin de son tablier comme elle le faisait toujours quand elle était embarrassée. La jeune femme jetait de fréquents regards furtifs vers son père, devinant en partie ce qui était en train de se jouer dans ce qu'elle considérait désormais comme étant sa cuisine.

Son père avait-il l'intention de se remarier? Parce que le voir avec une femme autre que sa mère, c'est tout de suite ce à quoi elle avait pensé. Était-ce là la surprise dont il lui avait parlé le jour de son anniversaire ? Un long frisson secoua les épaules de Gilberte. Si son père pensait lui faire plaisir en emmenant une autre femme sous leur toit, une étrangère, il s'était lourdement trompé. Gilberte n'avait besoin de personne pour l'aider. Mamie suffisait amplement à la tâche. D'autant plus qu'à la voir attifée comme une gravure de mode, l'inconnue devait être un embarras dans une maison !

Ce fut finalement Mamie qui brisa le malaise et le silence, si lourds que même Matthieu n'arrivait pas à se décider à donner l'explication que, visiblement, tout le monde attendait tandis que Prudence, faisant preuve d'un calme olympien, jugeait qu'elle n'avait pas à le faire.

— Ben voyez-vous ça ! Notre Matthieu qui nous amène de la visite. Ça serait-tu une nouvelle habitude, cher ?

Assise près de la fenêtre, la vieille dame se berçait avec énergie. Toujours aussi perspicace, elle se doutait bien des explications qui allaient suivre. Matthieu Bouchard n'était pas du genre à courtiser une femme bien longtemps, surtout si celle-ci habitait sur la rive nord du fleuve. Trois visites en six semaines, c'était déjà beaucoup. Par ailleurs, dans de telles conditions, en bon enfant de Dieu et de l'Église, jamais il n'inviterait une femme à dormir sous le même toit que lui sans les liens sacrés du mariage. De cela, Mamie était convaincue. Comme Matthieu avait demandé de préparer un bon souper, il était évident que l'étrangère resterait dormir ici. Rares étaient les marins qui traversaient le fleuve en pleine nuit.

Ce qui voulait dire...

— Alors, cher ? insista-t-elle, en se berçant de plus belle. Tu nous la présentes, ton invitée, ou ben tu vas nous rester planté là toute la veillée, à attendre qu'on devine ?

Le ton se faisait on ne peut plus insistant et Matthieu sentit qu'il n'avait plus le choix. Il fit un pas en avant et, posant sa main sur celle de Prudence, il lança, sur ce ton autoritaire qu'il employait quand il ne voulait ni réplique ni objection :

— Je vous présente Prudence Lavoie. C'est... c'est votre tante, la sœur de votre mère.

Matthieu fit une pause, savourant l'effet de surprise qu'il avait voulu créer. Les enfants agrandirent les yeux devant cette étrangère qui n'en était pas vraiment une.

Mais il fallait aller plus loin.

Matthieu se tourna subrepticement vers Prudence qui, pour l'encourager, exerça une légère pression de ses doigts sur son bras.

— Pis, depuis ce matin, Prudence est aussi ma femme.

Ces derniers mots traversèrent la pièce comme un coup de semonce, provoquant sur leur passage un silence qui se fit encore plus oppressant. Les yeux de tous les enfants se baissèrent avec une symétrie frappante, ajoutant indéniablement au malaise.

Seule Mamie ne cilla pas. Ainsi donc, c'était elle, la fameuse Prudence dont Emma lui avait si souvent parlé.

— Je n'ai qu'une sœur et elle habite à Québec, lui avait souvent répété Emma, avec une pointe d'envie dans la voix. Elle est secrétaire particulière, vous savez. Chez un riche marchand. Un certain monsieur Deschênes. Omer Deschênes, si je me souviens bien.

Une fois cette mise au point faite, Mamie poursuivit avec attention l'examen de la nouvelle venue qui, à première vue, ne lui déplaisait pas du tout. La vieille dame savait apprécier quand quelqu'un soutenait son regard, comme c'était le cas en ce moment avec Prudence. Elle eut la clairvoyance de se dire que cette Prudence ne remplacerait jamais Emma, elle était trop différente, et les enfants s'en rendraient vite compte. Ça faciliterait sans doute les choses.

Pendant ce temps, Matthieu gagnait en assurance. En effet, il était en train de débiter le petit laïus qu'il avait longuement préparé et appris par cœur.

— J'espère que vous allez accueillir Prudence comme il se doit. Avec respect envers elle et reconnaissance envers Dieu qui nous permet ainsi de regarder l'avenir avec soulagement.

Les jumeaux furent les premiers à lever les yeux, suivis de près par les jumelles, comme si le fait d'être deux donnait un certain courage. Par contre, si les deux jeunes garçons de dix ans manifestaient une curiosité de bon aloi, voire une ouverture à l'égard de Prudence, les filles, elles, avaient les sourcils froncés dans une attitude de colère, comme si, brusquement, elles étaient prêtes à en découdre avec leur père qu'elles ne quittaient plus des yeux.

Quant à Gilberte, son visage offrait cette opacité coutumière, acquise au fil des années devant un père intransigeant et sévère. Impossible de savoir ce qu'elle pensait. Sans un mot, elle dénoua les cordons de son tablier. Puis elle hésita un moment avant de se décider à le déposer sur le comptoir plutôt que de l'offrir à cette Prudence, la sœur de sa mère. En guise de bienvenue, le geste aurait montré clairement ce qu'elle ressentait et ce n'était pas vraiment le bon moment pour le faire. Puis la jeune femme traversa la cuisine d'un pas lent sans un regard ni pour son père, ni pour Prudence. Seule Mamie eut droit à un bref coup d'œil empreint d'un incroyable désarroi, d'une tristesse sans fin.

Puis on l'entendit monter l'escalier qui menait aux chambres, en tapant du pied sur chacune des marches, comme elle le faisait quand elle était gamine et qu'elle était contrariée.

La porte de la chambre des filles claqua, faisant vibrer les murs.

La soirée ressembla à un habile chassé-croisé de questions et d'indécision. Il y eut quelques rires et beaucoup d'embarras. Le repas, bien que délicieux, resta intouché dans la plupart des assiettes.

Quand ils revinrent des champs, Marius et Louis donnèrent une franche poignée de main à Prudence. Avaient-ils le choix ? Ils gardèrent leurs regards acérés pour Matthieu quand ils se tournèrent en bloc vers lui. Ils étaient assez vieux pour comprendre que Prudence n'avait pas à essuyer leur intolérance devant une situation qui leur était imposée sans le moindre ménagement.

Pour une des rares fois de sa vie, Matthieu détourna la tête pour se soustraire aux flammes lancées par les yeux de ses deux fils, devenus aujourd'hui des hommes. Il regrettait amèrement de s'en être remis au destin pour gérer cette situation délicate et, au moment où tout le monde se retirait pour dormir, il regretta tout autant de n'avoir pas pensé à s'installer à l'hôtel pour cette première nuit avec Prudence. Car cette nuit, les murs de sa demeure auraient autant de paires d'oreilles qu'il y avait de dormeurs dans les chambres voisines. Après tout, à part les jumeaux, ils n'étaient plus tout à fait des enfants et ils devaient se douter de ce qui allait se passer, sous les draps de la chambre principale.

Pourtant, Prudence ne semblait pas mal à l'aise. Quand les enfants furent tous montés, elle resta un moment avec Matthieu tandis qu'il fumait une dernière pipée.

— J'aime bien l'odeur du tabac à pipe.

Puis, elle se leva en disant qu'elle allait se rendre dans la chambre où Louis et Marius avaient déposé sa malle.

— C'est bien là où nous allons dormir, n'est-ce pas ?

Sur un signe affirmatif de la part de Matthieu, Prudence poursuivit.

— J'aimerais un bac d'eau chaude, précisa-t-elle avant de quitter la cuisine. Et une serviette, si ce n'est pas trop vous demander, Matthieu. Laissez-moi une quinzaine de minutes et vous pourrez venir me rejoindre. Je vous attendrai.

Tout en préparant un pot d'eau et une bassine,

Matthieu ne put s'empêcher de comparer : lors de sa première nuit de noces, c'étaient les larmes d'Emma qu'il avait dû essuyer avant qu'elle consente, du bout des lèvres, à ce qu'il la rejoigne sous les couvertures.

Et voilà que Prudence disait qu'elle l'attendrait avec une assurance qui frôlait l'indécence.

Matthieu osa croire qu'il n'y aurait pas de larmes à essuyer, cette fois-ci, tandis que son cœur battait à tout rompre.

Son envie d'une femme tout contre lui le rendait fébrile. Cela faisait si longtemps qu'il osait à peine croire que, pour une seconde fois, il y aurait une femme à ses côtés pour partager ses nuits.

Quand Matthieu monta l'eau à la chambre, Prudence était assise sur le lit. Sa malle déposée sous la lucarne était grande ouverte.

— Déposez le broc sur le bord de la lucarne, s'il vous plaît. J'en ai pour quelques instants.

— J'attendrai que vous frappiez du talon contre le plancher pour venir vous rejoindre.

Savon parfumé et lingerie délicate, toute de dentelle recouverte, Prudence sortit avec précaution quelques effets de la malle.

En quelques minutes à peine, Prudence s'était lavée et changée. Après tout, lors de son passage à la ville, elle avait eu quelques amants. Elle savait donc y faire pour plaire à un homme. À chaque fois, rien de bien sérieux puisque ces messieurs étaient déjà mariés.

Et Dieu soit loué, il n'y avait pas eu de conséquences fâcheuses.

Par contre, Prudence avait rapidement compris que le sexe, quel mot affreux pour une chrétienne, lui apportait une satisfaction profonde, inégalable, et que ce plaisir des sens devenait incomparable lorsqu'il était partagé. Une lueur aperçue dans le regard de Matthieu, quand il posait les yeux sur elle, laissait entendre que cette première nuit, prélude à de nombreuses autres, devrait être à la hauteur de ses attentes.

Le coup de pied sur le plancher se voulut discret, Prudence ayant eu le même scrupule que Matthieu. Pourquoi, grands dieux, ne pas avoir pensé à l'hôtel ? Jusqu'à aujourd'hui, quand elle imaginait ses neveux et nièces, Prudence voyait toujours une bande de gamins, négligeant le fait qu'eux aussi avaient grandi comme tout le monde. Aujourd'hui, c'étaient donc des adultes qui pouvaient entendre, et comprendre, les moindres sons que les murs trop minces n'arriveraient pas à camoufler complètement.

Matthieu ne se laissa pas désirer. Aussitôt le coup de talon donné contre le plancher, Prudence entendit son mari gravir discrètement l'escalier.

— Mon mari, murmura-t-elle pour elle-même, en savourant le mot qui montait de la gorge avant d'éclater en bouche.

Son cœur se mit à battre de plaisir anticipé.

Quand Matthieu entra dans la chambre, Prudence était dos à lui, debout devant la lucarne. Une bougie brûlait sur la haute commode, dessinant des ombres chinoises sur les murs.

Matthieu hésita un moment. Devait-il éteindre tout

de suite, ou alors devait-il inviter Prudence à se mettre au lit pour éteindre après ? Car pour Matthieu, c'était là une évidence : l'amour se faisait dans l'obscurité, sous les couvertures, comme l'avait toujours exigé Emma.

Prudence le prit de court et, avant qu'il puisse exprimer quoi que ce soit, sans même se retourner, elle lui dit d'une voix sensuelle et chaude qu'il ne lui connaissait pas :

— Installez-vous Matthieu. Je suis à vous dans l'instant.

— Est-ce que j'éteins ?

— Pourquoi éteindre ? Allez, Matthieu, mettez-vous au lit !

Matthieu ne se le fit pas dire deux fois. Aussitôt, Prudence entendit qu'on retirait certains vêtements à la hâte puis qu'on dépliait les couvertures. L'instant d'après, les ressorts du matelas gémirent. Prudence attendit encore un moment, puis elle se retourna.

Matthieu la dévorait des yeux. Cette étincelle déjà entrevue à quelques reprises était devenue un brasier ardent. Alors Prudence se mit à marcher vers lui, détachant les quelques boutons de son déshabillé. Jamais Matthieu n'aurait pu imaginer qu'une femme pouvait être aussi belle quand elle était vêtue de dentelle, si on pouvait appeler vêtement ce soutien-gorge rose qu'il apercevait entre les plis du déshabillé et la minuscule culotte assortie. D'où Prudence tenait-elle cette lingerie ? L'avait-elle utilisée avant ce soir ? Matthieu dut avouer qu'il s'en fichait éperdument. En ce moment, c'est pour lui et pour lui seul que Prudence était là. Rien d'autre n'avait d'importance. Elle était si belle qu'il en avait le souffle court et les mains moites.

Même quand Prudence fut à côté de lui, Matthieu n'osa tendre la main comme si le fait de la toucher allait faire disparaître celle qui serait désormais son épouse. Devant cette retenue, Prudence comprit que même s'il n'était pas puceau, onze enfants étaient là pour le prouver, Matthieu Bouchard était aussi malhabile qu'un collégien.

Prudence se dit aussi que c'était à elle de lui montrer les mille et une facettes de l'amour et elle trouva l'idée excitante. Glissant alors les mains dans le décolleté du soutien-gorge, elle fit jaillir ses seins. Dans la pénombre de la chambre, effleurée par la lumière dansante de la bougie, la peau semblait nacrée et les mamelons très foncés.

— Vous pouvez toucher, Matthieu, souffla Prudence d'une voix haletante. J'aime bien quand on caresse mes seins.

Malgré l'invitation, Matthieu restait figé, confondu par tant de liberté proposée. L'amour pouvait donc être aussi cette attirance qui lui semblait débridée tant elle rejoignait ses fantasmes les plus secrets ? Ceux qu'il n'avait jamais osé avouer au confessionnal. Alors oui, il hésitait, victime de ses croyances les plus tenaces, de ses convictions les plus résistantes que des décennies de sermons rigides avaient rendues crédibles.

Devinant le malaise, comme elle aurait guidé un tout jeune homme, avec douceur, Prudence prit une main de Matthieu pour la poser sur l'arrondi d'un sein.

— C'est permis, vous savez, Matthieu. N'oubliez pas que nous sommes mari et femme, alors oui, c'est permis. Venez, laissez-vous aller ! Nous avons toute la nuit pour apprendre à nous connaître, vous et moi.

Et tandis que Matthieu refermait deux doigts rugueux sur la pointe d'un sein, Prudence pensa que même le vouvoiement qu'elle trouvait désuet mais auquel Matthieu semblait tant tenir, oui, même ce vouvoiement entre eux donnait une saveur délicieuse à l'instant présent.

DEUXIÈME PARTIE

Été 1903 ~ Automne 1904

CHAPITRE 4

Quatre ans plus tard, dans la cuisine de Victoire, en juillet 1903

Les yeux rougis par les larmes qu'elle venait de verser, Alexandrine buvait son thé à petites gorgées indifférentes. Elle, habituellement plutôt gourmande, n'avait pas tendu la main vers l'assiette garnie de biscuits à peine tièdes, et Victoire ne savait plus quel saint invoquer pour lui dicter les quelques mots de réconfort dont son amie avait besoin.

— Mais si c'est là son choix, répéta-t-elle pour la énième fois, que peux-tu faire d'autre que de l'accepter ?

— Justement...

Alexandrine renifla vigoureusement en repoussant une mèche de ses longs cheveux blonds, depuis peu striés de gris.

— Je te l'ai dit cent fois : je ne suis pas du tout certaine que c'est vraiment son choix. Si ça l'est, c'est un choix qu'elle a fait par dépit.

— Quand bien même...

— Je t'arrête tout de suite, Victoire. Les choix faits par dépit ne sont jamais les bons.

Victoire n'osa dire que son mariage à elle avait été une sorte de choix fait par dépit, justement, puisque personne d'autre n'avait frappé à la porte de la jeune femme célibataire qu'elle était à l'époque. C'était elle qui avait pris les devants pour courtiser Albert Lajoie qui vivait un second veuvage. N'empêche qu'aujourd'hui, elle était une femme heureuse aux côtés d'Albert, même si ce dernier était nettement plus âgé qu'elle et de plus en plus malade. Avec leur fille Béatrice qui grandissait en âge et en sagesse, dans les circonstances, Victoire n'aurait pu demander mieux à la vie. En épousant Albert, elle savait qu'un jour comme ceux qu'elle vivait présentement finirait par arriver. Elle assumait en toute connaissance de cause les conséquences découlant de son choix et elle aimait toujours autant son mari.

— Donne-toi le temps de t'y faire, Alexandrine. De toute façon, tu n'auras pas le choix: ses vœux sont prononcés.

— Je le sais ben.

Alexandrine était visiblement accablée.

— Ça me déprime de savoir qu'elle va passer le reste de sa vie dans un vieux couvent. C'est vieux pis c'est laid.

— C'est laid? Un vieux monastère comme ça, c'est laid? Laisse-moi te dire que j'en doute.

Alexandrine convint, par une moue indécise, qu'elle avait peut-être exagéré un tantinet.

— Non, t'as raison, admit-elle finalement. C'est pas si laid que ça. Ça ressemble aux belles églises qu'on voit parfois dans les revues. Mais ça sent le renfermé, par exemple. Pis l'encens et la cire à plancher. Pis la soupe au chou. Tu le sais, toi, comment j'haïs ça, la soupe au chou !

— Tu es de mauvaise foi, Alexandrine Tremblay.

— Pas du tout.

Lentement, Victoire sentait la tristesse d'Alexandrine diminuer, remplacée par une forme de ressentiment à l'égard de la vie et cela, elle pouvait fort bien le comprendre. Après avoir perdu son fils aîné dans une tempête sur le fleuve ; après que son autre fils, Paul, à la suite de son cours en architecture, ait choisi de s'installer à la ville, voilà que sa fille Anna, bien qu'elle eût fréquenté durant quelques mois un bon garçon du village, avait décidé, du jour au lendemain, de devenir religieuse. Chez les Ursulines, qui plus est, au monastère de Québec. On était alors au lendemain des fêtes du millénaire, fêtées en grande pompe dans chaque grange de la paroisse.

— Je m'imaginais qu'Anna allait m'annoncer ses fiançailles, après ces fêtes-là. Pourtant elle avait l'air de bien l'aimer, son Romuald. Ben non ! Cloîtrée, Victoire ! Ma fille a décidé de devenir une sœur cloîtrée. Ça se peut-tu ? Je comprends pas. Me semble que ça ressemble pas à Anna, ça ! Te rends-tu compte, Victoire ? Je pourrai plus jamais tenir Anna dans mes bras. Je pourrai même pas lui donner la main ou l'embrasser sur les deux joues. Quand j'vas pouvoir me rendre à Québec pour la voir, c'est à travers une grille doublée d'un rideau que ça va se faire. Aussi ben dire qu'Anna va vivre le reste de sa vie en prison, cré bon sang! Pis tu dis que je dois accepter ça sans dire un mot, sans réagir? On voit bien que c'est pas de ta fille qu'on parle.

— C'est vrai. Mais si c'est là sa volonté? Anna n'est plus une enfant. Elle a quoi? Vingt-quatre, vingt-cinq ans? Elle doit savoir ce qu'elle veut, non? Et si c'était vraiment l'appel de la vocation? Ça arrive, tu sais, que le Bon Dieu ait parfois de ces…

— Je t'arrête tout de suite, Victoire! interrompit Alexandrine d'une voix étouffée, sourde. Tu sais ce que je pense de Dieu. Depuis la mort de Joseph, on n'est pas vraiment en très bons termes, Lui pis moi.

Plutôt que d'en vouloir à son mari Clovis pour la perte de leur fils aîné, emporté par les fortes vagues d'une tempête, Alexandrine avait décidé de s'en prendre à Dieu directement. Après tout, Il était le seul vrai responsable de cet orage mémorable.

Victoire, bien que fervente pratiquante, n'insista pas.

— D'accord, on change de sujet… De toute façon, au-delà du Bon Dieu, il y a ta fille et c'est elle qui a fait un choix. Que ça te plaise ou non, c'est ça qui est ça.

— J'haïs ça, cette expression-là. C'est ça qui est ça! Tu trouves pas que c'est pessimiste pis déprimant, de parler comme ça?

— Quand on n'a pas le choix…

— Ouais, vu dans ce sens-là…

Durant un moment, un silence un peu lourd s'abattit sur la cuisine de Victoire. Quand Alexandrine comprit que sa réflexion tournait en rond, qu'elle risquait même de tourner en rond indéfiniment, elle secoua la tête vigoureusement, comme pour abrutir ses pensées.

— T'as ben raison, ça sert à rien de ressasser mon malheur jusqu'à la fin des temps, je peux rien y changer. Faut juste que je m'habitue à vivre avec l'image de ma fille, couchée devant l'autel d'une chapelle, en train de gâcher sa vie... Astheure que c'est dit, parle-moi de toi. Qu'est-ce qui s'est passé ici, à la Pointe, durant mon voyage à Québec ? C'est pas des farces, j'ai été partie durant quasiment toute une semaine ! C'est ben la première fois de ma vie que ça m'arrive ! Pis ? À part la pancarte que j'ai vue sur la forge en passant devant tout à l'heure, comme de raison, qu'est-ce qui s'est passé par ici ?

À ces mots, un éclat de panique traversa le regard de Victoire.

— Tu l'as vue, hein ? J'arrive pas à croire qu'on soit déjà rendus là dans notre vie, Albert et moi. Comme la pancarte c'est pour annoncer que la forge est à vendre, je t'avouerais que j'ai pas vu grand-chose d'autre dans la paroisse, déclara Victoire en soupirant. Une chance que j'ai eu pas mal de pâtisseries à faire pour le Manoir Richelieu de Pointe-au-Pic. Pour moi, c'est une vraie mine d'or, cet hôtel-là. Tout ça pour dire que sans mes tartes et mes gâteaux, durant les derniers jours, je pense que je serais devenue folle. C'est fou ce qu'une petite pancarte de rien du tout peut faire !

— Ben on aurait été deux !

Victoire et Alexandrine échangèrent un sourire de connivence.

— La vie n'est pas toujours rose, n'est-ce pas ?

— Pas particulièrement. Une chance que t'es là, Victoire, ça me fait un bien fou de te parler.

— C'est réciproque. C'est comme pour la forge. Je ne peux pas dire à Albert que j'ai le cœur en miettes de voir qu'il n'a trouvé personne pour le remplacer. Mon mari est déjà assez brisé comme ça, il n'a pas besoin de mes doléances par-dessus le marché. Mais c'est triste de voir la forge sans sa fumée qui monte au-dessus de sa cheminée.

— C'est vrai. Beau temps mauvais temps, en hiver comme en été, y' avait toujours un p'tit panache qui flottait à la même hauteur que le clocher de l'église.

— C'est ben beau ce que tu viens de dire là, fit Victoire d'une voix étranglée, voyant sans difficulté l'image suggérée par Alexandrine.

— Au moins, tu vas arrêter de t'en faire parce que ton mari en fait trop pour son âge.

— Tu penses ça, toi ? Je te dirais que si un cœur peut arrêter de battre parce qu'il est tout usé d'avoir trop travaillé, il peut aussi s'arrêter par manque de désennui. Ça me fend le cœur de savoir qu'Albert passe ses grandes journées assis devant sa porte quand il fait assez doux, ou bien devant son feu éteint quand il fait plus frais, à espérer que sa pancarte va attirer quelqu'un.

Sur ce, à son tour, Victoire renifla bruyamment les larmes qui venaient de déborder.

— Bon, c'est à mon tour de piquer une braille !

Ce fut à ce moment-là que Béatrice entra en coup de vent dans la cuisine. Victoire détourna vivement la tête pour que sa fille ne voie pas ses larmes.

— Oh! Bonjour Alexandrine, lança joyeusement la jolie demoiselle qui allait fêter ses dix ans dans quelques mois. Comment ça va? Pis votre voyage à Québec? Ça s'est bien passé?

— Très bien, répondit Alexandrine en forçant la note pour capter toute l'attention de Béatrice, le temps que Victoire se mouche discrètement. Et toi? Contente d'être en vacances?

— Et comment! J'aime bien l'école, ça c'est sûr, mais c'est autrement plus amusant de n'avoir rien à faire de toute la journée! Pas de devoirs, pas de leçons, pas de dictées... Juste le plaisir de lire quand j'en ai envie.

Tandis que Béatrice jacassait, Victoire s'était relevée et, tout en tournant le dos à sa fille, elle s'affairait à remettre de l'eau dans la bouilloire. Elle demanda, d'une voix qui se voulait légère:

— Tu ne devais pas jouer avec ton amie Lucie, toi?

— Justement... Est-ce que je peux aller chez elle? Sa mère lui a demandé de garder ses deux petits frères, le temps qu'elle aille chez le docteur.

— Germaine va chez le médecin? Eh bien... Est-ce qu'elle est malade?

— Aucune idée... Elle en a pas l'air, en tout cas. Pis? Qu'est-ce que t'en dis? Est-ce que je peux y aller?

— Bien sûr. Mais tu reviens pour le souper. À cinq heures dans la maison.

— Promis!

Le temps de chaparder une pile des biscuits posés

dans l'assiette au milieu de la table et Béatrice repartait comme elle était arrivée, en coup de vent. La porte claqua dans son dos.

— Et voilà! Mon tourbillon est reparti! Béatrice ne reste pas en place deux minutes!

— C'est normal, à son âge. Souviens-toi!

— Je le sais! Je ne dis pas ça pour me plaindre... En fait, jamais je n'aurais l'idée de me plaindre de Béatrice. C'est une soie, cette enfant-là.

— Grâce à toi!

— Grâce à Emma aussi, souffla Victoire en reprenant sa place.

Elle leva les yeux et fixa Alexandrine intensément.

— Après tout, Béatrice est sa fille, ajouta-t-elle sur le même ton.

— C'est vrai qu'on peut pas l'oublier, acquiesça Alexandrine tout en hochant la tête. Béatrice ressemble beaucoup à Emma, au même âge.

— Toi aussi tu l'as remarqué, n'est-ce pas?

— Difficile de pas le voir. Surtout quand on a bien connu Emma, comme toi pis moi... Je peux-tu te poser une question indiscrète? Ça fait un bail que ça me chicote pis que j'ose pas.

— Toi? Tu serais gênée avec moi? Allons donc! Pose-la, ta question! Si je ne veux pas y répondre, je ne répondrai pas, c'est tout. Mais ça me surprendrait. Il n'y a pas grand-chose que tu ne connais pas de moi!

— C'est vrai qu'entre nous deux, y' a pas tellement de secrets... En fait, c'est pas tellement compliqué. Je veux juste savoir comment tu te sens depuis que Lionel vit au village. T'as pas peur qu'un jour, entre Béatrice pis lui... Je le sais pas comment te dire ça... Après tout, ils sont frère et sœur, non ? Est-ce que Béatrice le sait ? Est-ce que ça pourrait lui donner envie d'aller retrouver son père à l'Anse-aux-Morilles ? Est-ce que ça pourrait...

— Ouf ! Arrête, Alexandrine, arrête ! C'est pas juste une question que tu viens de me poser, c'est un dictionnaire de questions... Une chose à la fois, veux-tu ! Disons que non, je n'ai pas peur de Lionel. Pas du tout. Savais-tu qu'avant de venir s'installer ici pour aider le vieux docteur Gignac, il est venu me demander si j'étais d'accord ?

— Ah oui ? Lionel a fait ça ?

— Eh oui... Lionel, c'est quelqu'un de très attentionné, tu sauras.

— Ça, je l'avais déjà constaté. Il est tellement doux avec les enfants. Je me demande ce qu'il attend d'ailleurs, lui, pour se marier pis faire une trâlée de p'tits Bouchard. C'est sûr que Lionel ferait un très bon père.

— Je n'en doute pas une minute. C'est pour ça, que je n'ai pas hésité. Ce jour-là, quand Lionel est venu nous parler, à Albert et moi, j'ai compris qu'on n'aurait pas vraiment le choix de tout dire à Béatrice. Ou bien Lionel s'installait ailleurs, ce qui n'aurait pas été tellement charitable de notre part vu que le docteur Gignac est pas mal vieux, ou bien on parlait à notre fille. Comme Albert était bien d'accord avec moi, c'est ce qu'on a fait. Lionel est venu souper chez nous un dimanche soir, et c'est là qu'on a annoncé à Béatrice qu'il était son grand frère. De toute façon, j'aime mieux que notre fille apprenne ces choses-là directement de nous plutôt que de n'importe qui de la paroisse qui pourrait lui raconter n'importe quoi, n'importe comment.

— Comment elle a pris ça ?

— Béatrice a bien réagi, comme elle l'avait fait au cimetière quand elle a appris qu'Emma était sa mère. Un peu gênée, c'est normal, mais contente puis assez fière de voir qu'elle avait un frère médecin, même si avec elle, les émotions ne paraissent pas tout le temps. Malgré cela, Lionel sait se faire discret. Il ne s'impose jamais et, de son côté, Béatrice n'a pas demandé à rencontrer le reste de sa famille. Elle n'a même pas posé de questions sur eux et je t'avoue que ça m'a soulagée… Non, moi ce n'est pas Lionel qui m'a fait peur. C'est Matthieu.

— Matthieu ?

— Oui, Matthieu. Quand il s'est mis à courtiser Prudence. À peu près tout le monde, dans le village, sait que Béatrice est la fille d'Emma. C'est un peu pour ça qu'Albert et moi, on a tenu à lui dire la vérité dès qu'elle a été en âge de comprendre. Alors, quand Matthieu s'est mis à venir voir les Lavoie de façon régulière, il y avait toujours une âme charitable pour se faire un devoir de m'annoncer que Matthieu Bouchard venait de débarquer au village.

— Pis dire que je le savais par Clovis, interrompit vivement Alexandrine, de toute évidence désolée. J'aurais quand même pu te prévenir ben avant tout le monde. Comment ça se fait que j'y ai pas pensé ?

— C'est pas grave, Alexandrine. Tu avais probablement d'autres chats à fouetter et moi aussi. Mais laisse-moi te dire que ces jours-là, quand je savais Matthieu pas trop loin, je n'en menais pas large ! J'avais tellement peur de le voir se pointer à ma porte en réclamant sa fille !

— C'est vrai que ça devait être terrible.

— Que tu dis, oui ! J'avoue que même à toi, à cette époque-là, je n'aurais pas été capable d'en parler. Ça s'est vécu entre Albert et moi, dans les larmes et les inquiétudes. Je m'excuse.

D'une main sur celle de son amie, Alexandrine montra qu'elle comprenait.

— Pis c'est juste normal que ça soit comme ça, fit-elle en tapotant la main de Victoire. Dans le fond, ça regardait juste vous deux.

À ces mots, Victoire esquissa un sourire moqueur.

— Heureuse de te l'entendre dire parce que, vois-tu, ma mère, elle, ne voyait pas la situation du même œil. Cette situation-là, elle l'a prise de façon tout à fait personnelle ! À chacune des visites de Matthieu, je la voyais descendre la côte d'un pas militaire, tellement elle était en colère après lui. Imagine-toi donc que pour ma mère, c'est le contraire qui aurait dû se produire.

— Comment ça le contraire ? Je comprends pas !

— Pourtant, c'est simple à comprendre ! Elle aurait tout simplement voulu que Matthieu vienne nous voir !

— Ben voyons donc ! Ici, chez toi ?

— Comme je te dis. Je ne répéterai pas tous les mots

disgracieux que ma mère a employés en parlant de lui, parce que je pense que je devrais m'en confesser, mais sois certaine qu'à ses yeux, Matthieu a fait preuve d'une indifférence impardonnable.

Victoire laissa échapper un long soupir.

— Tout ça pour te dire que cette période de ma vie n'a pas été la plus belle, loin de là. Ce qui explique en grande partie que je ne t'en aie pas parlé. Même après le mariage de Matthieu avec Prudence, j'étais encore sur la défensive.

— Et maintenant ?

Victoire haussa les épaules.

— Maintenant, ça va. Surtout depuis que Prudence a donné naissance à une petite fille, un an tout juste après son mariage, et à une autre, l'an dernier... Depuis la première naissance, je me suis fait dire que Prudence n'est même pas revenue au village pour visiter ses parents comme elle le faisait durant la première année de son mariage. C'est Lionel qui me l'a confirmé. C'est un peu pour ça que bientôt, Lionel va présenter Béatrice à ses grands-parents maternels. Eux aussi, ils savent très bien qui elle est. Ça aussi, c'est Lionel qui me l'a dit. Comme ils ont eu la délicatesse de rester à l'écart jusqu'à maintenant, ça serait bien le moins que je puisse faire pour eux. Te rends-tu compte, Alexandrine ? Ovide et Georgette Lavoie ont eu onze petits-enfants de leur fille Emma, et, à part Lionel, qui s'est finalement présenté à eux quand il est venu s'installer au village, ils ne les connaissent pas ! Et voilà, pauvres eux autres, que le manège recommence !

Depuis la naissance de ses deux filles, Prudence, à son tour, ne revient plus au village.

— Ben laisse-moi te dire que ça ne se passerait pas de même avec moi !

Alexandrine avait lancé cette dernière réplique sur un ton enflammé, tout emportée par le récit que Victoire venait de faire d'une situation qu'elle connaissait en partie. L'instant d'après, cependant, Alexandrine courbait les épaules en jetant un regard découragé à son amie.

— Je dis ben n'importe quoi ! C'est pas demain la veille que j'vas être grand-mère ! Paul veut prendre le temps de ben s'établir avant de penser au mariage. Rose arrête pas de dire qu'elle en a assez de tourner en rond chez nous, pis elle parle de plus en plus souvent d'aller rejoindre son frère en ville pour se trouver du travail. Paraîtrait-il qu'ils engagent à la Rock City, pis Rose dit que ça l'intéresserait de travailler dans le tabac. Elle aime l'odeur ! Marguerite, elle, même si elle est ben fine pis qu'elle tente de nous rassurer en disant que la ville pis le couvent l'intéressent pas pantoute, elle a même pas de cavalier pis elle arrête pas de nous dire qu'elle est pas pressée de s'en trouver un. Quant à Anna, pas besoin d'en parler, c'est pire que toutes les autres réunis, pis les deux p'tits, pas besoin de gaspiller notre salive, y sont trop jeunes encore pour penser à ça, on verra avec le temps. Comme tu vois, c'est pas demain matin que ma vieille chaise berçante va reprendre du service ! Pourtant, nous autres, on était pas de même, hein ? On en a-tu rêvé du jour où on allait enfin se marier... C'est drôle comme les choses changent, des fois, avec les années, hein? Bon, c'est ben beau tout ça, mais j'ai un souper à préparer. Je m'en vas! Merci d'avoir pris le temps de m'écouter, ça m'a fait du bien.

Alexandrine était déjà debout, suivie de près par Victoire.

— C'est à ça que ça sert des amies, entre autres choses. Tu passes quand t'en as envie.

— Inquiète-toi pas! Ta chaise aura même pas le temps de refroidir que tu vas me voir réapparaître.

Alexandrine avait déjà la poignée de la porte bien en main quand elle s'arrêta brusquement pour se retourner une dernière fois vers Victoire, un sourire taquin sur les lèvres.

— Juste comme ça, pour donner suite à ce que ta fille a dit, tout à l'heure...

— Ma fille? Tout à l'heure?

— Ben oui! Quand elle a parlé de Germaine qui allait voir le docteur... T'as pas remarqué, toi, que les femmes du village ont toutes sortes de petits bobos depuis que Lionel est arrivé chez nous?

À ces mots, Victoire éclata de rire avant de menacer Alexandrine d'un index accusateur.

— Oh! Mauvaise langue!

— Je dis ça comme ça... Tu sauras bien m'en reparler un jour! Bonne fin de journée, Victoire!

CHAPITRE 5

À l'automne de la même année, à Montréal, en novembre 1903

Le cœur battant la chamade et à petits gestes hésitants, Lysbeth entrouvrit le mouchoir qu'elle venait de rouler précipitamment en boule.

Pas de doute, même en quantité minuscule, c'était bien du sang.

Épouvantée, Lysbeth détourna la tête et tortilla à nouveau le mouchoir de lin qu'elle garda au creux de sa main. Puis, elle ferma très fort les paupières. Malgré cela, deux grosses larmes glissèrent silencieusement sur ses joues.

Pourrait-elle continuer bien longtemps à jouer la comédie ? Elle voyait bien que James était inquiet de l'entendre tousser comme elle le faisait depuis que leur fils Johnny avait ramené une coqueluche de l'école.

— Ça doit être pire pour un adulte que pour un enfant, plaidait-elle régulièrement en réponse aux inquiétudes manifestées par son mari. Donne-moi du temps et tout va rentrer dans l'ordre.

Mais tout n'était pas encore rentré dans l'ordre et,

deux mois plus tard, alors que son fils était complète-ment remis et avait repris le chemin de sa classe, Lysbeth, elle, toussait de plus en plus. En cet instant, elle essuyait des larmes de désespoir.

— Si Lionel était encore ici, aussi, murmura-t-elle en reniflant. Lui, il saurait ce que j'ai et ce que je dois faire.

Encore une fois, elle entrouvrit le mouchoir, prit une longue inspiration pour se donner du courage, puis elle osa un regard furtif.

Pas de doute, c'était bel et bien un peu de sang. Par contre, la tache était vraiment petite...

Le regard se prolongea et le désespoir s'atténua.

Pourquoi s'en faire pour si peu ?

Lysbeth se releva et s'approcha du gros poêle à bois qu'elle s'entêtait à vouloir garder, même si, depuis peu, leur rue était desservie par le nouveau réseau de fils électriques.

— Je m'en fais peut-être pour rien, se dit-elle pour se rassurer. Avec un peu de chance, ce n'est qu'une petite irritation à force de tousser et ça va passer tout seul.

Après une légère hésitation, Lysbeth souleva le lourd rond de fonte et jeta le mouchoir dans les flammes.

Demain tout irait mieux.

— Je vais avaler une cuillerée de miel. Ça va adoucir ma gorge et m'empêcher de tousser.

Mais, à moins de prendre le miel à grandes lampées, et encore, le répit tant espéré durait fort peu long-temps. Quelques minutes d'accalmie et la toux revenait de plus belle. Elle devint si persistante que même si

Lysbeth tentait de minimiser la gravité de son état, James n'était pas aveugle pour autant.

— Bon, ça suffit!

Profitant de l'absence de son fils, parti patiner avec des amis, James avait laissé éclater son inquiétude.

On était à moins d'une semaine de Noël et Lysbeth n'allait toujours pas mieux. Bien au contraire. Chaque quinte de toux la laissait de plus en plus faible, l'appétit était un mot qui avait disparu de son vocabulaire et les crachats ensanglantés faisaient partie des inconvénients quotidiens.

— Ne viens pas me dire que ça va passer, je n'y crois plus. Je vais chercher le médecin.

— À quelques jours de Noël? Tu n'y penses pas! Et Johnny Boy, qu'est-ce que tu en fais?

Johnny Boy... Même si John O'Connor avait maintenant plus de huit ans, le surnom de sa tendre enfance lui était resté, et c'est avec beaucoup d'affection que James et Lysbeth continuaient d'appeler leur fils ainsi.

— J'en fais rien de particulier, de notre fils, il va comprendre. Sa mère est malade, c'est pas sorcier à comprendre et Johnny Boy est un garçon intelligent.

Allongée sur le divan du salon, Lysbeth n'eut même pas la force de tenir tête à son mari. Sans dire un mot, un mouchoir propre pressé contre sa bouche, elle regarda James enfiler sa lourde parka de laine doublée de mouton.

— Toi, tu ne bouges pas de là, intima James, un index pointé vers sa femme. Je reviens.

L'avertissement était parfaitement inutile, Lysbeth

était trop épuisée pour avoir envie de se lever. Une sueur froide perlait à son front et chaque quinte de toux lui traversait la poitrine comme un glaive chauffé à blanc. Malgré le geste de recul de Lysbeth, James se pencha sur elle et l'embrassa sur le front.

— Essaie de dormir un peu en m'attendant.

Une heure plus tard, le verdict du médecin tomba sans la moindre hésitation.

— Ça ressemble à la tuberculose, ma pauvre madame O'Connor. Le bruit entendu dans le stéthoscope ne laisse place à aucun doute, aucune hésitation.

Lysbeth se souleva sur un coude et protesta avec le peu d'énergie qui lui restait.

— Mais non, ça ne se peut pas! Je n'ai jamais été malade de toute ma vie. Vous ne pensez pas, vous, que la coqueluche de notre fils a pu...

— Non.

Le médecin était catégorique.

— Il y a bien une analyse à notre disposition depuis quelque temps, aux rayons X, mais je suis persuadé que cet examen va me donner raison. Si vous y tenez...

— On y tient!

Cette fois, c'était James qui était catégorique malgré le regard implorant de Lysbeth.

— Mais James! Avec la grève du printemps dernier, je ne sais pas si on a les moyens de...

— On a les moyens, trancha James en se retournant vers le médecin.

— Dans ce cas, je pourrais voir si on a une place demain.

— Mais où est-ce que j'ai pu attraper ça ? Je sors à peine d'ici de temps en temps, protesta Lysbeth, montrant de la main le salon et la cuisine en enfilade.

Le médecin balaya cette objection d'un haussement d'épaules défaitiste.

— On peut attraper ça n'importe où ! Au marché, à l'église, dans un magasin... C'est une véritable épidémie que cette terrible maladie qui n'épargne personne. Ni les riches, ni les pauvres...

— Et vous êtes bien certain que la coqueluche n'est pas...

— C'est un curieux hasard, je vous l'accorde, mais ce n'est pas une coqueluche... Je suis à ce point certain de mon diagnostic que je vais demander qu'on vous réserve un lit à la Société contre la Tuberculose de Montréal. On vous y transportera dès l'examen passé à l'hôpital Notre-Dame.

— Hospitalisée ?

Lysbeth promena un regard affolé entre le médecin et son mari.

— On ne pourrait pas attendre après Noël ?

— Et si je vous suggérais de fêter le réveillon en avance cette année, est-ce que vous comprendriez la gravité de votre état ?

Lysbeth était atterrée.

— Et mon fils ?

— Si j'étais vous, j'en profiterais aujourd'hui même pour souligner la fête de Noël. Après, je l'éloignerais de la maison un certain temps.

— L'éloigner de la maison ?

— Le grand air et le soleil sont peut-être les meilleurs médicaments pour lui éviter la contagion... Du moins, c'est ce que l'on croit. Ça vaut aussi pour vous, mon bon monsieur ! Si vous avez de la parenté à l'extérieur de la ville, profitez-en !

James ne répondit pas. Mais il savait déjà que jamais il n'abandonnerait Lysbeth pour fuir vers la campagne. Même pour être avec son fils.

— On verra, grommela-t-il, tandis que le médecin rangeait son stéthoscope, après l'avoir consciencieusement essuyé avec un chiffon imbibé d'alcool.

C'est ainsi qu'au matin du 23 décembre, plutôt que de s'apprêter à fêter Noël avec la famille de Ruth et Donovan comme ils en avaient l'habitude depuis la naissance de leur fils, James finissait de ranger ses effets dans son ancien baluchon. Le père et le fils prendraient le train de midi en direction de Québec avant de poursuivre leur route, le lendemain matin, jusqu'à Pointe-à-la-Truite où Lionel, prévenu par télégramme, attendait son filleul pour ce qu'ils avaient décidé d'appeler « une période indéterminée ».

— Et mommy, elle ? Est-ce que je pourrai aller la voir avant de partir ?

— Malheureusement non, fiston. Les enfants ne sont pas admis à l'hôpital où elle est soignée.

— Et mes amis ? Eux, je vais pouvoir les voir une dernière fois avant de partir, n'est-ce pas ?

— Tu les as salués hier, non ?

— Oui, mais je n'ai même pas pu leur dire quand je serai de retour.

— Parce que pour l'instant, on ne le sait pas.

— C'est pas juste !

Le jeune garçon soutenait le regard de son père avec une lueur de défi au fond des prunelles. Comme il tenait tout contre lui le vieil ourson de peluche offert par Lionel quand il n'était encore qu'un bébé, il projetait une image particulièrement attendrissante qui alla droit au cœur de James. C'est vrai que la situation devait être difficile à vivre pour un enfant de son âge. Ce fut donc en passant un bras autour des épaules de son fils que James fit la mise au point qui lui semblait obligatoire.

— Pas juste ? En effet, dans cette histoire, il n'y a pas grand-chose qui soit juste, je suis d'accord avec toi. Ce n'est surtout pas juste qu'une femme comme ta mère, bonne et généreuse, soit malade à ce point.

Le jeune garçon comprit facilement le message de son père. Il pencha la tête, tout rougissant, serrant son ourson de plus en plus fort tout contre lui.

— C'est vrai que c'est bien pire pour elle, murmura-t-il, contrit.

— Bien content que tu le dises, Johnny Boy.

James était déjà revenu au bagage qu'il était en train de terminer.

— Considère ce petit voyage comme des vacances imprévues, ajouta-t-il en attachant les ganses du baluchon. Dis-toi que c'est une belle occasion de revoir Lionel. Tu passes ton temps à te plaindre que tu ne le voies pas assez depuis qu'il a quitté la ville.

— C'est vrai.

— Bon, tu vois… Maintenant, assez discuté, jeune homme! On doit partir tout de suite si on ne veut pas rater le train.

Le voyage de Montréal à Québec permit au gamin de se changer les idées. Se promener entre les wagons, manger le nez à la fenêtre tandis que le paysage déroulait ses splendeurs enneigées d'un village à l'autre et débarquer à Québec, en fin d'après-midi, pour découvrir une ville tout illuminée pour les fêtes de fin d'année et la bonne humeur habituelle du garçon semblait revenue.

— Ce soir, on dort à l'hôtel, annonça James, essayant de donner un certain entrain à sa voix, un entrain qu'il était loin de ressentir. Et demain, on poursuit notre route jusqu'à Pointe-à-la-Truite. Je nous ai trouvé quelqu'un qui se rend à La Malbaie. Il va nous prendre avec lui.

Le gamin tentait tant bien que mal de suivre le rythme imposé par les longues jambes de son père qui, connaissant la ville, se dirigeait droit vers l'hôtel où il avait déjà dormi lors de ses vacances.

— C'est donc bien loin! se plaignit Johnny Boy en soupirant.

— Qu'est-ce qui est loin comme ça?

— L'hôtel, le village de Lionel, tout!

Johnny Boy s'était brusquement arrêté, tout essoufflé.

— Daddy?

James ralentit le pas tout en regardant par-dessus son épaule. Quand il vit son fils les deux pieds dans la gadoue, sur le trottoir, les épaules voûtées sous son chaud manteau de lainage rouge et les yeux remplis de découragement, il s'arrêta à son tour.

— Daddy, est-ce qu'on peut retourner à Montréal ? S'il te plaît !

Ce fut à ce moment-là que James aperçut des larmes dans le regard implorant de son fils. Son cœur chavira. Sans hésiter, il revint vers lui.

— Oh, Johnny Boy…

James s'accroupit et enlaça son fils qui se laissa faire, même s'il détestait les effusions en public.

Même s'il détestait surtout qu'on le prenne pour un bébé.

En ce moment, il n'était plus qu'un tout petit garçon qui avait le cœur gros de chagrin à l'idée que sa mère était malade, et pétri d'inquiétude devant l'inconnu qui s'imposait à lui.

— Ça fait peur tout ça, n'est-ce pas ?

— Oui, murmura Johnny Boy, le nez enfoui dans le col du manteau de James.

— Moi aussi j'ai peur, tu sais.

— Toi ?

Johnny redressa la tête en reniflant.

— Ça se peut pas. Les grandes personnes n'ont jamais peur, voyons !

— Oh si, les grandes personnes peuvent avoir peur. Très peur, même. Comme les petits garçons. Et sais-tu qui doit avoir le plus peur en ce moment ?

Le gamin fronça les sourcils sur une courte réflexion puis il leva un regard indécis vers James.

— Euh… mommy ?

— Exactement. Et en plus, elle est seule. C'est pour ça que tu dois aller chez Lionel pour que moi, je puisse passer beaucoup de temps avec maman pour l'aider à avoir moins peur. Pour l'aider à guérir.

— Je comprends… C'est juste un peu ennuyeux que Lionel demeure aussi loin.

— C'est vrai, mais c'est aussi un très bel endroit, tu vas voir ! Mais avant…

Le temps de déposer les valises dans leur chambre et James entraînait encore une fois son fils.

— Pour faire une surprise à maman, expliqua-t-il en refermant les pans du manteau de Johnny Boy et en remontant son foulard sur son nez. C'est en haut de la côte, mais, promis, je ne marcherai pas trop vite.

Intrigué, le jeune homme suivit son père sans rouspéter jusqu'à la vitrine d'une pharmacie, J.E. Livernois, qui offrait aussi la possibilité de se faire photographier dans un studio professionnel.

C'est ainsi que James et John O'Connor se firent « tirer le portrait » par Ernest Livernois que l'on disait passé maître en cette nouvelle technologie.

— Quand je vais revenir ici, dans trois jours, avant de prendre la route pour Montréal, j'irai chercher les photos.

— Et moi, est-ce que je vais pouvoir les voir, les photos ?

— C'est sûr parce que je vais t'en envoyer une chez Lionel. La plus belle que je vais mettre dans une grande enveloppe adressée à ton nom.

— Je vais recevoir une lettre à moi ? Juste à moi ?

— Tout à fait.

— Wow...

Le gamin resta songeur un moment, puis il adressa un grand sourire à son père.

— Et la photo que tu vas m'envoyer, est-ce qu'elle va être à moi, elle aussi ? À moi tout seul, je veux dire ?

— Bien sûr.

— Parfait ! Dans ce cas-là, quand je vais retourner à la maison à mon tour, je vais laisser la photo chez Lionel pour qu'il ne s'ennuie pas de moi.

James esquissa un sourire attendri.

— Tu as tout compris, Johnny Boy. C'est pour ça que les photos existent. Et avec la tienne à côté de son lit, c'est sûr que maman Lysbeth va avoir envie de guérir bien vite.

— Et elle va avoir un peu moins peur ?

— Ça c'est certain.

Le soulagement qui apparut alors dans le regard et dans tout le visage de Johnny faisait plaisir à voir.

— Alors, tu as eu une très bonne idée, papa, de faire faire notre portrait ! Même si la grosse lumière et la fumée font quand même un peu peur... Maintenant, est-ce qu'on va manger ? J'ai pas mal faim !

Le lendemain, à la fin de la journée, ils arrivaient à Pointe-à-la-Truite.

Cette année-là, le réveillon fut bien différent de ce qu'ils avaient l'habitude de vivre à Montréal alors que la fête se poursuivait jusqu'au matin. En se recouchant tout de suite après la messe de minuit, Johnny Boy avait dit, en bâillant :

— J'aime mieux le Noël à Montréal chez tante Ruth et oncle Donovan. Pourquoi ici, il n'y a pas de souper et de musique après la messe ?

— Parce qu'ici, c'est demain qu'on va faire la fête. Pour le repas de midi.

— Dans ce cas-là, tu pourras dire à mommy qu'elle a bien fait de rester chez nous. Moi, c'est manger un dîner durant la nuit que je préfère. Pas manger à midi comme tous les jours !

Le repas du lendemain, lui aussi, fut plus sage que tout ce qu'un enfant aurait pu souhaiter. Chez Lionel, qui habitait une toute petite maison en bordure du village, il n'y avait ni sapin ni décorations et le repas fut plutôt simple.

— Tu n'as pas de dessert, Lionel ? Ça ne se fait pas, un dîner de Noël sans dessert, voyons donc ! Chez tante Ruth, il y a toujours du *plum-pudding* et des gâteaux aux raisins.

— Ah oui ? Comme ça tu aimes les desserts ?

— Bien sûr ! Tu ne te souviens pas ? Mommy faisait toujours du dessert quand tu habitais chez nous, et je mangeais même du navet pour avoir le droit d'en manger autant que je voulais.

— C'est bien que trop vrai ! J'avais oublié. Dans ce cas-là, il va falloir que je te présente madame Victoire, Johnny Boy, parce que moi, je n'ai jamais fait de dessert.

— Madame Victoire ? C'est qui elle ?

— C'est la magicienne des desserts, lança James qui, amusé, n'avait rien perdu de la conversation entre Lionel et son filleul.

Johnny Boy se tourna vivement vers son père.

— Une magicienne ? Et comment ça se fait que tu la connais, toi ?

— Parce que je suis déjà venu ici en vacances. Souviens-toi ! Je t'en ai souvent parlé.

— C'est vrai que tu m'as souvent parlé de ton voyage. Je n'ai pas oublié. Mais tu n'avais jamais dit que tu connaissais une magicienne, par exemple.

— C'est juste que je n'y ai pas pensé.

— Ben voyons ! lança spontanément Johnny Boy en haussant les épaules de découragement. Ça se peut pas !

— Et pourquoi donc ?

— Parce que si tu avais vraiment rencontré une magicienne, tu n'aurais jamais pu l'oublier et tu m'en aurais parlé, voyons donc !

James se retourna tout rougissant. Non, il n'avait pas vraiment oublié l'extraordinaire pâtissière. Seule Lysbeth avait réussi à en faire pâlir le souvenir.

Néanmoins, le repas un peu trop sage se termina dans un grand éclat de rire qui, de toute évidence, offusqua Johnny Boy. Croisant les bras sur sa poitrine avec humeur, le jeune garçon se mit à contempler le bout de ses chaussures, avec une moue boudeuse. James se fit alors pardonner par la promesse de faire les présentations dès la vaisselle terminée.

— Tant pis si c'est Noël ! Si on n'y va pas ensemble aujourd'hui, je ne sais pas quand je pourrai le faire.

Une lueur de tristesse traversa le regard du jeune garçon.

— C'est vrai, tu repars demain.

— C'est pour la bonne cause, fiston ! Souviens-toi ! Je vais pouvoir rendre visite à maman beaucoup plus souvent et, comme ça, elle va guérir plus vite !

— C'est vrai, admit-il d'une toute petite voix.

Malgré cette perspective, Johnny Boy resta mélancolique jusqu'au moment où James lui annonça joyeusement qu'il était temps d'enfiler son manteau.

— Et maintenant, on va voir la magicienne des desserts ! Mets ton manteau, jeune homme, on s'en va !

Le gamin ne se le fit pas dire deux fois et l'ombre d'un sourire traversa enfin son visage.

Alors qu'habituellement James s'amusait à commenter tout ce qu'il voyait au bénéfice de son fils, cette fois-ci, le court trajet se fit dans un parfait silence. Seul le bruit des bottes sur la neige durcie enveloppait leur promenade tandis que James questionnait son cœur au fil des souvenirs.

Comment se sentirait-il devant Victoire ? Deux ou trois lettres avaient été leur seul contact depuis son voyage. Sur papier, James n'avait rien senti d'autre que le plaisir de correspondre avec une amie.

Mais en personne...

Bien malgré lui, mais au grand plaisir de Johnny Boy, James se mit à ralentir l'allure, comme pour retarder le moment où il se retrouverait face à face avec Victoire.

L'émotion de la première rencontre refluerait-elle comme un raz-de-marée ou, au contraire, son cœur tout rempli de sa Lysbeth se serait-il assagi ?

En quelques minutes, ils arrivèrent devant la petite maison jaune. Derrière la porte et par les fenêtres aux volets enneigés, on entendait que la fête n'était pas finie, et James hésita une seconde avant de frapper. N'était-ce pas exagéré que de s'imposer ainsi le jour de Noël? Le regard de son fils levé vers lui, rempli de joyeuse expectative, le décida à tendre le bras.

Ce fut une jolie jeune fille qui avait à peu près l'âge de Johnny Boy qui entrouvrit la porte.

— Oui?

— Je suis James O'Connor et je suis un ami de...

— Je sais qui vous êtes! interrompit la jeune fille avec enthousiasme.

Un sourire mutin accompagnait ces quelques mots. Un simple regard sur la chevelure flamboyante de cette tête qui venait de se découvrir et Béatrice avait deviné à qui elle avait affaire. Ses parents en parlaient suffisamment souvent pour que l'erreur ne soit pas permise. Alors, se tournant vers le salon, elle lança d'une voix pétillante:

— Maman, papa, c'est pour vous. Je crois bien que c'est l'Irlandais!

Elle n'avait pas fini de parler que Victoire avançait déjà vers James, les deux mains tendues vers lui, un sourire de franche amitié sur les lèvres.

— James O'Connor! Quelle belle surprise!

C'est alors que James comprit qu'entre eux, il n'était question que d'amitié. Un regard, un seul, avait suffi. Son cœur ne battait plus comme un fou et, si un jour James avait cru qu'il y avait une place pour Victoire dans sa vie, aujourd'hui, c'est Lysbeth qui l'occupait sans la moindre hésitation.

Soulagé, James fit un pas en avant pour saisir les mains de Victoire entre les siennes et il les serra avec affection.

— Quel plaisir de vous revoir, Victoire!

— Mais le plaisir est pour nous autres, l'Irlandais!

À l'autre bout de la pièce, Albert s'était levé et venait vers lui à son tour. James dut faire un effort pour retenir un geste de surprise en voyant le vieil homme ridé et voûté qui traversait la pièce. Néanmoins, la poignée de main d'Albert était encore ferme et solide. Le constater réconforta James tandis que Clovis et Alexandrine s'exclamaient de joie.

— Hey! James! Mais qu'est-ce que tu fais ici?

Les retrouvailles furent à la hauteur des attentes de James qui oublia rapidement l'embarras qu'il avait ressenti en arrivant devant la porte. On s'étreignit, on se donna des explications à demi-mot. Tant et si bien que ce fut au moment où il se retournait pour dire à son fils de retirer bottes et manteau que James se souvint de la raison précise qui l'avait amené là.

Bouche entrouverte, Johnny Boy n'avait d'yeux que pour Victoire qui allait de l'un à l'autre en tendant les bras pour recueillir les manteaux, tuques et foulards.

Tout comme le père bien avant lui, le fils semblait sous le charme. Ému, James s'accroupit devant le jeune John.

— C'est elle dont je te parlais, murmura-t-il tout en l'aidant à enlever son lourd paletot d'hiver. C'est elle, la magicienne des desserts.

Puis, plus fort, il ajouta:

— Veux-tu que je te présente ?

Le petit garçon se contenta d'un signe de tête pour donner son assentiment, tellement il était impressionné. Alors James se redressa et il se tourna vers ses amis.

— John, eux, ce sont Victoire et Albert Lajoie. Et eux là-bas, ce sont Alexandrine et Clovis Tremblay. Ce sont eux, mes amis du bord du fleuve, comme je t'en ai souvent parlé. Et lui, compléta James en mettant affectueusement la main sur la tête de son fils, c'est John O'Connor, mon fils. Mais tout le monde l'appelle Johnny Boy.

— Ça on le savait, Lionel nous en avait déjà parlé, rétorqua Albert sans la moindre trace d'hésitation. On parle assez souvent de toi, tu sais !

C'est comme si James et sa famille étaient au centre de toutes les conversations, ce qui n'était pas loin de la vérité depuis ces derniers jours. Tout en parlant, le vieil homme détaillait le gamin avec attention. Si la chevelure rappelait le père sans le moindre doute, la physionomie, elle, était différente.

— Alors c'est toi, le fils de James, ajouta-t-il en fixant le petit John qui se mit à rougir comme un coquelicot. Bien heureux de te rencontrer.

Albert avait pris les devants mais il comprit rapidement que Victoire accaparait toute l'attention du petit garçon. Dès qu'Albert cessa de parler, Johnny Boy se tourna spontanément vers elle. Alors, le vieil homme prit la main de Victoire entre les siennes et, à l'intention du jeune garçon, il ajouta :

— Elle, c'est ma femme, Victoire. Et sais-tu ce qu'elle fait dans la vie, à part être ma femme et la maman de Béatrice ?

— Oui, murmura Johnny Boy, même impressionné et intimidé. Oui, je le sais parce que daddy me l'a dit. Elle, c'est la magicienne des desserts.

Même si sa mère lui répétait de ne jamais pointer les gens du doigt, le gamin n'avait pu s'empêcher de montrer Victoire du pouce.

Le mot « magicienne » fit sourire Victoire qui, malgré ce bref dialogue, avait aussitôt perçu une grande tristesse dans le regard du petit garçon. Elle aurait bien voulu en parler avec James pour tenter de savoir jusqu'à quel point son fils était bouleversé d'avoir dû quitter Montréal, de savoir sa mère malade, mais ce n'était ni le lieu ni le bon moment. Pour l'instant, elle s'occuperait plutôt de ramener le sourire sur le visage de Johnny Boy. Alors, elle se pencha pour être à sa hauteur.

— Si ton papa a dit que j'ai plus d'un tour dans mon sac, c'est que ça doit être vrai, confirma-t-elle sans hésiter, espérant ainsi se mettre dans les bonnes grâces de l'enfant. Les papas ne mentent jamais. Que dirais-tu de venir dans la cuisine avec moi pour vérifier ? Si je te faisais apparaître un petit morceau de gâteau, une pointe de tarte, quelques biscuits et des macarons… Ça te dirait d'y goûter ?

Au fur et à mesure que Victoire énumérait les desserts, les yeux de Johnny Boy s'agrandissaient, remplis de gourmandise, toute tristesse momentanément disparue.

Alors, d'un geste autoritaire mais empreint d'une grande douceur, Victoire prit la main du garçon tandis que du regard elle indiquait à Béatrice de rester au salon.

— Nous revenons bientôt! déclara-t-elle à la ronde. Le temps de préparer deux assiettes bien garnies!

Et, sur un ton plus intime, alors qu'elle disparaissait dans la cuisine avec le jeune garçon, elle demanda :

— Je présume que ton papa aussi aimerait goûter à mes desserts, n'est-ce pas ? Il va falloir que tu me dises ce qu'il préfère car moi, vois-tu, ça fait trop longtemps que je l'ai vu pour me souvenir de ses préférences.

L'après-midi passa rapidement, joyeusement surtout. Johnny Boy, qui priait en silence depuis quelques soirs pour qu'un miracle se produise, n'eut finalement pas besoin d'insister pour que son père reste un jour de plus. Alexandrine et Clovis se chargèrent de l'invitation.

— Pas question que tu partes d'ici sans venir souper pis veiller à la maison.

Alexandrine s'adressait à James. Elle avait pris son petit ton de mère supérieure qui fit sourire tout le monde.

— On va en profiter pour présenter Léopold pis Justine à ton fils. Pour l'instant, ils sont partis rejoindre leurs cousins chez mes parents.

L'argument avait une certaine valeur et, d'un signe de tête, James en convint. Après tout, son fils allait vivre ici un certain temps. Le séjour serait d'autant plus agréable pour lui si on se donnait la peine de créer quelques liens avant son propre départ, prévu pour le lendemain.

— D'accord! Je reste jusqu'au 27.

— Merveilleux! On sait jamais, une rencontre en bonne et due forme entre nos enfants, ça pourrait servir! poursuivit Alexandrine sur le même ton décidé. Demain, on t'attend donc avec Johnny Boy.

Puis, se tournant vers Victoire et Albert qui occupaient un bout de la table, l'un à côté de l'autre, étant donné que tout le monde s'était retrouvé à la cuisine pour une dernière tasse de thé accompagnée de biscuits et de macarons, Alexandrine ajouta:

— Vous autres aussi, venez souper à la maison. Et vous, James, invitez Lionel pour nous!

De toute évidence, il n'était pas question de refuser!

— Après tout, c'est le temps des fêtes, pis c'est pas tous les jours qu'on a de la grande visite qui nous vient de Montréal!

Le temps d'un repas et d'une soirée, Johnny Boy oublia qu'à Montréal, il avait une «mommy» qui s'ennuyait probablement beaucoup et que, dès le lendemain, son «daddy» devrait repartir.

La fête chez les Tremblay ressemblait à celles vécues chez Ruth et Donovan McCord et le jeune garçon se sentit immédiatement en terrain connu, d'autant plus que Léopold l'avait accueilli d'égal à égal malgré leur différence d'âge et que la petite Justine lui faisait penser à une des petites-filles de Ruth et Donovan. Puis, tout comme chez les McCord, alors qu'on repoussait la table et les chaises pour que Thimothy

O'Gallahan joue de l'accordéon tout à son aise tandis que Lewis Flynn entraînait tout le monde à sa suite dans des danses essoufflantes, ici aussi, on avait libéré la cuisine dès le repas terminé. Ce soir, il n'y aurait peut-être pas d'accordéon comme celui dont Thimothy jouait avec un talent fou, mais le violon de Clovis était tout aussi endiablé et Alexandrine avait le pied léger et l'enthousiasme contagieux. En moins de deux accords, Victoire se joignit à elle pour une gigue qui ressemblait à s'y méprendre à celles que Johnny Boy essayait d'imiter quand il assistait à une soirée chez les McCord à Montréal. Incapables de résister, son père et lui ne tardèrent pas à se mêler aux danseurs, parce que Léopold et Béatrice ne laissaient pas leur place sur le plancher de la cuisine et que, malgré son âge, Albert frappait des mains en encourageant sa Victoire. Puis, alors qu'il ne s'y attendait plus, Lionel, à qui le jeune John vouait une véritable dévotion, se joignit à la fête, un peu plus tard dans la soirée.

— Ça y est, c'est fait! Il y a un petit garçon de plus chez les Gadbois, lança-t-il à la cantonade en secouant ses bottes contre le plancher. La mère et l'enfant se portent bien, ajouta-t-il d'un même souffle, selon l'expression consacrée.

Comme chaque fois qu'une naissance se passait bien, il y avait une lueur de fierté et de soulagement dans le regard de Lionel.

— Maintenant, je prendrais bien un peu de ton p'tit boire, Clovis! La température a chuté et il fait un froid de canard, dehors!

Entre deux rigodons, Clovis servit Lionel, puis reprit sa place sur le petit banc de bois tout usé pour repartir la musique de plus belle, jouant de l'archet et tapant du pied avec entrain, tandis que la jeune Marguerite, intimidée comme jamais, avait déplacé sa chaise le plus discrètement possible pour la coincer entre l'escalier et le gros poêle de fonte. Heureusement, la chaleur humaine avait fait en sorte que Clovis n'avait pas ajouté de bûches depuis un bon moment déjà.

C'était bien qu'il y ait fête chez les Tremblay, car si quelqu'un avait prêté attention à la jeune femme, il aurait constaté sans difficulté qu'à l'instant où Lionel était entré dans la cuisine, elle s'était mise à rougir de plaisir et de gêne entremêlés. Si cette même personne avait eu la chance de vivre au quotidien avec les Tremblay, elle aurait facilement remarqué qu'à la moindre blague lancée par Alexandrine et concernant les petits bobos de ces dames de Pointe-à-la-Truite, le visage de Marguerite se durcissait. Quand Alexandrine enchaînait sur le ton de la moquerie que ces mêmes dames s'étaient mises à consulter le nouveau médecin pour un oui et pour un non, il aurait alors vu l'éclat de colère transpercer les pupilles de la jeune fille.

En un mot, au premier regard posé sur Lionel Bouchard, venu saluer courtoisement les Tremblay quand il s'était installé au village, Marguerite en était tombée amoureuse. Totalement, profondément et vis-céralement amoureuse. D'où cette conviction dans la voix quand elle affirmait que ni le voile ni la ville ne l'intéressaient, et cette détermination, pour ne pas dire cet entêtement, quand elle clamait à ses parents qu'elle n'était pas pressée d'accorder ses faveurs à un quelconque cavalier.

— Après tout, j'ai juste dix-huit ans, soulignait-elle avec assurance pour clore la discussion.

Par contre, quand elle pensait au beau docteur, elle oubliait commodément son âge et se laissait porter sur les ailes d'un rêve sans fin où elle avait le beau rôle, aux côtés de Lionel. Avoir su à quelles manigances Victoire avait eu recours pour mettre le grappin sur son Albert, Marguerite lui aurait sûrement demandé conseil. Mais elle n'était pas au courant de toutes ces tractations qui avaient mené au mariage des Lajoie et, pour l'instant, la jeune fille se contentait de soupirer, de rougir, de balbutier et de rêver.

Mais encore : elle espérait que, dans son cas comme dans celui de Victoire, qu'elle appelait toujours «matante» selon une habitude trop profondément ancrée, la différence d'âge ne compterait pas. Même aveuglée par l'amour, la jeune Marguerite n'était pas bornée pour autant !

Quel âge avait-il, au juste, ce Lionel Bouchard, beau comme un prince ?

La jeune fille n'en avait pas la moindre idée et n'osait le demander. Cependant, elle avait fréquenté l'école du village assez longtemps pour savoir fort bien calculer. Au nombre d'années d'études accumulées par le docteur Bouchard depuis le passage incontournable à l'école de son village, en passant par un collège et le séjour obligatoire à l'université, plus un an et demi à travailler dans un grand hôpital de Montréal, ça, c'est son père qui l'avait souligné l'autre jour, Lionel devait être passablement plus âgé qu'elle qui ne se souvenait même pas de leur dernière visite sur la Côte-du-Sud. Pourtant, sa mère l'avait évoquée parfois, disant que le Lionel d'aujourd'hui n'avait plus rien du sauvageon qu'elle avait croisé à cette occasion-là !

Sauvageon ? Lionel ?

« Allons donc, se disait Marguerite, ulcérée, l'image du jeune médecin imprimée en permanence dans son esprit. C'est impossible, il est trop gentil. Ma mère a sûrement mal vu ! »

Ce soir encore, Marguerite était à même de pouvoir le constater: Lionel Bouchard n'avait rien d'un sauvageon. Réservé peut-être, ça allait avec la profession, mais pas sauvage. La preuve, c'est qu'en arrivant tout à l'heure, il avait eu un mot gentil pour sa mère, suivi d'un autre pour Victoire qui s'était mise à rougir en gloussant comme une poule. Maintenant, il dansait avec celui que tout le monde appelait Johnny Boy, un adorable petit garçon aux cheveux orange, comme ceux de son père. Pendant ce temps-là, elle, Marguerite Tremblay, faisait tapisserie dans un coin de la cuisine, se demandant ce qu'elle préférerait dans cette soirée faste où le beau docteur s'amusait chez elle: être ignorée de tous afin d'admirer Lionel tout à sa guise ou, au contraire, qu'il finisse par la remarquer et se décide à l'inviter danser, auquel cas, elle risquait de devenir écarlate et muette, ce qui n'était guère l'idéal pour s'attacher le cœur d'un homme « faite » comme Lionel.

Terrible dilemme !

Ce fut ainsi que quelques heures passèrent, dans les rires, les chansons et les danses jusqu'au moment où, épuisé, le jeune John se mit à bâiller à s'en décrocher la mâchoire. James le remarqua.

— Je crois bien que la soirée achève pour nous ! Johnny Boy tombe de fatigue !

James n'osa ajouter que lui aussi avait besoin d'une bonne nuit de sommeil avant de reprendre la route, le lendemain matin. Inutile de gâcher le plaisir de son fils en lui rappelant que la séparation se ferait très bientôt, n'est-ce pas ?

— Un bon thé chaud pour tout le monde, d'abord, lança Alexandrine. Pour faire provision de chaleur avant d'affronter la nuit glaciale. Plus un lait chaud pour les enfants, ça va les calmer pis les aider à bien dormir. Léopold, va atteler la jument d'Albert pour qu'elle soit prête à partir en même temps qu'eux autres... Ah ben regarde donc ça !

S'approchant du poêle pour mettre de l'eau à bouillir, Alexandrine venait de découvrir sa fille, toujours assise près de l'escalier. Elle prit alors conscience que Marguerite n'avait pas dansé de la soirée, elle qui habituellement n'en ratait jamais une !

— Qu'est-ce que tu fais là, toi ?

Ainsi interpellée, alors que plusieurs regards se tournaient vers elle, Marguerite aurait voulu mourir ou, à tout le moins, disparaître sous le plancher ! Mais elle n'eut pas le temps de s'attarder à la question, pas plus qu'elle n'eut besoin de répondre à sa mère, car

Alexandrine l'attrapa par la manche de sa veste de laine pour l'obliger à se lever.

— Allons, debout! Viens m'aider, toi. On va remettre la table à sa place, au beau milieu de la cuisine, avec ses chaises tout autour. Après tu iras chercher des beignes dans la cuisine d'été. Mets-les sur le rond d'en arrière dans une poêlonne. Ça va les faire dégeler plus vite. On se grouille, ma fille, le p'tit John est ben fatigué.

Le sourire que Lionel lui fit quand Marguerite versa un peu de thé dans sa tasse lui fit fondre le cœur.

— Merci mademoiselle… Marguerite, n'est-ce pas?

Mademoiselle! Et en plus, Lionel connaissait son nom!

Sur le coup, ladite Marguerite en avait perdu tous ses moyens. C'est tout juste si elle n'avait pas ébauché une petite révérence à défaut de lui répondre, sa gorge étant brusquement toute serrée.

Puis Lionel était parti en même temps que tous les autres.

Mais Lionel Bouchard l'avait quand même appelée mademoiselle et il lui avait souri, non? Ce fut donc ce même sourire qui la porta jusqu'à son lit quand la visite partit et ce fut avec lui, imprimé dans sa tête et dans son cœur, que Marguerite s'endormit enfin, bercée par le souffle régulier de sa petite sœur Justine.

Au même moment, malgré une grande fatigue, James se retournait dans son lit, l'esprit tellement encombré par l'inquiétude et les milliers de questions que suscitait son départ qu'il n'arrivait pas à trouver le sommeil. Tout contre lui, la tête posée sur son bras, Johnny Boy ronflait tout doucement.

Impulsivement, James posa la main sur la poitrine de son fils pour le plaisir rassurant de sentir son cœur battre, et ce fut son cœur à lui qui se serra jusqu'à la douleur. Comment allait-il réussir à vivre si loin de son fils ? Et Johnny Boy, de son côté, comment réussirait-il à traverser le temps sans dépérir d'ennui ? Après tout, il n'était encore qu'un tout petit garçon, même s'il tentait de jouer les petits hommes, du haut de ses huit ans.

James essuya quelques larmes du revers de la main. Le pire, c'est qu'il n'y avait pas que Johnny, dans cette histoire. Lysbeth, de son côté, se battait pour retrouver la santé. James ferma les yeux sur l'envie qu'il avait de tenir sa femme dans ses bras. Ouvrir tout grand les bras pour accueillir tout contre lui sa femme et son fils, comme ils l'avaient si souvent fait par le passé.

Auraient-ils de nouveau l'occasion de répéter ce geste de grande affection ?

James secoua la tête pour faire mourir cette question lourde de désespoir et d'incertitude, mais il n'y arriva pas. La tuberculose ne faisait de quartier qu'à bien peu de gens. À cette pensée, James se sentit coupable de tout ce gâchis dans leur vie. Après tout, il était là pour protéger les siens et il avait failli à la tâche. Il aurait dû appeler le médecin bien avant ce soir de grand froid où Lysbeth, tentant encore une fois de minimiser son état, avait préparé un tout petit baluchon en prévision de son départ pour l'hôpital qui avait eu lieu dès le lendemain.

— Faut pas t'en faire, Johnny Boy! C'est juste quelques jours, avait-elle expliqué à son fils qui la regardait se préparer. Après, tu vas voir, on va reprendre notre vie comme avant. J'ai simplement besoin d'un peu de repos.

Ces quelques mots, remplis d'espoir, avaient été entrecoupés d'une forte quinte de toux et le jeune garçon avait alors détourné la tête, comme s'il avait compris d'instinct que ça ne serait pas aussi facile que ce que sa mère tentait de lui laisser croire.

James était conscient qu'il aurait dû se montrer plus vigilant et intervenir bien avant. S'il avait agi avec empressement, peut-être bien que Lysbeth irait mieux, qu'elle aurait même passé Noël avec eux, à Montréal, et que tous ensemble, ils se prépareraient à fêter le Nouvel An en compagnie de son ancienne logeuse, comme ils le faisaient depuis la naissance de Johnny Boy.

Pourquoi pas? Puis, quelques mots de Lionel lui revinrent en mémoire, ceux qui parlaient de la tuberculose comme d'une épidémie. James comprit qu'il embellissait une situation nettement plus grave et contre laquelle il avait peu de moyens, sinon celui de mettre son fils à l'abri quelque temps et de prier pour que Lysbeth fasse partie de ceux qui guérissaient de cette maladie comme par miracle.

Ce fut sur cette pensée et quelques mots de prière enveloppés de bâillements que James finit par s'endormir pour être réveillé par Lionel, à peine quelques heures plus tard.

— C'est l'heure, murmura-t-il en secouant l'épaule

de son ami. J'ai préparé du café bien fort et il y a quelqu'un pour toi à la cuisine.

— Quelqu'un ? Qui ça ?

— Descends, tu verras.

La curiosité l'emporta sur le sommeil, et quelques minutes lui suffirent pour enfiler chemise et pantalon. James fit irruption dans la cuisine, un peu dégingandé, ébouriffé et les yeux tout gonflés des larmes qu'il avait versées plus tôt dans la nuit.

Assise à un bout de la table, Victoire l'attendait.

— Mon mari sait que je suis ici, se sentit-elle obligée de préciser quand elle vit les sourcils de James se froncer. Venez vous asseoir, il faut que je vous parle. C'est à propos de Johnny Boy.

L'explication fut fort simple et fort brève : de par sa profession, Lionel pouvait être appelé à quitter sa maison à l'improviste, le jour comme la nuit, et Victoire avait l'impression que personne n'y avait pensé.

— … et votre fils ne peut rester seul, conclut-elle. Il est encore un peu jeune pour ça et, surtout, nous sommes en plein hiver, avec le poêle à chauffer et la fournaise à alimenter en charbon, ça serait dangereux… Voici donc ce que je vous propose.

En cas de besoin, et toujours sans perdre de vue que Lionel était celui que le petit garçon connaissait le mieux au village, Victoire offrait de le prendre chez elle.

— La maison est grande et Béatrice est à peine plus âgée que lui. L'idée m'est venue en les voyant s'amuser ensemble, tout à l'heure, chez Alexandrine et Clovis. Le temps de consulter mon mari, avant toute chose, de dormir quelques heures et me voilà. Je savais que vous deviez partir très tôt avec Léandre Beausoleil. Alors ? Que pensez-vous de ma proposition ?

James était touché.

— Mais pourquoi ? Vous avez votre famille et…

— Ma famille, comme vous dites, aurait pu être nettement plus grande qu'elle ne l'est et ça aurait fait mon bonheur. Le Bon Dieu en a voulu autrement. Peut-être bien, après tout, que mon rôle à moi, c'était d'accueillir les enfants de mes amis qui en avaient besoin.

Pour que sa proposition ne prête pas à confusion, Victoire ajouta en posant doucement la main sur celle de James :

— N'ayez crainte, l'Irlandais ! Je vais vous redonner votre fils dès que les circonstances le permettront. Je suis une magicienne, comme vous le dites, pas une sorcière, et la situation de votre fils n'est pas celle de Béatrice ! En attendant, dites à votre femme que votre petit Johnny ne manquera de rien et qu'elle peut se reposer le cœur en paix, sans s'inquiéter. Ça devrait l'aider à guérir, vous ne pensez pas, vous ?

— C'est sûr que ça ne peut pas nuire.

— Alors c'est réglé. Je retourne chez moi dormir un peu et je reviendrai quand Lionel me fera signe, plus tard durant l'avant-midi.

Même si James voulait à tout prix annoncer lui-même la nouvelle à son fils, espérant lire dans son regard que la perspective de vivre chez les Lajoie lui convenait, il dut partir sans lui avoir parlé car Johnny

Boy dormait si profondément que c'est à peine s'il grogna en se retournant quand James tenta de le réveiller.

— Je m'en occupe.

Tout en essayant de le rassurer, Lionel poussait James dans le dos pour que celui-ci consente enfin à quitter la chambre.

— Johnny Boy me connaît bien et, avec les années, j'ai appris à parler aux enfants. Je saurai lui annoncer ce petit changement. De toute façon, je m'engage à aller le voir tous les soirs après le travail et quand je prendrai quelques jours de repos, il viendra les passer ici, avec moi.

— Ouais...

Du corridor qui séparait les deux chambres de la petite maison de Lionel, James n'arrivait pas à détacher les yeux de son fils.

— Si ça ne va pas, écris-moi, ordonna-t-il à mi-voix. Dès que je reçois ta lettre, je viendrai le chercher...

La perspective que Johnny Boy soit malheureux avec lui avait si peu traversé les pensées de Lionel qu'il se servit de la première excuse pour rétorquer :

— Et ton travail ? Tu ne peux pas laisser tomber ton travail comme ça.

— Tant pis pour le travail, grommela James. De toute façon, maintenant, j'ai le syndicat avec moi. On a certains droits. On n'a pas fait la grève pour rien au printemps dernier... Je m'en veux, tu sais. J'aurais pu mieux m'organiser et trouver une gardienne pour s'occuper de mon fils quand je suis absent. J'aurais dû y penser avant de déranger tout le monde ici et...

— Une gardienne qui aurait accepté un enfant qui vient d'une famille où il y a de la tuberculose ? interrompit Lionel. Ne rêve pas, James, tu n'en aurais pas trouvé. Au village, c'est peut-être un peu différent. Je suis médecin et je sais fort bien que si ton fils avait eu à être malade, ça serait déjà fait et ça vaut pour toi aussi. Je ne me suis pas gêné pour le dire autour de moi, avant votre arrivée. Et puis, à la campagne, la maladie fait pas mal moins de ravages qu'à la ville. Les gens s'inquiètent donc beaucoup moins.

— Peut-être...

C'est le cœur dans l'eau que James s'arracha enfin à la contemplation de son fils endormi et qu'il quitta Pointe-à-la-Truite en direction de Montréal.

Deux jours de route sous la neige qui ne cessa de tomber entre le village, Baie-Saint-Paul et Sainte-Anne-de-Beaupré. Puis de longues heures dans le train où James se sentit écartelé entre la tristesse d'abandonner Johnny Boy et la félicité de se dire que, dans quelques heures, il serait avec Lysbeth.

Quand les wagons entrèrent enfin en gare Windsor, James se précipita à l'extérieur pour attraper le tramway. La nuit était déjà tombée, mais peu importe l'heure, il lui fallait avoir des nouvelles de Lysbeth sinon il n'arriverait jamais à dormir.

Quand il se présenta enfin au dispensaire, à bout de souffle parce qu'il avait couru une bonne partie du chemin, James se heurta à une infirmière revêche qui le rembarra sans ménagement.

— Hé là, vous ! Où donc vous croyez-vous ? On n'entre pas ici comme dans une gare.

— Je le sais ! Je m'excuse, mais ma femme est ici et...

— Et après ? Vous ne savez pas lire ?

De l'index, l'infirmière montrait un écriteau posé sur un chevalet de métal sombre. Installé dans un coin du hall sombre, pas très visible, il y était écrit que les visites étaient interdites.

James se retourna vivement.

— Et ma femme, elle ?

Ce fut plus fort que lui et James haussa la voix.

— Je veux voir ma femme !

L'infirmière, habituée qu'on lui obéisse au doigt et à l'œil, qu'on soit visiteur ou subalterne, lui répondit sur le même ton.

— Pas de visites !

C'était clair. Pourtant, James insista.

— Et si je veux avoir de ses nouvelles ? Je dois quand même avoir le droit de savoir comment se porte ma femme, non ?

— Adressez-vous à votre médecin. C'est lui qui pourra vous renseigner.

— Allons donc !

James hésita entre une sainte colère qui lui calmerait les nerfs et abdiquer faute de mieux. Debout, immense devant l'infirmière assise qui le dévisageait sans la moindre trace d'empathie, il frappa le creux d'une main avec son poing. Il respirait bruyamment comme un cheval impatient qui renâcle. Puis, il renonça en poussant un long et bruyant soupir. Il n'avait pas le choix.

— Comment se fait-il que le médecin ne m'ait pas dit que les visites étaient interdites ?

L'infirmière leva les yeux au plafond tout en haussant les épaules avec une indifférence fortement teintée d'exaspération.

— Parce que cela va de soi quand quelqu'un est atteint d'une maladie contagieuse, vous auriez dû y penser, laissa-t-elle tomber avant de reprendre son crayon, signifiant par là qu'elle n'avait nullement l'intention d'accorder plus de temps et d'attention à James.

Puis, voyant que l'encombrant visiteur n'avait pas bougé d'un poil, tout en fourrageant dans les papiers qu'elle était en train de consulter au moment de l'arrivée intempestive de James, l'infirmière déclara sur un ton visiblement agressif :

— Maintenant, veuillez quitter le dispensaire. J'ai autre chose à faire que de discuter inutilement avec vous et je ne voudrais pas avoir besoin de faire venir les forces de l'ordre pour vous expulser.

Dire que James avait prétendu éloigner Johnny Boy pour pouvoir rendre visite à Lysbeth le plus souvent possible afin de l'aider à guérir !

Quand James entra chez lui, après avoir longuement marché dans les rues de Montréal pour éteindre le feu de la colère qui brûlait en lui, la maison était tiède et confortable. Son voisin avait tenu parole et il avait alimenté la fournaise au charbon. Pourtant, un long frisson secoua les épaules de James quand il retira son manteau.

Il regarda longuement autour de lui tandis qu'une

douleur sourde et lancinante étreignait sa poitrine.

Ici, c'était la maison de Lysbeth. Elle l'était déjà bien avant qu'elle ne devienne celle de leur famille et, tant que Lysbeth n'y serait pas revenue, James comprit qu'il aurait froid jusqu'au fond de l'âme.

CHAPITRE 6

Trois mois plus tard, sur la Côte-du-Sud, dans la cuisine
de Prudence, en mars 1904

Mamie avait eu raison de croire que la transition entre
Emma et sa sœur Prudence se ferait sans trop difficulté. Premièrement, le temps avait fait son œuvre
depuis le décès d'Emma et, deuxièmement, il y avait
une différence marquée entre les deux personnalités,
ce qui avait facilité les choses.

En quelques mois à peine, Prudence avait mis la
maison à sa main et personne n'avait trouvé à y redire,
surtout pas Mamie, bien contente d'avoir un peu
moins à faire. Sans jamais avoir voulu dévoiler son âge
à qui que ce soit, la vieille dame s'en allait allègrement
vers ses quatre-vingt-cinq ans !

En fin de compte, les premiers temps, seule Gilberte
s'était montrée plus que réticente et très méfiante. Une
étrangère avait envahi sa cuisine et elle n'allait pas se
laisser marcher sur les pieds. S'en étaient suivi quelques
jours de bouderie manifeste. Mais quand Prudence,
une semaine à peine après son arrivée sur la ferme,
s'était rangée derrière elle pour faire comprendre à

Matthieu qu'à vingt et un ans, il était peut-être un peu trop tard pour retourner à l'école, la méfiance de Gilberte s'était transformée en réserve, avec une certaine hésitation, il faut l'avouer.

— Franchement, Matthieu! Vous n'imaginez toujours bien pas que votre Gilberte va reprendre le chemin de la petite école au mois de septembre!

— Pourquoi pas? Elle nous a rebattu les oreilles avec l'école qu'elle avait été obligée d'arrêter pour aider sa mère durant des mois, pour pas dire des années! Pas une journée que le Bon Dieu amenait sans l'entendre se lamenter.

Curieusement, depuis qu'il était revenu de Pointe-à-la-Truite avec Prudence, Matthieu Bouchard qui avait toujours été prompt à hausser le ton, et ce même pour des peccadilles, semblait peser ses mots avant de répondre. Il avait toujours été lent à prendre ses décisions, soit, mais jamais il n'avait lésiné à envoyer une riposte parfois cinglante.

— À douze ans, c'était normal de vouloir rester à l'école, avait alors répliqué Prudence. Ça l'est moins à vingt ans! Imaginez-la, assise au milieu d'une bande de gamins! Insister serait bien mal venu, Matthieu, bien mal venu!

Ce dernier avait eu alors un regard sceptique pour sa fille, un second pour le plancher, plus appuyé, et il avait répondu:

— Si vous le dites!

C'est ainsi que le sujet avait été clos, sans dispute, sans gifle, sans que les esprits s'échauffent.

Gilberte écoutait de loin et prenait note. Après tout, cette Prudence était peut-être quelqu'un de bien. Elle ne comprenait pas comment elle s'y prenait pour toujours réussir à amadouer son père comme elle le faisait, mais elle ne s'en souciait pas vraiment. Après tout, seuls les résultats comptaient, n'est-ce pas ? Pour l'instant, savoir qu'elle n'aurait pas à s'humilier en prenant le chemin du rang pour retourner à l'école aux côtés de ses deux jeunes frères avait suffi à transformer son attitude.

Dure à l'ouvrage, Prudence avait aussi gagné le cœur des jumeaux en les aidant au potager.

— À trois, c'est plus rapide, non ? avait-elle souligné tandis qu'elle retroussait ses manches pour biner les rangs de carottes dont le fin feuillage en dentelle ondulait dans la brise. Ça va vous laisser du temps pour aller vous baigner au ruisseau quand on aura fini !

— Se baigner ?

Antonin et Célestin avaient échangé un regard lourd de questions. Depuis quand les Bouchard avaient-ils le droit d'aller se baigner ? Prudence fit celle qui n'a rien vu.

— Pourquoi pas ? avait-elle demandé candidement. Il fait très chaud, aujourd'hui, non ?

— Ouais, c'est vrai…

La réponse d'Antonin avait été tout hésitante.

— Pis notre linge, lui ? avait-il ajouté d'un ton plus ferme comme si c'était là l'argument habituel pour ne pas avoir le droit de se rafraîchir. Il va être tout détrempé, notre linge ! On a pas ça, nous autres, un costume de bain.

Il en fallait plus pour démonter Prudence. Repoussant une mèche de cheveux détrempée par la sueur, elle avait précisé :

— Vous vous baignerez en sous-vêtements, c'est pas plus grave que ça ! Ensuite, vous laisserez le soleil vous sécher comme il faut avant de vous rhabiller.

— Ben ça alors, avait murmuré Antonin.

Il n'en revenait tout simplement pas. Chose certaine, au regard échangé avec Célestin, il était évident que Prudence venait d'ajouter quelques points sur son bulletin de popularité.

Et si elle était aussi déterminée qu'il y paraissait, elle devrait bien s'occuper de leur père quand la chose parviendrait à ses oreilles, n'est-ce pas ? En effet, n'était-ce pas lui, d'habitude, qui disait que les baignades au ruisseau étaient source de mauvaises pensées ?

Les jumeaux avaient donc échangé un clin d'œil de plaisir, et leur ardeur à aider Prudence avait décuplé à partir de ce jour.

Cela faisait maintenant deux semaines que Prudence habitait sous le toit des Bouchard.

Puis, par une journée d'orage particulièrement humide et grise, alors que les jumelles ne savaient que faire de leur temps et de leurs dix doigts, Prudence, fine cuisinière et nettement plus gourmande que sa sœur, avait pris le temps de les initier aux plaisirs sensuels de la table.

— Quand bien même c'est tout simplement des patates, avait-elle expliqué, mine de rien, un peu de persil et de ciboulette, c'est joli dans l'assiette et c'est bien meilleur. Vous ne trouvez pas, vous ? Ça vaut aussi pour un banal rôti de porc, qui peut fondre dans la bouche quand il est bien cuit, avec des oignons et de l'ail sauvage. Quand on y ajoute une petite compote de pommes, ça devient un plat de roi !

— Ah oui ?

— Et comment ! Sur une ferme comme la vôtre, il est impensable de ne pas se régaler à chaque repas. Vous avez tout ce qu'il faut ! La viande, les œufs, le lait, la crème, les légumes... Venez que je vous montre. Apprendre à cuisiner est essentiel pour une femme ! On ne vous l'a jamais dit ?

De loin, sans jamais intervenir, Mamie observait et se réjouissait.

Clotilde et Matilde en vinrent rapidement à se faire un honneur de préparer seules certains repas, de plus en plus élaborés et toujours succulents, au grand plaisir de leurs frères aînés, Marius et Louis, qui avaient vite admis entre eux que la présence de Prudence, finalement, n'était pas un obstacle à leur vie familiale, bien au contraire.

Un mois à peine, et sans rien brusquer, Prudence avait fait son nid.

Comme les feuilles d'érable commençaient à rougir sur la Côte-du-Sud, alors que les conserves s'étaient faites dans les rires et les taquineries et que les pommes rougissaient au verger, le sourire de Gilberte avait enfin refleuri, petite plante tardive d'un été particulièrement chaud et agréable.

C'était indéniable : depuis l'arrivée de Prudence, il flottait dans l'air de la ferme un souffle de bonne humeur. C'est pourquoi, au bout d'une longue réflexion, Gilberte avait enfin décidé de ne plus bouder son plaisir. Même leur père avait changé. Si les rires à gorge déployée ne feraient jamais partie de ses habitudes quotidiennes, les sourires, eux, étaient plus fréquents.

— Si vous avez besoin d'aide, Prudence, avait alors proposé Gilberte, sur un ton qui avait tout de la contrition, vous n'avez qu'à le demander. J'aime bien faire les repas, moi aussi !

Puis, à quelques semaines de là, il y avait eu l'annonce d'une naissance prochaine. Si Matthieu resplendissait, Gilberte, elle, s'était vite renfrognée.

Chat échaudé craint l'eau froide...

On allait sûrement exiger qu'elle prenne la relève, à plein temps, tandis que Prudence se ferait servir comme Emma se voyait obligée de le faire. Quant à Mamie, de plus en plus sourde, elle ne serait d'aucun soutien. Après tout, Prudence était la sœur de sa mère, la chose était envisageable.

Du coin de l'œil, Gilberte avait observé sa belle-mère attentivement, alors que Prudence avait rejoint son père au bout de la table et qu'ils se tenaient tous les deux côte à côte. Elle s'attendait à un air abattu, elle avait buté sur un sourire éclatant. Pas de doute : nulle tristesse dans le regard, pas le plus petit abattement visible. Bien au contraire, Prudence n'avait jamais été aussi rayonnante.

Gilberte avait donc décidé d'attendre un peu avant de s'emporter. Elle n'aurait pu mieux choisir car Prudence s'était rendue jusqu'au jour de l'accouchement sans jamais se plaindre, sans jamais ralentir la cadence, et, après quelques heures d'un labeur qu'elle avait elle-même qualifié de pénible mais satisfaisant, elle avait mis au monde une petite fille que l'on avait baptisée Constance.

— C'est le plus beau jour de ma vie, avait-elle confié à Gilberte qui n'en était pas vraiment convaincue.

Ça se pouvait donc, une naissance heureuse pour la mère ?

Dix-huit mois plus tard, une petite Fernande voyait le jour, toujours dans les mêmes circonstances, et cette fois, Gilberte avait regardé le bébé avec une bouffée d'envie lui chatouillant la pointe du cœur. Après tout, elle était largement en âge d'être mère et comme il semblait bien que ce n'était pas la catastrophe à chaque fois...

Ce fut aussi ce jour-là que Prudence avait décidé que le vouvoiement n'avait plus sa place entre Matthieu et elle.

— Et si on se disait tu ?

Matthieu, penché sur le berceau au pied de leur lit, s'était redressé posément, comme si le geste tout en lenteur offrait ainsi un moment de réflexion. Quand il avait enfin posé les yeux sur Prudence, il l'avait trouvée jolie malgré ses cheveux ébouriffés et ses traits tendus par la fatigue.

— Et pour quoi faire ? avait-il demandé, ne voyant

pas du tout où elle voulait en venir. Vous appréciez pas cette marque de politesse entre nous ? De toute façon, me semble que vous êtes habituée à ça, non ? Me semble que vos parents se disent encore vous après des dizaines d'années de mariage, non ?

— Peut-être bien, mais ce n'est pas une raison pour les imiter.

— C'est quoi alors ?

— Oh...

Prudence avait alors laissé son regard divaguer par la fenêtre donnant sur la cour et les bâtiments. Le jour se levait à peine. Une lueur rosée soulignait le toit de l'étable et elle s'était dit que jamais elle n'aurait pu imaginer être aussi heureuse un jour. Si elle avait accepté de se marier, elle l'avait fait par raison, par crainte de rester seule jusqu'à la fin de sa vie, et, avouons-le, pour avoir un homme dans son lit. Aujourd'hui, elle aimait sincèrement Matthieu. Petit à petit, elle avait senti que l'ombre de sa sœur s'évanouissait, que leurs liens trouvaient leurs propres raisons d'exister et que la maison de Mamie, après avoir été celle d'Emma, était désormais la sienne.

Tout comme cet homme était désormais le sien. Les gens du village l'avaient admis, Prudence le voyait dans les regards et les sourires, le dimanche à la grand-messe.

Et voilà qu'ensemble, Matthieu et elle, ils venaient de donner naissance à une seconde petite fille. Prudence avait envie que leur intimité se traduise par des mots. C'est alors qu'elle avait poursuivi.

— J'aimerais, Matthieu, que le vous soit réservé à mes parents et surtout qu'il soit désormais adressé au Bon Dieu. Vous le savez que je suis moins portée que vous sur les rites de l'Église catholique. J'ai pour mon dire que la foi peut se vivre dans le secret des cœurs tout autant qu'à l'église et que certaines décisions peuvent très bien découler de notre liberté sans que le curé s'en mêle. Surtout votre curé Bédard, avait-elle ajouté, le regard sombre et les lèvres pincées sur le souvenir de quelques confessions particulièrement pénibles. Vous le savez fort bien, on en a déjà longuement parlé. Mais je crois en Dieu. Ça aussi, je vous l'ai dit. Et je crois aussi que c'est Lui, finalement, qui a permis que je devienne mère alors que je n'y croyais plus. Notre rencontre a ouvert la porte à bien des choses dans ma vie, de belles choses, et c'est pour cela que j'ai envie de dire merci à Dieu... Alors? Que pensez-vous de ma suggestion? On se tutoie maintenant?

Prudence n'aurait pu mieux choisir ses mots. Matthieu s'approcha du lit, ému par cette femme qui savait laisser à Dieu la place qui Lui revenait. Ému par cette femme qui était heureuse de porter ses enfants.

— Si c'est ce que vous... ce que tu veux, Prudence, on va se tutoyer. Je... Je t'aime et si pour toi c'est important, on va faire comme tu veux.

Je t'aime...

Même avec cette hésitation, c'était la première fois que Matthieu le disait aussi clairement et Prudence avait senti quelques larmes sourdre à ses paupières.

— Moi aussi, je t'aime, Matthieu.

Tapotant légèrement le lit à côté d'elle, Prudence avait invité Matthieu à venir l'y rejoindre.

— Mais vous venez... tu viens tout juste de donner naissance à notre...

— Et après ? Ça n'empêche pas d'avoir envie de tes bras autour de ma taille, Matthieu. Bien au contraire !

À partir de ce jour, au-delà des mots et des regards échangés entre eux, dénotant une familiarité certaine, les enfants, quel que soit leur âge, sentirent que quelque chose avait changé dans la maison. Pour le mieux.

Et voilà que ce soir, au moment du dessert, Matthieu avait annoncé, d'une voix claironnante, qu'un autre bébé se joindrait à la famille à la toute fin de l'été ou au début de l'automne.

— Je vous demanderais à tous d'être prévenants à l'égard de Prudence. Elle est plus très jeune pour attendre un bébé.

L'éclat de rire de la principale intéressée avait posé un certain doute sur ce que Matthieu venait de dire. Elle trop vieille ? Allons donc ! Elle ne s'était jamais sentie aussi jeune.

Le repas s'était terminé dans la bonne humeur, chacun y allant de ses propositions pour un prénom.

— Chanceuse, soupira Gilberte, quand elle se retrouva seule avec Prudence, en train de faire la vaisselle. On dirait que toute va bien pour tout le monde sauf pour moi. Matilde s'est mariée l'an dernier, pis elle avec, elle espère qu'un bébé va se pointer le bout du nez bientôt. Marius vient de se fiancer à Noël pis on l'entend juste parler des noces qui s'en viennent. Clotilde est à Québec pour apprendre à devenir maîtresse d'école. Les jumeaux ont jamais rien demandé de plus que de rester ici ensemble, sur la ferme, donc sont contents, pis moi qu'est-ce que j'ai ? Rien ! Je m'en vas sur mes vingt-cinq ans, pis j'ai même pas de soupirant. J'vas-tu finir vieille fille, coudonc ?

— J'aurais pu dire la même chose que toi, il y a de ça tout juste cinq ans ! murmura Prudence, les deux mains plongées dans l'eau chaude.

Le temps d'une courte introspection, puis elle ajouta, en levant les yeux vers Gilberte :

— Pis dis-toi que moi, j'avais pas mal plus proche de quarante ans que de vingt-cinq...

— Ouais... C'est vrai. Mais ça change quoi à ma vie, ça ?

Prudence fit une drôle de mimique accompagnée d'un clin d'œil à l'intention de Gilberte.

— À vue de nez, comme ça, pas grand-chose, je te l'accorde.

— Bon ! Vous voyez ben !

Gilberte se mit à essuyer vigoureusement l'assiette qu'elle avait dans les mains avant d'en prendre une autre pour lui faire subir le même traitement.

— C'est ça que je me disais aussi : m'en vas finir vieille fille. Juste bonne à tricoter, assise au bord du poêle !

— C'est ça que tu penses ?

— Comment penser autrement ? C'est pas à tourner en rond ici, entre la maison pis la grange, que j'vas voir apparaître un beau garçon.

— C'est encore à voir! Une belle fille comme toi!

Gilberte eut l'impression que l'on se moquait d'elle, gentiment, certes, mais quand même! Elle sentit alors la moutarde lui monter au nez et dut faire un effort pour rester polie.

— Comment ça, c'est encore à voir? Sans vouloir manquer de respect à personne, j'ai comme l'impression que vous charriez un peu. En tout cas, je vous suis pas pantoute, Prudence.

— Ce que je veux dire n'est pas compliqué, pourtant. En fait, ça se résume à une question: qu'est-ce qui nous empêche de forcer la main au destin?

Gilberte fronça les sourcils.

— Forcer la main au destin? Je comprends encore moins.

C'est alors que la jeune fille lança son linge à vaisselle sur le comptoir de bois tout usé.

— Si vous avez envie de vous moquer de moi, Prudence, c'est pas fin. Pas fin pantoute. Pis je suis pas d'humeur à faire des devinettes, vous saurez.

— Ben moi non plus, rétorqua Prudence du tac au tac. C'est pas des devinettes, c'est juste une manière de réfléchir à voix haute. Avec toi. Je ne veux surtout pas me moquer de toi, Gilberte. Je t'aime bien trop pour ça. Ce que je veux dire, c'est qu'on pourrait organiser une soirée, ici, avec des voisins, des amis. Comme ça, tu pourrais rencontrer du monde.

La bulle de colère de Gilberte éclata à ces quelques mots, vite remplacée par une immense déception.

— Des amis? fit-elle dans un soupir. Vous avez pas

remarqué, Prudence, que des amis, on en a pas ben ben ? D'aussi loin que je me rappelle, on n'en a jamais eu. Quand j'étais petite, du temps de l'école, c'est arrivé qu'on a reçu des invitations. Mais mon père disait toujours non. Il répétait à chaque fois qu'on avait pas les moyens de rendre la politesse parce que recevoir du monde, ça coûte cher. Il disait aussi qu'on était ben assez nombreux pour se suffire à nous autres, pis que de la visite, ça ferait trop d'ouvrage pour notre mère. C'est ça, je pense ben, qui a fait qu'astheure, plus personne nous invite.

Il y avait tellement de tristesse emmêlée à cette constatation, tellement d'amertume, que Prudence laissa tomber son torchon au fond de l'évier avant de s'essuyer les mains sur son tablier. Puis, les reins accotés contre le rebord du comptoir, elle regarda Gilberte droit dans les yeux.

— Pourquoi ? Pourquoi Emma n'a-t-elle rien dit ? Elle non plus, elle ne voulait pas de visite ?

D'abord, Gilberte se contenta de hausser les épaules. Puis, à voix hésitante, elle murmura :

— Je le sais pas, elle en parlait jamais. Par contre, j'ai toujours eu l'impression que ma mère avait peur de mon père pis qu'avec lui, elle disait jamais ce qu'elle pensait vraiment.

— Peur de Matthieu ? Emma avait peur de Matthieu ?

— Ouais…

Le regard vague, Gilberte semblait chercher dans ses souvenirs.

— Je sais pas pourquoi, mais entre mon père pis ma mère, c'était pas pareil pantoute qu'entre vos deux.

— Qu'est-ce que tu veux dire ?

— Ce que je dis : c'était pas pareil. Je pourrais pas dire pourquoi astheure c'est différent, par exemple, mais ça se voit à l'œil nu. Juste dans la manière de vous regarder, de vous parler... Avant, notre père souriait jamais. On aurait dit qu'en dedans de lui, il y avait comme une boule de colère, pis qu'elle avait tout le temps envie de sortir, pour un oui ou pour un non. Depuis qu'il est avec vous, on dirait que la boule de colère a fondu... Tenez, j'vas vous donner un exemple. Avant, quand maman vivait encore avec nous autres, jamais notre père aurait permis qu'elle aille faire un tour du bord de la Pointe. Jamais. Même si ses parents à elle vivaient là, même si des fois, maman disait qu'elle s'ennuyait de ses amies. Même à moi, il a refusé cette permission-là, en disant que si moi j'y allais, faudrait donner le droit à tout le monde d'y aller pis qu'avec une ferme comme la nôtre, c'était pas possible. Fallait être juste pour tout le monde, qu'il a dit. Pourtant, vous, Prudence, quand vous avez annoncé que vous alliez visiter votre famille, notre père a rien dit !

Maintenant que Gilberte avait commencé à se confier, les mots coulaient librement, impétueusement, comme la rivière au printemps qui vient de vaincre l'embâcle.

— Non, notre père a rien dit. Il est même allé vous reconduire au quai, pis vous chercher quand vous êtes revenue le lendemain. Pis je me rappelle qu'il s'est même excusé de pas vous avoir accompagnée parce que c'était le temps des foins pis plus tard parce que c'était le temps des moissons. C'était ben la première fois que j'entendais mon père s'excuser pour quelque chose !

À travers les mots de Gilberte, Prudence devinait le vécu difficile d'une famille qu'elle avait appris à aimer intensément, mais dont elle connaissait somme toute bien peu de choses. Ce passé qui semblait si sombre n'avait rien à voir avec le présent lumineux qui était le sien et, comme Prudence avait une certaine expérience des hommes, elle se doutait du pourquoi de la chose.

Matthieu n'était-il pas plus accommodant au lendemain des nuits où il y avait eu une certaine intimité entre eux ? Elle aussi, après l'amour, elle se sentait plus joyeuse, plus tendre, plus conciliante. Elle avait toujours considéré comme normal qu'il en soit ainsi. Un couple, pour être heureux, avait besoin de ce terrain privé qui n'appartenait qu'à lui. Probablement qu'Emma ne voyait pas les choses du même œil. Prudence préféra se dire que les maternités difficiles de sa sœur devaient y être pour quelque chose. Malheureusement, elle ne pourrait en parler avec Gilberte sans entacher le souvenir d'Emma, et cela, Prudence n'en avait pas le droit.

Elle avait néanmoins le droit, même le devoir d'aider Gilberte à regarder l'avenir avec une certaine sérénité, avec un peu plus d'espoir. La jeune femme avait beaucoup donné à sa famille, il était temps qu'elle reçoive un peu d'attention en échange.

Et beaucoup d'affection !

— Et si on revenait à ma proposition? demanda gentiment Prudence, une bonne dose d'entrain dans la voix. On ne peut rien changer au passé mais on peut tenter d'accommoder l'avenir à notre sauce à nous. Qu'est-ce que tu en dis?

— Je demanderais pas mieux.

— Ben, c'est ce qu'on va faire.

Prudence s'était retournée et elle avait repris son torchon pour terminer la vaisselle. Elle grimaça quand elle constata que l'eau était froide.

— Je ne demande pas la permission à ton père pour faire cuire un jarret de cochon, n'est-ce pas? Je ne vois pas pourquoi il faudrait que je le fasse pour inviter quelques amis à venir nous visiter à la maison.

— Mais je l'ai dit, t'à l'heure: des amis, on en a pas ben...

— Inquiète-toi pas de ça, interrompit Prudence tout en faisant signe à Gilberte de reprendre son linge, elle aussi. Quand j'habitais en ville, les bien nantis organisaient ce qu'ils appelaient un bal des débutantes et ils invitaient plein de monde, pas juste des amis.

Tout en essuyant les dernières assiettes, Gilberte buvait les paroles de Prudence, se gardant bien de l'interrompre.

— Si je connais ça, les bals, c'est à cause de la femme de mon patron, poursuivit Prudence, des gouttelettes d'eau revolant tout autour d'elle parce qu'elle parlait autant avec les mains qu'avec la bouche. Elle en avait organisé un pour sa plus jeune fille quand celle-ci a fini ses études au couvent. Je l'avais même aidée à préparer les invitations. Je le sais bien qu'ici, on ne peut pas faire la même chose. Juste le mot « bal », ça ferait peur au monde, pis je ne suis pas sûre que le curé approuverait. Mais on va quand même préparer une belle veillée, comme on faisait dans le temps chez mes parents.

Curieusement, à ces derniers mots, Gilberte cessa momentanément de penser à une soirée et elle demanda, évasive :

— Ils sont comment vos parents ?

— Mes parents ? Ils son vieux et stricts, lança alors Prudence en riant, ce qui ne les empêche pas de s'amuser quand vient le temps de faire la fête. En fait, ils sont merveilleux et il serait grand temps que je retourne les voir.

— Moi aussi, j'aimerais les connaître.

— Si tu savais à quel point ils souhaitent la même chose. Ne pas connaître les enfants de leur fille Emma a été, je crois bien, leur plus grande déception dans la vie.

— Pourquoi alors, ils ne sont pas venus ? Si nous, on pouvait pas y aller à cause de mon père, eux autres, ils auraient pu se déplacer.

— C'est vrai… en principe. Mais mon père a une sainte peur de l'eau. Pourquoi, je ne le sais pas. Il n'a jamais voulu nous le dire et il déteste qu'on en parle. Alors ceci expliquant cela, si mon père refusait de mettre les pieds sur un bateau, ma mère disait comme lui. Quand j'habitais à Québec et que je revenais à la maison, je me souviens leur avoir souvent proposé de prendre la route pour venir jusqu'ici. À l'époque, ils étaient encore assez jeunes pour envisager la chose. Tu aurais dû voir les yeux de mon père, toi! J'aurais dit un gros mot qu'ils n'auraient pas été plus sévères! Pis comme ta mère est jamais revenue par chez nous...

Sur ce, Prudence poussa un long soupir.

— C'est comme ça, d'un mois à l'autre, pis d'une année à l'autre, que la rencontre s'est jamais faite... Même moi, je n'ai jamais revu ma sœur... Mais sais-tu une chose?

— Non.

— Il n'est jamais trop tard pour bien faire!

— Ce qui veut dire?

— Qu'au printemps, quand les battures vont se libérer de leur carcan de glace pis que le cabotage va reprendre, on va y aller, de l'autre bord. Toi, moi, pis les deux p'tites.

— Moi? Moi, j'vas aller à Pointe-à-la-Truite?

— Si je le dis! Maintenant que Fernande et Constance sont plus vieilles et qu'elles peuvent comprendre qu'il faut être sage sur un bateau, elles pourraient faire la traversée sans que ça soit trop risqué. Mais si je suis seule, l'aventure serait difficile. C'est pour ça qu'il faut que tu viennes avec moi.

— J'en reviens pas...

Gilberte avait le regard d'une enfant devant la vitrine d'un grand magasin, une vitrine débordant de jouets et de friandises.

— Comment ça se fait qu'avec vous, tout semble facile alors qu'avant, la moindre chose devenait grosse comme une montagne?

L'hésitation de Prudence fut de si courte durée que Gilberte ne s'en aperçut pas. Tant mieux, car Prudence n'aurait su trouver les mots pour parler de ce qui peut exister entre un homme et une femme. «Quand la chair est satisfaite, se dit-elle cependant, tout le reste coule de source.» Au lieu de quoi, elle répondit:

— Je ne le sais pas… J'ai toujours été comme ça! Quand j'ai envie de quelque chose, je prends les moyens pour l'avoir. La vie est trop courte pour se faire des complications avec des riens.

— Pis la soirée, elle? Si on va à la Pointe, est-ce qu'on va faire une soirée quand même?

— Ben voyons donc! Tu parles d'une drôle de question! L'un n'empêche pas l'autre. On va à la Pointe au printemps, pis on organise une soirée. Il y a ben assez de jours dans une année, pis même dans juste une saison, pour faire les deux.

— Mais mon père, lui? Vous pensez pas que ça va faire beaucoup pour lui? Pas sûre, moi, qu'il va accepter que…

L'éclat de rire de Prudence interrompit Gilberte. Puis posant une main sur son ventre encore plat, elle lança joyeusement:

— J'ai un argument de poids, juste ici! dit-elle en se tapotant le nombril. Laisse-moi aller avec ça pis je t'en reparle très bientôt!

Au sourire que Gilberte esquissa à ce moment-là, fragile comme un espoir longtemps entretenu mais jamais réalisé, Prudence comprit que ce même sourire serait le plus puissant des viatiques, la plus formidable des motivations pour qu'elle aille au bout de ses promesses.

CHAPITRE 7

Fin du printemps suivant, sur le fleuve, entre
Pointe-à-la-Truite et l'Anse-aux-Morilles, juin 1904

Debout bien droite à l'avant du bateau, les yeux mi-clos et les cheveux au vent, Gilberte humait avec délices l'air du large, si différent de celui chargé des odeurs de poisson de la berge de l'Anse-aux-Morilles, quand les pêcheurs revenaient au quai et qu'ils mettaient leurs anguilles à sécher. L'humidité sur sa peau et la chaleur du soleil sur sa nuque disaient la joie de vivre tandis que l'appel entêtant des goélands répétait en écho le cri de la liberté.

Gilberte inspira profondément et des larmes de bonheur se mirent à couler sur ses joues. Quand elles touchèrent la commissure de ses lèvres, Gilberte les cueillit du bout de la langue. Elles avaient un petit goût salé qu'elle trouva délicieux.

De toute sa vie, Gilberte n'avait jamais été aussi heureuse.

— Regardez, Prudence !

Du bras, Clovis désigna Gilberte.

— J'aurais jamais pu rêver d'une plus belle figure de

proue! ajouta-t-il, tout souriant.

— Et notre Gilberte n'avait jamais osé rêver de vivre une journée comme celle d'aujourd'hui, compléta Prudence.

Installée dans la cabine avec ses filles, par mesure de précaution, Prudence se tenait aux côtés de Clovis. Elle n'avait pas fini de parler que, derrière, lui parvint une voix de crécelle.

— Qu'est-ce que tu dis, chère?

Avec le sifflement du vent faisant gonfler les voiles et le battement des cordages contre les mats, Mamie était plus sourde que jamais.

— On a dit que Gilberte avait l'air heureuse, cria Prudence en se retournant vers la vieille dame.

Cette dernière étira le cou pour jeter un coup d'œil vers l'avant du bateau tout en dodelinant de la tête pour montrer qu'elle avait compris. L'image de Gilberte, agrippée au bastingage et cheveux flottant au vent, lui tira un sourire.

— Est pas toute seule à être heureuse, murmura-t-elle alors.

Puis, refermant les bras sur la petite Fernande qui somnolait tout contre sa poitrine, Mamie se réfugia dans ses souvenirs.

Pourtant, au départ, ça devait être un simple voyage vers Charlevoix, un voyage de présentation comme l'avait dit Prudence, et personne n'aurait pu imaginer que Mamie se joindrait à l'équipée.

L'aventure avait commencé dès le premier soir où Prudence en avait parlé à Matthieu. Ce soir-là, le vent des grandes marées de mai sifflait à la fenêtre de leur chambre.

— Avant d'être trop grosse, je veux aller voir mes parents, avait souligné Prudence, sur le ton dont elle aurait usé pour annoncer que le lendemain, ils mange-raient probablement du poulet.

Matthieu et elle venaient tout juste de se retirer dans leur chambre et, comme Prudence l'avait déjà dit, certaines choses n'avaient pas à être discutées devant les enfants. Partir pour la Pointe avec Gilberte en fai-sait partie, du moins pour l'instant. Cela faisait déjà près de deux mois qu'elle y pensait ; ce soir, elle passait à l'attaque.

— Aller de l'autre bord ?

De toute évidence, Matthieu allait émettre des réserves. Front plissé de rides, moue et sourcils froncés, il regardait Prudence avec perplexité en se grattant la tête.

— C'est-tu bien prudent, dans ton état ?

La question de Matthieu qui se voulait une sorte d'interdit heurta la susceptibilité de Prudence.

— Mon état, comme tu dis, se porte à merveille, avait-elle rétorqué, un peu sèchement, une main pos-sessive posée sur l'arrondi du ventre. Je ne suis pas idiote et si ça n'allait pas, jamais je n'aurais proposé un tel voyage sur le fleuve. Je trouve surtout inconcevable que mes parents ne connaissent pas encore nos deux filles.

Devant l'air buté de Matthieu, elle n'avait cependant pas osé ajouter qu'elle trouvait inexcusable qu'ils n'aient jamais eu la chance de rencontrer le reste de la famille, même si elle le pensait depuis fort longtemps. Faire comprendre certaines choses, certes, mais ne jamais pousser Matthieu dans ses derniers retranchements, voilà une vérité que Prudence avait rapidement comprise et dont elle essayait de se souvenir le plus souvent possible, malgré son caractère intempestif.

Effectivement, Prudence n'avait pas eu besoin d'être plus explicite, car ces quelques mots, Matthieu les avait déjà entendus dans la bouche d'Emma, et deux fois plutôt qu'une. S'en souvenir devant Prudence qui avait la curieuse capacité de lire en lui comme dans un grand livre ouvert n'avait pas été particulièrement agréable. Alors, pour ne pas perdre la face, comme il le disait parfois, il s'était renfrogné tout en retirant ses vêtements.

Voyant dans cette attitude silencieuse une forme d'assentiment, Prudence en avait profité pour poursuivre, car elle était loin d'avoir fini de dire tout ce qu'elle avait à dire.

— Je vais donc profiter de ce petit voyage pour faire d'une pierre deux coups, avait-elle négligemment annoncé tout en retirant, elle aussi, quelques vêtements stratégiques.

Elle comptait sur l'image projetée pour déstabiliser Matthieu. De toute façon, quelques gestes lascifs ne pouvaient pas nuire. Depuis le début de cette troisième maternité, Prudence avait les sens à fleur de peau et elle aurait fait l'amour tous les soirs !

— Je comprends pas.

Déjà le ton de Matthieu avait changé. Le regard posé sur Prudence aussi.

— Pour célébrer ses vingt-cinq ans, Gilberte va m'accompagner, avait précisé Prudence en retirant le jupon de coton, celui qu'elle utilisait tous les jours.

Ses seins gonflés par la grossesse étaient splendides.

— Gilberte ? avait demandé Matthieu sans arriver à quitter sa femme des yeux, ce qui rendait la conversation tout à fait pénible pour lui.

En effet, comment trouver les mots pour dire ce qu'il ressentait alors qu'une femme se promenait presque nue devant lui ?

Matthieu avait alors inspiré bruyamment, inconfortable. D'un côté, il avait l'impression de vivre une situation déjà vécue, une situation qu'il avait poussée lui-même à l'extrême en refusant à sa fille de l'accompagner, sans véritable raison, et qui lui avait laissé une certaine amertume dans le cœur et, de l'autre, il y avait Prudence qui se pavanait devant lui...

Et voilà qu'elle en rajoutait !

Le jupon s'étalait maintenant comme une corolle autour de ses pieds. Malgré cela, détournant le regard un instant, Matthieu s'était entêté.

— Pourquoi elle et pas les autres ? Tu trouverais ça juste, toi, que Gilberte aille à la Pointe et pas les autres ?

— Quelle drôle de réplique !

Maintenant, Prudence était complètement nue et elle fourrageait sous l'oreiller pour trouver la robe de nuit qu'elle y avait mise ce matin-là tandis que

Matthieu, incapable de résister, la regardait faire.

— Est-ce que c'est plus juste de savoir que Marius va se marier et pas elle ? Ou encore que Clotilde ait eu la chance d'étudier à Québec et pas elle ?

La réflexion de Matthieu avait été de courte durée, tant l'évidence d'un manque de pertinence sautait aux yeux et tant l'envie qu'il avait de Prudence était grande, pour ne pas dire incontrôlable.

— Ouais, vu de même...

Cette nuit-là, Prudence n'avait pas eu besoin de sa robe de nuit pour dormir confortablement et à la chaleur.

Le lendemain au déjeuner, elle avait donc annoncé à Gilberte que toutes les deux, en compagnie des petites, elles partiraient bientôt pour Charlevoix, en direction de Pointe-à-la-Truite.

— Le temps que je m'entende avec Clovis pour le transport et je te reviens là-dessus. D'ici une couple de jours, on devrait être fixées !

— Pis mon père, lui ?

— Qu'est-ce qu'il a, ton père ?

Les deux femmes débarrassaient la table des reliefs du déjeuner. Les hommes venaient de partir pour l'étable et les petites jouaient dans un coin de la cuisine.

— Ben... Qu'est-ce qu'il en dit, mon père ? Lui en avez-vous parlé, au moins ?

— Bien sûr, qu'est-ce que tu crois ?

— Pis ?

— Tout est réglé ! C'est ce que je viens de te dire !

Il y avait une pointe de jubilation dans la voix de Prudence, une voix qui était montée à ce moment-là dans les aigus. À un point tel que, pour une fois, Mamie avait fort bien entendu les mots.

— Qu'est-ce qui est réglé de même, chère ?

— Un voyage à Pointe-à-la-Truite !

— Oh !

Les yeux de Mamie se mirent à briller de plaisir anticipé, comme si c'était elle qui devait partir.

— Pis qui c'est qui part de même ? avait-elle alors enchaîné. C'est-tu toi, chère, pour aller voir ta parenté de l'autre bord du fleuve ?

— Oui, vous avez bien deviné. C'est moi avec les deux petites. Il est plus que temps que mes parents connaissent leurs petites-filles, vous pensez pas, vous ? Mais c'est aussi Gilberte qui va m'accompagner.

— Ah oui ? Gilberte… Eh ben ! C'est vrai qu'elle avec, c'est leur p'tite-fille… Après vingt-cinq ans dans pas longtemps, y' était plus que temps pour tes parents de la rencontrer.

Tout en analysant la situation, Mamie hochait la tête et fronçait les sourcils. Puis, elle avait longuement regardé autour d'elle, détaillant curieusement la cuisine pour ensuite se détourner et jeter un coup d'œil par la fenêtre comme si elle évaluait la cour et tous les bâtiments.

— Savais-tu, chère, que le seul voyage que j'ai fait, si on peut appeler ça un voyage, ça a été une journée vite fait jusque dans ce qui était à l'époque un gros village ? À Rivière-du-Loup que je suis allée, avec mon mari, quand j'étais jeune mariée, fit alors la vieille dame sans quitter la cour des yeux. Il voulait assister à une assemblée contradictoire. Ça nous a faite une sorte de voyage de noces... Autant dire que ça fait une éternité... Même que des fois, il m'arrive de l'oublier... Pour le reste, c'est ici que ma vie s'est passée. Ouais, ici...

Mamie était revenue à la cuisine.

— Toute ma vie s'est passée ici, avait-elle répété en soupirant. Celle d'avant, avec mes parents, ça fait un bail que je l'ai oubliée pour de bon... Je suis trop vieille, faut croire...

Espérant peut-être une réponse, ou une proposition, Mamie avait laissé passer un court silence. Voyant que la réponse ne venait pas, elle avait alors poursuivi avec autant de déception que d'espérance dans la voix.

— Comme ça, Gilberte va à la Pointe... J'en ai ben entendu parler par Emma, de ce village-là. Je pense que je pourrais même m'y retrouver toute seule, sans chaperon pour m'aider à m'orienter tellement elle m'en a parlé... Pis paraîtrait-il que c'est pas trop épeurant, d'être sur l'eau... Moi, je le sais pas, rapport que je suis jamais montée sur un bateau. Ça se peut-tu ? Gilberte pis moi, on a passé notre vie à côté du fleuve, pis on y a jamais mis les pieds... Si on peut dire ça comme ça ! Parce que j'ai quand même faite trempette une fois ou deux. Mais aller sur un bateau, par exemple, c'est autre chose que de se mouiller le bout des orteils...

Et tandis que Mamie poursuivait ce qui ressemblait à un long monologue, d'un simple regard entre elles, Prudence et Gilberte avaient compris qu'elles voyaient très bien, l'une comme l'autre, où voulait en venir la vieille dame. Dès que Mamie avait ralenti le débit, pour reprendre son souffle, sur un clin d'œil à l'intention de Prudence, Gilberte avait pris la relève.

— Et si vous veniez avec nous, Mamie ?

La vieille dame s'était alors interrompue brusquement, et de parler et de se bercer. Le sourire édenté qu'elle avait offert à Gilberte et Prudence était aussi émouvant que celui d'un enfant.

— Ben sais-tu, chère, que je dirais pas non. Pas non pantoute !

C'est pourquoi, ce matin, Mamie était assise dans la cabine de la goélette, bien à son aise, la petite Fernande faisant la sieste dans ses bras.

— Tu vois, chère, avait-elle souligné, quelques instants plus tôt, en pointant la petite Fernande du menton, finalement, j'ai le pied marin pis c'était ben utile que je soye du voyage !

Maintenant que sa traversée était justifiée, Mamie pourrait vraiment en profiter.

Quand elles débarquèrent sur le quai de Pointe-à-la-Truite, le soleil était haut dans le ciel, aussi brillant qu'à leur départ, mais l'air charriait une petite fraîcheur qu'il n'avait pas sur la Côte-du-Sud. Un frisson secoua les épaules de Gilberte avant qu'elle se mette à pivoter sur elle-même pour embrasser l'étendue du paysage, fait de falaises et de berges, de conifères et de lupins qui poussaient librement le long du sentier partant du quai.

— Mais c'est ben beau par ici, murmura Gilberte.

Puis elle se tourna vers Prudence.

— Comment vous faites pour pas vous ennuyer de votre village, Prudence ? Me semble que chez nous, à l'Anse, c'est ben moins beau.

— Peut-être que c'est parce que je me sens bien là où est ton père ?

À ces mots laissant deviner une certaine intimité, et un indéniable plaisir à la vivre, Gilberte se mit à rougir et elle détourna la tête. C'est alors que son regard buta sur le cimetière, coincé entre le quai, la plage et l'église, et son cœur se mit à battre la chamade. Elle savait que sa mère, Emma, y était enterrée.

— Prudence ?

Gilberte parlait sans regarder sa belle-mère, comme si elle était gênée à l'avance de ce qui allait suivre.

— Oui ?

— Je... Je sais pas trop comment vous dire ça...

Gilberte respira un grand coup avant de poursuivre. Après toutes les gentillesses que Prudence déployait à son égard, elle ne voulait surtout pas la blesser.

— Est-ce que ça vous dérangerait beaucoup si je commençais par aller faire un tour au cimetière ? Après, on pourrait aller voir vos parents.

Le sourire de Prudence apaisa les scrupules de Gilberte et les quelques mots qui suivirent lui firent chaud au cœur.

— J'allais te le proposer. Viens, je vais te montrer.

— Et moi, pendant ce temps-là, j'vas trouver une voiture, proposa Clovis qui arrivait avec Mamie pendue à son bras.

Si la traversée n'avait pas incommodé l'octogénaire,

monter et descendre d'un bateau s'avérait nettement plus périlleux pour ses vieilles jambes. Le front en sueur, encore toute tremblante, elle se laissait remorquer par Clovis sans dire un mot, essayant, tant bien que mal, de reprendre son souffle.

— Laissez vos bagages sur le quai, conseilla ce dernier en s'adressant à Prudence qui jetait des regards découragés à ses filles, à Mamie et aux petites valises emportées pour passer la nuit. M'en vas venir les chercher avant de vous rejoindre au cimetière.

Le nom d'Emma avait été gravé sur une large planche de bois peinte en blanc et, dans les cavités laissées par le couteau, quelqu'un avait tracé une ligne à la peinture noire pour que les mots soient bien visibles.

« Emma Lavoie, 1856-1893 »

— C'est mon père qui a fait la plaque, et c'est lui qui l'entretient, année après année, murmura Prudence.

— C'est gentil, énonça Gilberte sur un ton monocorde.

Puis, au bout d'un silence soutenu par une chorale de goélands, elle ajouta d'une voix étranglée en se retournant vers Prudence :

— Sur le coup, j'avais pas pris conscience à quel point maman était encore jeune quand elle est morte… Trente-sept ans, c'est moi dans tout juste douze ans.

— Et moi, j'en ai à peine plus que ça, et je te jure que je me sens toujours en pleine forme, toujours jeune, compléta Prudence, une main posée sur son ventre qui arrondissait de plus en plus sous les plis de la jupe. Maintenant, je vais te laisser, ma belle Gilberte. Tu dois sûrement avoir quelques mots à dire à Emma que je n'ai pas besoin d'entendre… Venez, Mamie, on va attendre Gilberte et Clovis sur le quai.

— Bonne idée.

La vieille dame avait l'air soulagée. Chapeau de guingois pour laisser le vent rafraîchir son front, elle avait même osé relever les manches de la stricte robe noire qu'elle avait choisie pour voyager et faire bonne impression quand elle rencontrerait les parents de Prudence. Elle se signa devant la tombe d'Emma, en se promettant de revenir avant son départ, puis elle s'agrippa au bras de Prudence, car même si la brise était fraîche, le soleil tapait fort et elle était épuisée.

— J'vas en profiter pour m'asseoir sur une grosse roche de la plage, précisa-t-elle tout en marchant à petits pas prudents. Je commence à fatiguer, plantée comme un piquet sous le soleil… Mais gêne-toi surtout pas pour moi, ma Gilberte, ajouta-t-elle en se retournant et en haussant la voix, avant de passer le portillon qui fermait l'enceinte du cimetière. Prends tout ton temps, chère ! Je sais très bien ce que c'est ! Moi avec, je suis passée par là quand mon pauvre mari est mort.

Pendant ce temps, prévenus par Clovis que de la grande visite s'en venait, et même si le messager n'était pas entré dans les détails pour ménager la surprise, les parents de Prudence étaient tous les deux installés sur la longue galerie qui ceinturait leur maison de bois brut, grisonné par les ans et les intempéries.

Ils attendaient.

Par la porte laissée entrouverte pour permettre un certain changement d'air dans la maison, l'odeur d'une soupe aux légumes se faufilait jusqu'à eux. Le pain avait été cuit la veille, blond et croustillant, et Georgette estimait que ça devrait suffire pour accueillir des visiteurs.

— Même si ça fait longtemps qu'on l'a point vue, je crois ben que c'est notre Prudence qui va nous faire la surprise d'une visite.

Ovide se berçait avec enthousiasme, le cœur content. À part sa fille, il ne voyait pas qui aurait eu l'idée de venir les voir, alors il se réjouissait à l'avance.

— C'est aussi mon avis, approuva Georgette. J'vois point qui d'autre aurait l'intention de passer par chez nous. Après toute, on vit au bout du rang. Les gens viennent jamais jusqu'ici par hasard.

— Pis les gens du village ont point l'habitude de se faire annoncer. Lionel ou Béatrice auraient jamais demandé à Clovis de nous avertir avant de venir nous faire un brin de jasette.

— Comme vous dites, Ovide. Ça fait qu'il reste juste notre Prudence.

— C'est à souhaiter.

Les parents de Prudence échangèrent un regard rempli d'espoir. Ils n'avaient pas besoin de le dire, ils le voyaient dans le regard de l'autre, mais tous les deux, ils espéraient aussi que Constance et Fernande seraient du voyage. Même si les visites régulières de Béatrice en compagnie de Lionel et du petit rouquin que tout le monde appelait Johnny Boy avaient apporté une grande joie dans leur vie plutôt solitaire, il n'en restait pas moins qu'il y avait plein d'autres petits-enfants qu'ils n'avaient jamais rencontrés, et ils souhaitaient de tout leur cœur que Prudence n'imiterait pas Emma.

Un panache de poussière aperçu au-dessus du saule pleureur de leur plus proche voisin fit tressaillir le cœur de Georgette.

— Regardez, Ovide, fit-elle en posant une main sur le bras de son mari tandis que, de l'autre, elle montrait l'horizon. J'ai l'impression que c'est maintenant qu'on va savoir! Doux Jésus, faites que nos prières se réalisent!

Le panache se mit à grossir rapidement et se transforma bientôt en nuage brunâtre qui suivait une voiture, tirée par un cheval beige lancé au grand galop. Le cheval passa au trot après le tournant puis tout l'équipage s'arrêta devant leur maison.

— Wow!

Dans un premier temps, Georgette, tout comme Ovide d'ailleurs, ne vit que les deux bambines accrochées aux jupes de leur mère et son cœur bondit d'allégresse. Enfin! Enfin, elle allait rencontrer ses petites-filles dont elle ne connaissait que le nom. Puis, Georgette remarqua le ventre arrondi de sa fille et l'émotion fut à son comble.

— Prudence! Ma fille!

La vieille femme dévala l'escalier d'un pied léger comme si le bonheur de revoir la seule fille que Dieu lui avait laissée suffisait à lui redonner momentanément ses vingt ans. Ovide suivait de près, tout aussi guilleret. Le temps d'une accolade, et la famille Lavoie fut réunie, à l'exception des nombreux garçons, brus et autres petits-enfants, éparpillés dans les paroisses de la région.

Puis, replaçant d'une chiquenaude adroite son chignon tout aussi grisonnant que les planches de leur maison, Georgette se redressa et reprit la prestance qui était habituellement la sienne, un peu guindée, rigide et sévère. Seul son regard continuait de pétiller de joie avant de se charger d'interrogations quand elle prit conscience de la présence des deux inconnues.

Appuyée sur le bras de Clovis, Mamie avançait vers elle et, deux pas derrière, Gilberte suivait.

— Mais qui donc...

Georgette tourna son interrogation vers sa fille.

— Venez que je vous présente, maman, interrompit Prudence, Constance toujours pendue à ses jupes et Fernande dans les bras. Ce sont deux personnes qui ont beaucoup d'importance pour moi et qui en ont eu aussi pour Emma.

À ce nom qu'elle venait de prononcer, Prudence sentit les doigts de sa mère se crisper sur son bras. Mère à son tour, Prudence pouvait comprendre ce que cette vieille dame devait ressentir. Personne ne met un enfant au monde pour le voir partir avant lui, et le passage des années n'y changeait rien: la douleur devait toujours être là. Moins vive, peut-être, mais toujours présente.

— Venez, maman, répéta Prudence avec une grande douceur... Voici Mamie...

Sur ce, Prudence égrena un petit rire nerveux.

— C'est un peu fou, mais je ne connais pas son véritable nom.

Mamie balaya cet embarras d'un petit geste indifférent.

— À mon âge, chère, ça a plus tellement d'importance, ces choses-là. Pourvu que je me retrouve dans le même lot que mon mari au cimetière, j'en demande pas plus.

Et comme Georgette, elle aussi, ne connaissait de cette vieille dame que le nom de Mamie dont Emma avait émaillé ses lettres, elle tendit la main, satisfaite de cette présentation.

— Moi, c'est Georgette Lavoie, précisa-t-elle. La mère de Prudence. Pis lui, c'est mon mari, Ovide… Lavoie, comme de raison. Bienvenue chez nous, Mamie.

Tandis que se faisaient les présentations, Gilberte avait rejoint Mamie. Elle était intimidée par cette grande femme habillée de noir, aux cheveux impeccables et au port de tête altier. Cette femme impressionnante pouvait-elle être sa grand-mère, la mère de sa mère ? La chose semblait si improbable…

Quand Georgette leva les yeux vers elle, le cœur de Gilberte s'emballa, tout doute envolé.

Cette femme, encore une inconnue pour elle, avait exactement le même regard que sa mère, Emma. Ce bleu de nuit intense, pailleté d'or…

Gilberte en retint son souffle puis, ce fut impossible à réprimer, les larmes lui montèrent aux yeux. Il en fut de même pour Georgette. Si Gilberte était nettement plus petite et délicate que le souvenir qu'elle gardait de sa fille aînée, les traits du visage, eux, se ressemblaient à s'y méprendre.

Les deux femmes se dévisagèrent intensément durant un long moment, pantelantes, confondues.

Puis Georgette fit un pas en avant.

Cependant, malgré cette émotion à fleur de peau, habitées d'une même timidité naturelle, les deux femmes se contentèrent d'une brève accolade alors que Prudence faisait enfin les présentations.

— Maman, voici Gilberte, la fille aînée d'Emma. Ça faisait très longtemps qu'elle espérait vous rencontrer.

— Et moi donc...

Georgette recula d'un pas pour examiner la jeune femme tout à son aise.

— Comme ça, c'est toi Gilberte ? Ta mère nous parlait souvent de toi, tu sais. Dans ses lettres...

Georgette tourna brièvement les yeux vers sa fille.

— Hein, Prudence, c'est ça que tu nous lisais dans les lettres d'Emma ?

Puis, sans attendre de réponse, elle revint à Gilberte et répéta :

— Ouais, ta mère parlait de toi bien souvent. Elle était surtout très fière de toi.

Même si la visite de Gilberte s'était terminée tout de suite, les quelques mots qu'elle venait d'entendre auraient valu le déplacement.

— Merci, madame, balbutia-t-elle, toute rougissante.

— Non, non, pas madame. Pour toi, c'est grand-mère, mon nom. Comme pour tous mes petits-enfants. Et maintenant, entrez, vous devez être affamés !

Pendant ce temps, Clovis s'était retiré discrètement. Il ne reviendrait que le lendemain matin pour ramener tout ce beau monde à bon port. Matthieu avait promis de venir les attendre au quai à midi.

Le temps du repas et une bonne partie de l'après-midi furent employés à s'apprivoiser les uns les autres. Il y eut bien des questions, des exclamations, quelques rires polis.

Mamie et Georgette se découvrirent certaines affinités, Ovide se fit un plaisir de jouer au grand-père avec les deux petites filles, sous l'œil attendri de Prudence et, assise un peu en retrait, Gilberte se contenta d'observer. Elle n'avait pas eu souvent l'occasion de créer des liens dans sa vie, et d'avoir à le faire la laissait décontenancée.

On n'appelle pas quelqu'un « grand-mère » du jour au lendemain...

Et puis, sans en parler à personne, quand Gilberte avait su qu'elle traverserait enfin vers Pointe-à-la-Truite, elle n'avait pu s'empêcher d'avoir une pensée émue et intense pour cette petite sœur venue bouleverser leur vie.

Béatrice...

Elle aurait onze ans à l'automne.

Savait-elle que Victoire et son mari n'étaient pas ses véritables parents ? Et si oui, avait-elle déjà eu envie de connaître sa famille, sa vraie famille ?

Gilberte espérait tellement que la réponse soit oui.

À qui ressemblait-elle ? Avait-elle la carrure des Bouchard ou la taille élancée des Lavoie ? Et puis, Béatrice allait-elle encore à l'école ? Avait-elle eu de la difficulté à apprendre à lire tout comme elle ou, au contraire, était-elle une première de classe comme sa sœur Marie et son frère Lionel ?

Toutes ces questions, Gilberte se les était souvent posées. Maintenant qu'elle était peut-être à un jet de pierre de cette petite sœur qu'elle ne connaissait pas, ces mêmes questions l'obsédaient.

Et Prudence, elle ? Avait-elle pensé que Béatrice serait tout près d'elles quand elle lui avait proposé de venir jusqu'ici ?

Prudence pensait-elle seulement à Béatrice, parfois ?

Gilberte l'ignorait car les deux femmes n'abordaient jamais ce sujet entre elles. C'est peut-être pour cette raison qu'elle n'avait pas osé parler de Béatrice avec Prudence, sachant qu'elle allait se rendre à la Pointe. Mais là, brusquement, avec tous ces possibles et ces peut-être à portée d'intention, et malgré la grande envie qu'elle avait de la connaître, Gilberte se demandait si elle avait le droit de se présenter chez Victoire et son mari pour rencontrer sa sœur, et elle ne savait à qui le demander.

Peut-être bien que Mamie le saurait. La vieille dame avait toujours été de bon conseil.

Du coin de l'œil, Gilberte tenta de voir où en était Mamie dans sa conversation avec Georgette. De toute évidence, les deux femmes bavardaient toujours avec autant d'entrain, en retrait dans un coin de la cuisine parce qu'il fallait hausser le ton pour se faire comprendre de Mamie. Ce qui voulait dire que si Gilberte voulait la consulter, elle devrait amener Mamie à sortir de la maison pour préserver un semblant de discrétion...

La jeune femme échappa un long soupir.

Autant s'en remettre à Prudence, ça serait moins compliqué. Peut-être ce soir, quand les petites seraient couchées, ou demain matin, parce qu'elles étaient toutes les deux des lève-tôt.

Gilberte en était à supputer ses chances d'avoir un moment d'intimité avec Prudence quand on frappa à la porte. Un coup ferme et bien senti. Mamie elle-même dut l'entendre, car toutes les conversations cessèrent au même moment. Georgette et Ovide Lavoie échangèrent un regard inquisiteur.

— Veux-tu ben me dire...

Ovide était déjà en train de se relever en grimaçant pour aller ouvrir quand l'inconnu le devança. La porte s'ouvrit doucement et une tête parut.

— Il y a quelqu'un? Je suis venu apporter vos médicaments, Ovide, et une tarte au sucre de la part de...

Lionel se tut brusquement, à court de mots, les yeux écarquillés. Il venait d'apercevoir Gilberte.

Un ange passa dans la cuisine. À moins que ça ne soit Emma...

Alors, d'une voix étouffée, Lionel demanda, avec une dose incroyable d'incrédulité dans la voix:

— Gilberte ?

Il avait quitté une gamine, il retrouvait une femme et, même si le visage avait gagné en maturité, il était toujours le même. C'était celui de leur mère. L'émotion lui serra la gorge.

— Gilberte, répéta-t-il péniblement, oubliant de se demander ce que sa sœur pouvait bien faire là.

Depuis toutes ces années qu'il habitait à la Pointe, jamais il n'avait été question de la famille Bouchard, celle qui habitait à l'Anse.

Gilberte, pour sa part, semblait pétrifiée sur sa chaise. Nul doute, c'était Lionel, mais que faisait-il ici ?

Gilberte avala péniblement sa salive.

Pointe-à-la-Truite lui réservait-elle encore de nombreuses surprises comme celle-là ?

La jeune femme jeta subrepticement un regard autour d'elle. Si Georgette et Ovide Lavoie semblaient tout à fait à l'aise, même souriants, Mamie et Prudence, par contre, n'en menaient pas plus large qu'elle. La surprise semblait aussi les clouer sur place.

Toute cette réflexion n'avait pris que quelques secondes, mais il n'en fallut pas davantage pour que Lionel retrouve ses sens. Il avait déjà traversé la cuisine, déposé tarte et fiole de verre sur la table, et il prenait sa sœur tout contre lui après lui avoir pris la main pour l'obliger à se lever.

Il venait de prendre conscience, douloureusement tant son cœur battait fort, à quel point sa famille lui avait manqué.

— Gilberte, murmura-t-il, le visage enfoui dans les

cheveux de sa jeune sœur, nettement plus petite que lui.

Pendant ce temps, incapable de parler, Gilberte pleurait à chaudes larmes. L'émotion était si forte, le plaisir si intense qu'elle en avait oublié jusqu'à l'existence de Béatrice et tout ce que la présence de Lionel à la Pointe pouvait laisser supposer de différences entre ce qu'elle avait toujours imaginé et la réalité pure et simple.

Une réalité si simple, peut-être, sans aucune complication, comme l'était le quotidien la plupart du temps.

Ce fut Georgette, par son attitude directe et son franc-parler, qui permit à tout un chacun de se détendre.

— Le Bon Dieu m'a écoutée, lança-t-elle en se relevant pour aller au-devant de Lionel. Quand j'ai vu que Gilberte était ici, chez nous, je Lui ai demandé d'organiser ça pour que vous ayez la chance de vous croiser, vous deux, parce que moi, j'aurais point su comment faire, ni quoi dire.

— Pis moi non plus, renchérit Ovide qui avait momentanément délaissé ses petites-filles pour venir saluer Lionel. Ma femme a eu raison de prier ! Y a juste le Bon Dieu, des fois, pour savoir bien faire les choses.

Mais ce fut Mamie qui eut le dernier mot. Quand elle reconnut Lionel, elle porta la main à son cœur comme pour lui intimer de se tenir tranquille, puis, de la voix un peu criarde de celle qui n'entendait plus très bien, elle imposa le silence à tout le monde en lançant:

— Lionel ! Bonté divine que ça fait longtemps !

Viens, cher, viens plus proche que je te touche pour être ben certaine que t'es pas juste une apparition...

Quand Lionel se fut prêté de bonne grâce à la requête de Mamie tout en esquissant un sourire à la fois malicieux et attendri, brusquement ramené à son enfance, la vieille dame demanda, une main possessive toujours posée sur le bras de Lionel pour s'assurer qu'il ne disparaîtrait pas :

— Astheure, veux-tu ben me dire ce que tu fais ici, toi ? Pis habillé comme tout le monde ? Si je m'attendais à ça !

Mamie examina Lionel de la tête aux pieds en secouant la tête dans un geste de négation avant de lancer :

— T'étais pas supposé devenir curé, toi, coudonc ?

Le repas qui suivit en fut un d'explications. On avait, de part et d'autre, quelques années à rattraper et c'est une bonne heure plus tard que Lionel amena Béatrice au cœur de la conversation.

Gilberte et lui, avec la bénédiction de Prudence, s'étaient retirés pour marcher en tête-à-tête tout au long du rang.

— Ici, on évite de faire allusion au fait que Béatrice est une Bouchard, même si tout le monde est au courant, dans la paroisse. C'est probablement pour cette raison que Georgette et Ovide ne vous en ont pas parlé.

Bras dessus bras dessous, le frère et la sœur marchaient lentement le long du rang. Les grillons et les ouaouarons accompagnaient leur promenade.

— Mais pourquoi ne pas en parler ? Surtout si tout le monde est au courant !

Gilberte ne comprenait pas.

— Après tout, elle est toujours une Bouchard, non ?

— Bien sûr, je viens de le dire et elle le sait. Mais par respect pour Victoire et Albert qui l'aiment comme leur propre fille, on évite d'aborder le sujet.

La raison, bien que louable, semblait insuffisante aux yeux de Gilberte. Elle insista donc.

— D'accord, je peux comprendre. Mais elle ? Qu'est-ce qu'elle pense de tout ça, elle ? Béatrice n'a pas envie de rencontrer sa famille ? Si tu savais combien moi j'ai envie de la connaître, envie de lui parler.

Cette confession provoqua un long silence. Un silence de réflexion que Gilberte se garda d'interrompre même si elle ne comprenait toujours pas. Pourquoi tant de cérémonie devant ce qui lui paraissait une évidence ? Béatrice était sa petite sœur, elle ne la connaissait pas et elle avait envie de la rencontrer. Quoi de plus normal, de plus naturel, n'est-ce pas ?

Pourtant Gilberte resta silencieuse. Trop de souvenirs d'enfance lui rappelaient à quel point Lionel avait toujours été un être renfermé, un peu à l'image de leur père, et qu'il aimait bien réfléchir avant de donner son opinion. Quand il ouvrit enfin la bouche, il émit un constat un peu plus fermement qu'il ne l'aurait voulu.

— Tu sais, pour Béatrice, sa vraie famille est ici, auprès de Victoire et Albert. Il ne faudrait pas l'oublier.

Gilberte eut un geste d'humeur, d'impatience. Du bout de son soulier, elle fit rouler une pluie de petits cailloux et retira son bras de dessous celui de son frère.

— C'est quoi tout ce secret autour de sa naissance ? Comme si c'était un gros défaut d'être née dans la famille Bouchard. Est-ce qu'elle sait au moins que t'es son frère ?

— Oui, elle le sait. Tout comme elle est au courant que notre mère, donc sa mère à elle aussi, repose dans le cimetière de la paroisse.

Gilberte comprenait de moins en moins.

— Alors ? Pourquoi est-ce qu'elle ne voudrait pas me rencontrer ?

— Je n'ai pas dit ça.

Lionel tentait de se montrer convaincant. Pourtant, quand Béatrice avait accepté la présence de Lionel dans sa vie, au moment de son arrivée au village, elle l'avait fait avec chaleur, voire une certaine affection. Du moins, est-ce là ce que Lionel avait ressenti. Puis, le temps avait permis de découvrir que Béatrice et lui avaient plusieurs affinités. Tout comme Béatrice avait accepté avec plaisir de rencontrer ses grands-parents maternels. Pourquoi, alors, se montrer réticent devant la demande de Gilberte ? Au nom de quoi Lionel cherchait-il à protéger Béatrice et de quel droit ?

— J'ai tout simplement demandé de respecter Béatrice, s'entêta malgré tout Lionel. Je demande de ne pas forcer les choses, de ne rien imposer. Et de respecter Victoire et Albert, aussi. Il ne faut pas oublier qu'ils ont consacré une grande partie de leur vie à Béatrice. Ce petit bébé avait tout juste trois jours quand je suis venu le porter chez eux.

— C'est vrai! C'est toi qui as fait la traversée pour leur amener Béatrice. Je l'avais oublié.

— Alors, quand je dis qu'elle a bouleversé leur vie et qu'eux n'ont été qu'amour et générosité, je sais de quoi je parle. C'est vraiment une grande partie de leur vie qu'ils lui ont consacrée! Il faut savoir le respecter.

— Et moi, murmura Gilberte, les yeux pleins d'eau, c'est à tout le reste de la famille que j'ai consacré une partie de ma vie.

Gilberte avait cessé de marcher. Elle ouvrit les bras et tendit les mains comme pour montrer le vide devant elle, autour d'elle.

— Mais ça, c'est juste normal, c'est juste correct que j'aye pris la maison en charge, pis les p'tits aussi. De toute façon, j'ai jamais eu mon mot à dire là-dedans. Notre mère est morte, le père a décidé, pis moi, il me restait juste à plier devant lui... Pis toi, ouais toi, poursuivit-elle dans un souffle, pendant ce temps-là, ben, t'es devenu médecin.

Les mots de Gilberte, remplis d'amertume, frappèrent Lionel de plein fouet. Que répondre à cela puisque c'était la stricte vérité? Sur une mauvaise discussion, alors que son père venait de perdre son épouse, Lionel avait claqué la porte et n'était jamais revenu. Qui avait eu tort à ce moment-là? Lionel n'avait jamais tenté d'approfondir cette question et, devant sa sœur, il tenta de se justifier.

— Je sais que ça ne semble pas juste et...

— Pas juste? coupa Gilberte. Non, c'est pas juste.

Sur ce, la jeune femme eut un rire amer, un rire qui

ressemblait à ceux qu'Emma avait eus parfois.

— C'est drôle, tu dis la même chose que notre père, Lionel, exactement la même chose. Lui aussi, il trouve que c'est pas juste que je soye ici mais pas les autres… Pis finalement, je dirais qu'il avait peut-être raison. J'aurais probablement mieux fait de rester chez nous.

— Pourquoi tu dis ça ?

— T'oses le demander ? J'ai l'impression que je dérange, ici, moi ! Pourtant, c'est donc pas ce que j'espérais. Je… Ça fait une éternité que j'en rêve, de ce petit voyage… Pour connaître nos grands-parents, c'est ben certain, mais pour connaître aussi ma sœur. Toute ma vie a été chambardée par la naissance d'une p'tite sœur que j'ai même pas pu aimer. Notre mère estimait peut-être que j'étais pas assez bonne pour toute faire en même temps… De toute façon, elle aurait dû penser que d'avoir un p'tit bébé à m'occuper, ça m'aurait peut-être aidée à avoir moins de peine… Mais c'est pas ce qu'elle a fait… Pis c'est pas grave, c'est passé, tout ça. Ce qui reste, par exemple, c'est que le jour où je me retrouve tout juste à côté de celle à cause de qui tout est arrivé, le jour où j'aurais enfin la chance de la voir pour y dire que, malgré tout, j'y en veux pas, pis que je suis toujours prête à l'aimer, ben, on me dit encore de me tasser. Pour pas la brusquer…

— Mais j'ai pas dit qu'elle ne voudrait pas te rencontrer !

— Ah non ? Laisse tomber, Lionel. Je sais très bien ce que t'as dit, ce que t'as pas dit, pis l'intention qu'il y avait en arrière de tout ça. J'ai vieilli moi aussi, tu sauras. Peut-être pas comme j'aurais voulu que ça se fasse, mais j'ai vieilli pareil. Dans quelques jours, m'en vas être officiellement une vieille fille ! Vingt-cinq ans, Lionel ! M'en vas sur mes vingt-cinq ans, pis j'ai pas grand-chose à moi, ni en arrière, ni en avant… Mais j'ai appris à voir ce qu'il y a à voir pis à comprendre ce qu'il y a à comprendre. C'est Mamie qui m'aura appris à vivre, pis Prudence a fait le reste.

Devant tant de tristesse, Lionel regretta les mots qui avaient décrit une réalité qui n'existait pas vraiment. Bien sûr, il fallait respecter Victoire et Albert, mais pas nécessairement au détriment de Gilberte qui avait tant donné. Lionel voulut alors se rattraper.

— Et si je te promettais de parler à Béatrice ? Si je lui disais que tu es ici et que tu aimerais la rencontrer ?

— C'est un peu tard pour me proposer ça, Lionel. C'est tout à l'heure que t'aurais dû le faire, sans hésiter. J'aurais voulu que ça soye comme un cri du cœur de ta part, peut-être à cause du passé qu'on a partagé… Mais t'as plus pensé à Béatrice qu'à moi. Peut-être ben que c'est correct de même parce qu'aujourd'hui, c'est elle qui fait partie de ta vie pis pas moi. Ça fait que laisse faire, Lionel, je me sentirais plus tellement bien de la rencontrer. De toute façon, je repars demain matin, pis j'aurais aimé ça avoir du temps avec elle, pas juste un p'tit salut entre deux portes.

Tout en parlant, Gilberte s'était éloignée de Lionel. Elle marchait à reculons comme si elle cherchait à mettre le plus de distance possible entre son frère et elle.

— Si un jour tu décides de parler à Béatrice quand même, si un jour tu lui dis que sa sœur est déjà passée par ici pis qu'elle aurait ben aimé ça la rencontrer, pis qu'elle te répond qu'elle aussi voudrait me voir, ben tu sais où me retrouver, hein ? La maison a pas changé de place, pis jusqu'à nouvel ordre, c'est toi l'aîné de cette famille-là, malgré tout ce qui a pu se passer.

— Malgré le père ?

— Ouais, malgré notre père.

La réponse de Gilberte avait fusé sans la moindre hésitation.

— Tu sais, Lionel, ça a ben changé chez nous. Pour le mieux. C'est à voir notre père aller que j'ai compris que dans un couple, il y avait deux personnes. Pis quand une des deux est pas d'adon, ben, ça peut rendre l'autre marabout. Ça, même sans m'en parler, c'est Prudence qui me l'a appris, parce que depuis que notre père est avec Prudence, il a l'air heureux.

D'un petit haussement d'épaules impatient, Lionel fit comprendre qu'il s'apprêtait à apporter certains bémols à l'opinion de Gilberte.

— C'est toujours bien pas de sa faute à elle toute seule si notre mère se retrouvait enceinte à répétition, siffla-t-il avec colère. Notre père est quand même responsable de…

— Je sais tout ça, Lionel, coupa Gilberte qui, jugeant sans doute la distance suffisante entre Lionel et elle, avait cessé de reculer. Même si je suis encore sans cavalier, je vis sur une ferme depuis toujours. Me semble que c'est clair, non ? Si certaines choses sont mystérieuses jusqu'au soir des noces pour d'aucuns, moi ça fait longtemps que j'ai compris que les bébés naissent pas dans les feuilles de chou. De toute façon, ce que je pense de la vie entre un homme pis une femme, ça va ben au-delà d'un bébé à naître... Je viens de te le dire, Lionel : j'ai appris à regarder autour de moi. Pis là je vois un frère qui a faite un bout de chemin dans le sens contraire du mien. T'es devenu un homme savant, Lionel, pis à t'entendre parler, je vois ben que tu vois grand. Pis c'est ben correct. Mais moi, par exemple, j'ai arrêté l'école à treize ans. C'est pas ce que je voulais, mais c'est ce qui s'est passé. Ça fait qu'astheure, j'ai l'impression qu'on dit plus les mêmes choses, Lionel, qu'on parle plus avec les mêmes mots. Pis je trouve ça triste, ben triste. Ça fait que pour maintenant, tu vas me laisser partir sans dire un mot, sans insister. J'aimerais ça pleurer mes déceptions toute seule, si tu y vois pas d'inconvénient. C'est de même que je suis habituée de le faire, pis c'est de même que j'ai l'intention de continuer à le faire pour astheure. Si plus tard t'as envie qu'on se parle, tu me le feras savoir en revenant chez nous.

Sans attendre de réponse, Gilberte tourna vivement les talons et se dirigea vers la maison des Lavoie, s'obligeant à garder la tête haute pour que Lionel ne puisse se douter qu'elle avait le visage inondé de larmes.

CHAPITRE 8

Quelques semaines plus tard, à Montréal, dans la cuisine de Lysbeth, en août 1904

D'un geste rageur, James fit une cocotte de la lettre qu'il venait de relire et il la lança à l'autre bout de la pièce. Elle roula sous le gros poêle à bois, se perdant dans la pénombre de la cuisine, pour s'arrêter contre les moutons de poussière qu'il n'avait plus le cœur de balayer régulièrement.

Dehors, les oiseaux avaient commencé à chanter, annonçant déjà la journée à venir, même si le soleil n'était encore qu'une lueur au-dessus des toits.

Mine de rien, la nuit se retirait peu à peu.

Pourtant, James était déjà bien éveillé. En fait, il n'avait pour ainsi dire pas fermé l'œil de la nuit, à cause de la lettre que sa voisine lui avait remise à son retour des quais, la veille.

En quelques lignes, James avait appris que sa femme Lysbeth, devant le peu de progrès observé depuis les fêtes, avait été transférée à plusieurs milles de Montréal, au nouveau Sanatorium du Lac Édouard. James avait vaguement entendu parler de l'endroit. Quelques lignes dans le journal du samedi précédent en faisaient état.

Ainsi, même le banal plaisir que James prenait à siffler une petite ritournelle sous la fenêtre de la chambre de Lysbeth, tous les dimanches soir, lui serait désormais interdit.

Par contre, Lysbeth aurait ainsi tout le grand air dont le médecin avait dit qu'elle avait besoin pour guérir. C'était peut-être une bonne chose.

N'empêche que James poussa un soupir d'impatience, oscillant entre la colère et l'espoir.

Avec son fils installé à Pointe-à-la-Truite, Lysbeth au nord de Trois-Rivières et lui ici, à Montréal, leur famille n'avait plus rien d'une famille.

Pourtant, il en avait tant rêvé !

Un violent coup de poing ébranla la table.

Pourquoi est-ce que Lysbeth ne lui avait pas parlé de ce déménagement, dans la lettre reçue mardi dernier ? Était-ce là une décision de dernière minute ? Même que dimanche soir, quand il était allé la voir, Lysbeth était à la fenêtre de sa chambre, selon une habitude qui datait de quelques semaines déjà. Il avait sincèrement cru que ça allait de mieux en mieux.

À la lumière de cette lettre reçue la veille et signée par un médecin que James ne connaissait même pas, de toute évidence ce n'était pas le cas. Pour qu'on veuille éloigner sa femme, c'est que ça n'allait pas du tout !

James se releva pour prendre la lettre. Du plat de la main, il la défroissa soigneusement, se mit à la relire debout devant la fenêtre, même s'il la savait par cœur, puis il la replia et la glissa dans la poche arrière de son pantalon. Il aurait ainsi l'impression que Lysbeth resterait avec lui tout au long de la journée, petit baume étalé sur sa vie en miettes.

Puis James prépara un sandwich avec les maigres restes d'un poulet, remplit un pot en fer-blanc de thé bien sucré qu'il boirait froid à l'heure du dîner et quitta la maison pour ne pas être en retard à l'ouvrage. S'il voulait se rendre régulièrement au sanatorium, il n'aurait pas le choix de travailler quelques heures de plus chaque semaine et se priver plus souvent du tramway.

Et dire qu'en plus, il voulait prendre une semaine de congé pour aller voir Johnny Boy !

Malgré un long soupir et une grimace d'impatience, le nouveau contremaître l'avait même assuré de son soutien auprès du patron qui ne rencontrait plus personnellement les débardeurs. C'était une des conséquences de la grève de l'an dernier. Si les travailleurs y avaient gagné quelques sous supplémentaires, ils y avaient perdu dans leurs relations avec le patron. Ce dernier s'était empressé de se réfugier dans sa tour d'ivoire, tout en haut de la hiérarchie. Seul le contremaître pouvait dorénavant lui parler.

— Il n'aime pas voir un chef d'équipe s'absenter en plein été, avait justement expliqué ce dernier à James, comme si celui-ci ne le savait pas. Mais je vais voir ce que je peux faire. Ta situation est particulière et, pour une semaine, Lewis Flynn pourrait te remplacer. C'est ce que je vais dire au patron.

James attendrait donc la réponse du contremaître pour prendre sa décision. Si le patron acceptait qu'il s'absente, il irait tout de suite voir Johnny Boy car Lysbeth comprendrait que leur fils passe en premier. Dans le cas contraire, il puiserait à même le pécule mis de côté pour son voyage, et il se rendrait à Lac Édouard, beaucoup moins loin que Pointe-à-la-Truite, et ainsi il pourrait constater par lui-même dans quelles conditions Lysbeth allait vivre les prochains mois.

La chaleur de ce mardi du mois d'août fut accablante d'humidité et de soleil piquant la peau des bras, mais, à l'instant où James vit le contremaître venir vers lui, un sourire accroché aux lèvres, toute sa fatigue s'envola.

— C'est beau, O'Connor! À partir de vendredi soir, t'as une semaine de congé. De retour lundi dans deux semaines, à l'aube. C'est à cause de ton fils, si le patron a dit oui. Il voulait que tu le saches.

— Ben tu diras merci au patron. Ouais, un gros merci. C'est Johnny Boy qui va être content!

À défaut d'avoir quelqu'un chez lui avec qui partager sa joie, James prit le chemin de la demeure des McCord. Ruth et Donovan l'accueillaient toujours à bras ouverts.

James accéléra le pas en pensant que dans une semaine, jour pour jour, il serait avec son fils. Cela faisait maintenant près de huit mois qu'il ne l'avait pas vu, et les quelques lettres échangées entre eux n'étaient qu'un pâle reflet du plaisir partagé quand ils vivaient ensemble au quotidien.

Malgré la folle inquiétude ressentie à savoir Lysbeth loin de Montréal, James s'efforça de concentrer ses pensées sur Johnny Boy. Mais quand il vit Ruth et Donovan, assis côte à côte au bout de l'immense table de leur cuisine, en train de discuter joyeusement, son cœur chavira.

Aurait-il, un jour, la chance de revivre des moments de tendresse et de complicité avec Lysbeth comme ceux qu'il avait sous les yeux ?

Ruth recueillit ses larmes au creux de son épaule.

— J'en ai assez, murmura-t-il enfin, quand les larmes tarirent. Lysbeth a déménagé. Au sanatorium.

Ruth ne semblait pas entendre cette nouvelle de la même oreille que lui car, dès les mots prononcés, elle fit un large sourire.

— Quelle bonne nouvelle ! Pourquoi pleurer ?

— Elle est si loin, maintenant.

— Peut-être, mais c'est pour la bonne raison. Le grand air et le repos sont les seuls remèdes à cette terrible maladie, tu le sais comme nous tous.

— C'est vrai…

— Alors réjouis-toi, James. Lysbeth va prendre du mieux et te revenir bien plus vite que si elle était restée en ville.

— Peut-être.

— Et Johnny Boy, lui ? Comment va-t-il ?

Donovan venait de se glisser dans la conversation après avoir déposé deux bières sur la table. La nouvelle Molson Export, sur le marché depuis à peine un an, avait rapidement conquis le cœur de cet Irlandais qui disait, à la blague, qu'il avait bu sa première bière dans un biberon.

— Pas de nouvelles récentes, répondit James, mais je serai avec lui dans quelques jours. Le patron a accepté que je prenne une semaine de congé.

— Et tu pleures ? Allons, James ! Souris, chante, danse ! Voilà une excellente nouvelle.

Puis, après un second sourire à l'intention de James, Ruth reprit.

— Johnny Boy a dû beaucoup grandir, estima-t-elle. À cet âge-là, les enfants grandissent toujours comme de la mauvaise herbe.

— Ça c'est certain, approuva James qui n'arrêtait pas d'imaginer de quoi avait l'air son fils depuis le jour où il l'avait confié à Victoire.

D'ailleurs tous les soirs, avant de s'endormir, il contemplait la photographie prise à Québec, au moment où ils faisaient route ensemble vers Pointe-à-la-Truite.

— Il était déjà grand pour son âge, précisa-t-il.

— Saura-t-il toujours parler anglais quand il reviendra vivre à Montréal ? demanda Donovan.

— J'y vois. Les lettres qu'il m'envoie régulièrement doivent toujours être écrites en anglais.

— Bonne idée ! Comme ça tu pars à la fin de la semaine… Veux-tu que je passe à la gare pour toi pour acheter tes billets ? Je travaille justement dans ce coin-là, demain.

— Alors tu prends un billet aller-retour pour Québec.

James commençait à s'enthousiasmer. Le fait de

quitter Montréal pour Charlevoix n'était plus un simple souhait, c'était devenu un beau projet. Dans quelques jours, ce n'était plus un rêve, il serait vraiment avec son fils !

— Ouais, un billet pour Québec, répéta-t-il. Pour le reste du chemin, j'irai au port. À ce temps-ci de l'année, il y a toujours quelques bateaux en partance pour la côte de Charlevoix. Je trouverai bien quelqu'un pour m'emmener jusqu'à Pointe-à-la-Truite.

Quand James quitta ses amis, il avait le ventre bien rempli puisqu'il avait enfin mangé avec appétit. Pour l'humeur, Ruth et Donovan s'étaient chargés de la remettre au beau fixe, et ce fut ainsi, pour la première fois depuis fort longtemps, que James s'endormit sitôt la tête sur l'oreiller.

Il rêva de Johnny Boy.

À quelques jours de là, quand Donovan lui remit ses billets, il lui réservait une surprise.

— Je me suis permis de modifier ton voyage ! fit Donovan avec un sourire malicieux sur les lèvres.

James tendit la main, sourcils froncés. Il s'attendait à recevoir deux billets, un pour l'aller et l'autre pour le retour, au lieu de quoi il en reçut trois. Il eut un regard interloqué.

— Ce troisième billet, c'est un aller-retour dans la même journée pour le village de Lac Édouard, expliqua Donovan, visiblement heureux de l'éclat de joie qu'il vit apparaître sur le visage de son ami. Quand je me suis rendu compte que le sanatorium était desservi par le train, je me suis dit que tu ne m'en voudrais pas pour une journée de moins auprès de ton fils… C'est un cadeau de Ruth et moi.

La poignée de main de James avait la fermeté de cette grande amitié qui le liait à ses amis.

Cette fois-ci, James voyagea en seconde classe. Par choix, comme il l'avait fait aussi avec Johnny Boy en décembre dernier. Les fanfreluches et tout ce qui s'y rattachait n'étaient pas pour lui, un seul et unique voyage en première classe le lui avait confirmé.

L'accueil au sanatorium n'eut rien à voir avec celui que l'infirmière lui avait réservé à Montréal quand Lysbeth avait été hospitalisée, à quelques jours de Noël.

— Nous savons que vous venez de loin, affirma une souriante dame entre deux âges affublée de lunettes épaisses comme des loupes.

Elle s'était cependant abstenue de lui tendre la main. Ici, l'hygiène était poussée à l'extrême.

— Tous ceux qui se retrouvent chez nous viennent de loin, expliqua-t-elle sans se départir de son sourire.

— De Montréal, oui.

Casquette à la main, James semblait mal à l'aise. Tous ces sourires étaient-ils destinés à le préparer à essuyer une rebuffade ? Allait-on le renvoyer d'où il venait sous prétexte qu'il n'avait rien à faire ici ?

Allait-on, surtout, le renvoyer sans lui donner des nouvelles fraîches de sa chère Lysbeth ?

L'odeur de désinfectant, les coiffes amidonnées des infirmières et surtout le stéthoscope pendu au cou des médecins avaient toujours intimidé James, ce qui faisait bien rigoler Lionel quand il habitait chez lui. N'empêche qu'en ce moment, la vue de quelques médecins affairés traversant le hall d'entrée du sanatorium eut le même effet.

N'était-ce pas ce long tube de caoutchouc, posé sur la poitrine de Lysbeth, qui avait scellé le sort de la famille O'Connor ?

— Alors ?

L'infirmière à l'accueil se rappelait à lui.

— Que pouvons-nous faire pour vous ?

James jeta un dernier long regard circulaire avant de revenir à l'infirmière assise devant lui. Le bâtiment semblait avoir été spécialement construit pour que la lumière du soleil entre à profusion dans chacune des pièces. Si Lysbeth ne guérissait pas durant son séjour ici, c'est que son cas était désespéré. James secoua la tête pour abrutir cette idée folle qui lui avait traversé la tête, puis il revint face à l'infirmière.

— Je voudrais des nouvelles de ma femme. Lysbeth O'Connor.

— Oh ! La gentille dame arrivée cette semaine…

Devant la grandeur du bâtiment, qui à première vue devait abriter des dizaines de chambres immenses, James fut surpris que l'on sache déjà qui était Lysbeth. Décidément, les gens d'ici étaient affables et souriants, contrairement à ceux rencontrés brièvement à Montréal. James osa un petit sourire.

— À part la lettre que j'ai reçue lundi dernier pour m'annoncer que ma femme était rendue chez vous, expliqua-t-il dans le français un peu écorché qui était le sien, je ne sais rien d'elle depuis plus d'un mois.

— Un mois ? C'est affreux !

L'infirmière avait l'air vraiment sincère.

— Attendez-moi, je reviens.

Ce fut ainsi que, pour la première fois depuis Noël, James put parler de vive voix avec Lysbeth. Il était vêtu d'une longue blouse, et son visage était recouvert d'un masque inconfortable qui rendait la respiration difficile. Le couple devait aussi se tenir à une bonne distance, mais peu lui importait. La voix de Lysbeth, bien que rauque, chantait à ses oreilles comme la plus mélodieuse des ritournelles irlandaises ! Assise dans son lit, le dos calé sur une pile d'oreillers, la jeune femme était toute souriante. Son James ne l'avait pas oubliée ! Qu'importe les lettres envoyées régulièrement, elle avait eu peur d'être remplacée. D'autant plus que Johnny Boy n'était pas là pour accaparer les attentions et le temps de son père. Mais à voir l'éclat de joie dans le regard de son mari, toutes ses inquiétudes s'étaient envolées.

— Ça va, James. Ça va mieux.

— Tu es bien certaine de ça ?

— Oui, pourquoi ?

— Parce que tu es ici ! Pourquoi, si ça va aussi bien que tu le dis, pourquoi est-ce que tu n'es pas restée à Montréal ?

— C'est le bon air qui manque à Montréal. Ici, tu vas voir, la guérison devrait être plus rapide.

Exactement les mêmes mots que Ruth !

Sous le masque, Lysbeth devina que James souriait

béatement. Il donnait l'impression d'être au septième ciel et de boire toutes les paroles de sa femme.

— Tu es bien certaine que tu te sens mieux ?

— Tout à fait. T'ai-je déjà menti ?

— Non, en effet...

— Bon, tu vois ! Et maintenant parle-moi de Johnny Boy !

L'air de rien, Lysbeth voulait détourner la conversation. Elle détestait parler d'une maladie qu'elle ne comprenait pas ni n'acceptait tout à fait. Comment finirait-elle par guérir puisqu'elle ne prenait aucun médicament ? C'était hors de son entendement, et elle se contentait de répéter ce que les médecins lui disaient, sans trop y croire, d'où ce besoin de parler d'autre chose. Elle risquait de se mettre à pleurer, et ça, il n'en était pas question devant James. Allait-elle mieux ? Probablement, puisque c'était ce que les médecins lui répétaient...

— Alors, demanda-t-elle à James, comment va notre fils ? Sa dernière lettre date déjà de plus d'un mois et...

— Un mois ? interrompit James d'une voix sévère. Le sacripant ! Je vais lui faire la leçon, crois-moi !

— Laisse, James. Je t'en prie, ne dis rien. C'est normal qu'un enfant de neuf ans ait mieux à faire que d'écrire à sa mère malade.

— Tout de même !

— S'il te plaît ! Dis-moi simplement comment il se porte.

— Bien... Je crois qu'il se porte bien. C'est ce que

Lionel m'a écrit dernièrement et c'est ce que Johnny Boy m'écrit lui aussi régulièrement.

— Alors, on reçoit les mêmes nouvelles.

— J'en aurai de plus fraîches à mon retour.

— Ton retour ?

— Je suis en route pour Charlevoix.

Une lueur d'envie douloureuse traversa le regard de Lysbeth.

— Chanceux, murmura-t-elle, alors qu'elle aurait préféré museler le mot.

Puis, elle ajouta, incapable de se retenir.

— Je m'ennuie tellement de lui. Tellement ! Je t'en prie, James ! Dis-lui que je l'aime même si je suis loin.

— Promis, je vais le lui dire, même si je suis persuadé qu'il le sait.

— Et embrasse-le pour moi.

— Promis !

Ce fut sur une multitude de promesses, faites de mots et de regards, tant concernant leur fils que celle de revenir le plus rapidement possible, que James dut quitter Lysbeth. Le temps alloué à la visite était terminé.

— Mais je reviens bien vite !

Sur les quais, à Québec, la goélette de Clovis semblait n'attendre que lui. James la repéra facilement et il y vit un signe du ciel.

— Hé Clovis ! Besoin d'un moussaillon pour te mener jusqu'à la Pointe ?

— Oh là ! L'Irlandais !

Par la fenêtre de la cabine, Clovis salua James avec un plaisir évident.

— Monte, mon ami, monte, même si j'ai besoin d'aucun apprenti parce que j'ai le meilleur !

À ces mots, rouge de plaisir autant que de soleil, Léopold, occupé à rouler les cordages, leva les yeux vers son père puis tourna la tête vers James.

— Bienvenue à bord, fit-il un peu cérémonieusement quand il reconnut le père de Johnny Boy.

Le plaisir qu'il ressentait à être avec Clovis, à bord de la *Marie-Madeleine,* était aussi visible que le nez au milieu du visage, un visage qui avait gagné en maturité, jugea James en grimpant à bord du bateau. Le gamin rencontré à Noël commençait à avoir des allures d'homme.

— On appareille dans quelques minutes, ajouta Léopold, tout en reprenant son ouvrage. Allez rejoindre mon père. Ça va lui faire de la compagnie.

À l'entendre parler, c'est comme si le bateau lui avait appartenu et qu'il était seul maître à bord. Durant un moment, James resta sur le pont à observer le jeune Léopold, puis il rejoignit Clovis, impatient à son tour de retrouver son fils.

James n'eut pas à s'excuser longtemps quand le bateau de Clovis atteignit le quai de Pointe-à-la-Truite, Clovis lui montra le village dès que le bateau se fut immobilisé.

— Allez, l'Irlandais ! Laisse faire les caisses à débarquer et file rejoindre Johnny Boy. Il va être fou de joie de voir que tu es là ! On trouvera bien l'occasion de se revoir durant ta visite.

Les retrouvailles furent à l'image de ce que James

avait imaginé des dizaines de fois : il n'eut qu'à ouvrir les bras pour que Johnny Boy s'y précipite.

— Daddy !

Pendant ce temps, Victoire se détourna discrètement. Elle aurait amplement le temps de parler avec James pour l'informer de tous les menus détails qui avaient ponctué la vie du jeune garçon. Pour l'instant, de toute façon, l'Irlandais n'avait d'yeux que pour son fils.

Les quelques jours à la Pointe passèrent en coup de vent. Entre les visites à Lionel et à la famille de Clovis, James passa la majeure partie de son temps avec Johnny Boy et la famille qui l'avait si gentiment accueilli.

— C'est un bon garçon que tu as là, l'Irlandais.

— Merci Albert... Mais je crois que vous y êtes pour quelque chose, non ?

— Pour si peu...

Le père et le fils profitèrent du temps doux et ensoleillé pour faire de longues promenades. Ils s'amusèrent sur la plage et discutèrent longuement de l'avenir qui s'offrait à eux.

— C'est bien d'être ici, daddy, répétait souvent Johnny Boy. C'est sûr que je m'ennuie de toi et de mommy, mais c'est quand même bien de vivre ici.

À travers ces quelques mots, James avait vite compris que son fils avait gagné en assurance. Petit à petit, le jeune garçon apprenait à devenir un homme, donnait son opinion, passait des remarques pertinentes et James sentit son cœur se serrer. Il aurait tant voulu être à ses côtés, au jour le jour, pour le voir grandir, dans tous les sens du terme.

— Et tous tes amis à Montréal ? demandait-il régulièrement pour le ramener à une vie qui, un jour ou l'autre, redeviendrait la sienne.

Tout comme il avait exigé que Johnny Boy lui écrive en anglais pour ne pas l'oublier, James voulait lui rappeler les bons côtés de la ville.

— Je voulais t'emmener au parc Sohmer pour voir les petites vues !

— Les quoi ?

— Les petites vues ! C'est comme des photos qui bougent ! C'est fascinant, tu sais, de voir les images bouger comme la réalité. À Montréal, tu pourrais y aller avec tes amis.

— J'ai aussi des amis ici, tu sais, objecta Johnny Boy. Et puis j'aime bien aller dans une toute petite école. Et aussi dans une toute petite église pour la messe du dimanche. Pour les images qui bougent, on ira quand ça adonnera... Il y a plein de choses qui bougent, ici !

Du bras, l'enfant montrait le fleuve et le ballet incessant des bateaux. Alors James n'insista pas.

Au retour d'une longue promenade, avec arrêt obligatoire chez Alexandrine, une des rares cuisinières au village à faire de la limonade avec les citrons que Clovis lui rapportait de la ville, ce fut à l'instant où ils arrivaient en bas de la côte que l'idée apparut. En un instant, elle s'imposa.

— Et si tu restais ici, Johnny Boy ? Qu'est-ce que tu en dirais ?

— Mais je reste ici... pour le moment.

James secoua la tête pour montrer que ce n'était pas exactement de cela qu'il parlait.

— Non, non. Rester ici pour de bon.

— Pour toujours ?

Johnny Boy ne comprenait pas où son père voulait en venir. Allait-il lui annoncer que sa mère ne guérirait plus jamais ? Une lueur d'inquiétude assombrit les traits de son visage à l'instant où James tendait le bras devant lui.

— Regarde !

L'index tendu, James lui montrait la forge. Cette forge qui l'avait ramené à ses plus tendres années, lors de son premier passage au village, alors qu'elle avait réveillé le souvenir d'une autre forge, là-bas en Irlande.

James examina brièvement le bâtiment, toujours en excellente condition. L'écriteau « À vendre » pendait de guingois sur la porte. Depuis bientôt un an, le feu n'y avait pas été allumé et les gens de la paroisse devaient se rendre à Pointe-au-Pic pour mettre des fers aux pattes de leurs chevaux.

« Pourquoi pas ? », pensa-t-il, le cœur oppressé par cette idée folle qui venait de lui traverser l'esprit. Il était grand, il était fort, il aimait apprendre et il n'avait pas peur de l'ouvrage.

« Pourquoi pas ? »

Poser la question, c'était y répondre. Alors, James se pencha vers son fils.

— Et si on restait ici ?

— Ici ? Toi et moi, on resterait à Pointe-à-la-Truite ? Yes, je veux bien. Mais mommy, elle ? Et toi, qu'est-ce que tu ferais comme travail ? Il y en a pas, ici, des débardeurs pour vider les bateaux. Clovis et tous les autres, ils font ça tout seuls, tu sais !

— Je sais ! Ce n'est pas à cela que je pense comme travail.

— Et mommy, elle ? Qu'est-ce qu'elle va devenir toute seule près de Montréal ? On ne peut pas la laisser toute seule là-bas !

— Elle pourrait venir avec nous.

Surpris par la réponse de son père, Johnny Boy resta un long moment à le fixer, la bouche entrouverte. Puis, il demanda d'une toute petite voix :

— Mommy ? Avec nous ? Elle n'est plus malade ?

— Oui, elle est encore malade. Elle va mieux, mais elle est encore malade... un petit peu, s'empressa d'ajouter James devant la lueur de tristesse qui avait traversé le regard de son fils, comme chaque fois qu'ils parlaient de Lysbeth. C'est elle qui me l'a dit : tout ce dont elle a besoin, selon les médecins, c'est de repos et d'air pur !

— Ben ça, il doit y en avoir ici, fit remarquer Johnny Boy, remis de ses anxiétés et tout disposé à les remplacer par de l'espoir.

Le jeune garçon regardait tout autour de lui, le nez en l'air pour humer profondément l'odeur insistante du varech.

— Ça sent meilleur qu'à Montréal, en tous les cas, ça c'est certain, souligna-t-il. Il n'y en a pas, ici, des chats morts dans les ruelles ! Pis pour le repos, on pourrait aider mommy, toi et moi. Et même que

Victoire pourrait nous préparer des desserts. Et peut-être aussi de la soupe. Ça l'aiderait, ça, n'est-ce pas, daddy ?

Emballé par la proposition de son père, Johnny Boy s'était mis à parler très vite, un sourire précaire mais émouvant sur les lèvres. C'est alors que James comprit que, quoi qu'il arrive, plus jamais il ne se séparerait de son fils. Ici ou à Montréal, ils vivraient désormais ensemble.

— C'est bien certain qu'on est capables d'aider mommy, poursuivait Johnny Boy, tout heureux. En faisant le ménage et la vaisselle. Je sais comment faire, Victoire me l'a montré. Maintenant c'est moi qui aide Béatrice après le souper.

James embarqua dans le jeu même si, pour l'instant, son projet était aussi périlleux et fragile que l'échafaudage d'un château de cartes dans une pièce balayée par un courant d'air.

— C'est aussi ce que je me disais, fit-il avec enthousiasme. On est capables d'aider ta mère, j'en suis certain… Sais-tu ce qu'on va faire ?

Après tout ce qu'il venait d'énumérer, le jeune garçon était à court de réponses. Il leva sur son père un regard rempli d'interrogations teintées d'espoir.

— On va consulter Lionel, annonça James. Après tout, il est médecin, non ? Il devrait savoir ce qu'on doit faire pour mommy. Après, je vais parler avec Victoire et son mari. Peut-être bien qu'on pourrait arriver à améliorer notre sort.

— Et ton travail ?

Redressant les épaules, James montra la forge une seconde fois.

— Peut-être bien qu'il est là, mon travail, Johnny Boy. Ouais, peut-être...

James secoua la tête, regarda la maison jaune où vivaient Albert et Victoire, puis il porta les yeux jusqu'au bout de la rue, là où Lionel avait une toute petite maison.

— Viens, fiston, on s'en va chez Lionel !

Glissant sa main dans celle de James, Johnny Boy lui emboîta le pas sans la moindre hésitation. Pour lui, il n'y avait plus aucune inquiétude à se faire. Si on consultait Lionel, c'était plus que certain qu'on allait trouver une solution à tous leurs problèmes, parce que Lionel avait toujours réponse à tout !

— Vite, daddy, dépêche-toi !

Johnny Boy avait pris les devants et, maintenant, c'était lui qui tirait sur la main de son père.

— Allez ! Plus vite, plus vite daddy ! Je vois le gros arbre qui pleure devant la maison de Lionel ! On est presque rendus.

TROISIÈME PARTIE

Hiver 1905 ~ Automne 1914

CHAPITRE 9

Huit mois plus tard, chez les Bouchard
de la Côte-du-Sud, en février 1905

Matthieu avait choisi de se réfugier dans l'étable pour échapper à l'effervescence étourdissante qui régnait à la cuisine. Non par déplaisir réel, car il avait toujours été curieux et le fait de déployer autant d'énergie devant une tasse de farine et quelques œufs le sidérait, mais bien par manque d'habitude. Les fêtes et lui, ça faisait deux! Tout le monde dans la famille le savait depuis longtemps.

Mais ça, c'était avant l'arrivée de Prudence dans sa vie, dans leur vie, et Matthieu aurait dû s'attendre à ce qu'un beau jour, les Bouchard du troisième rang reçoivent à la maison quelques voisins triés sur le volet et toute la parenté qui s'était ajoutée au fil des années et au gré des alliances. Cela faisait beaucoup de monde!

Beaucoup, beaucoup de monde!

À l'idée de voir sa cuisine et son salon envahis par des étrangers, Matthieu leva les yeux au ciel, découragé. Du temps d'Emma, une telle soirée aurait été impensable, et il avait toujours cru que c'était pour le mieux qu'il en soit ainsi. Ils n'avaient pas les moyens de recevoir, c'était un fait, et Emma n'avait pas l'énergie pour se charger d'un surplus de travail, c'était délicat de sa part d'en tenir compte, un point c'est tout. Ces deux arguments avaient toujours été respectés sans la moindre discussion. Chez Matthieu Bouchard, on ne discutait pas les décisions du père ou celles du curé, cela aussi, tout le monde autour de lui le savait depuis fort longtemps.

Pourquoi, alors, cette fois-ci, n'avait-il pas levé le ton ni imposé ses choix? Ils n'étaient pas plus riches qu'avant, ou si peu! Et lui, il n'avait jamais été porté sur les amusements en tout genre! Tant par sa nature que pour suivre les conseils de l'Église. Il était vrai, par contre, que Prudence avait de l'énergie à revendre, contrairement à Emma. Ce n'était donc pas la présence d'un jeune bébé d'à peine cinq mois, le petit Jean-Baptiste, qui allait y changer quelque chose!

Matthieu s'arrêta un instant.

Était-ce la simple attitude de Prudence qui avait bouleversé leur vie?

Ou était-ce lui qui avait changé à ce point?

Matthieu hésitait à se prononcer.

Le soleil d'hiver n'était pas encore levé. Seule une lueur jaunâtre précisait l'horizon, tout au bout du champ, au-dessus de l'érablière, et le fanal accroché à la porte de l'étable dessinait un halo qui se perdait sur la neige durcie, piétinée par de nombreux va-et-vient, tant ceux des hommes que ceux des chevaux.

Matthieu inspira profondément avant de grimacer

de douleur parce que l'air était glacial et il eut l'impression qu'il lui brûlait la gorge et les poumons.

Puis il jeta un regard à la ronde.

Ici, c'était chez lui. Cette ferme, il l'avait payée à Mamie jusqu'au dernier sou et il en était très fier. Cela avait pris tellement de temps, tant et tant d'années, qu'une fois sa part du contrat respectée, Matthieu n'avait jamais pu montrer la porte à la vieille dame, comme ils l'avaient prévu au moment de la vente.

— Faut croire que je venais avec les meubles, avait ronchonné Mamie, visiblement émue, tout en glissant les derniers dollars donnés par Matthieu dans le fond de la poche de son tablier.

Ils n'en avaient jamais reparlé.

Le temps d'un soupir, Matthieu eut une pensée pour Emma qui aurait dû pouvoir en profiter elle aussi. Après tout, elle avait tout autant travaillé que lui à l'acquisition de cette terre immense.

Mais aurait-elle su en profiter? Aurait-elle voulu utiliser agréablement le petit surplus dont il disposait depuis quelques années?

Matthieu l'ignorait.

S'il pouvait affirmer qu'il était aujourd'hui un homme heureux, heureux comme jamais il n'aurait pensé le devenir, toutes ces questions concernant Emma continueraient de le hanter jusqu'à la fin de sa vie.

Dans sa dernière lettre, Emma avait soulevé tellement d'incertitudes et tant d'interrogations...

Heureusement, il y avait Prudence. Avec elle, Matthieu oubliait tout. Avec elle, il avait appris à savourer le moment présent et, aujourd'hui, il pouvait dire qu'il aimait Prudence autant qu'il avait aimé Emma jadis, même si ce qu'il ressentait pour sa seconde femme le surprenait encore parfois. Même si la vie avec sa seconde femme était nettement différente de celle qu'il avait vécue durant près de vingt ans avec Emma.

Et cette différence importante allait jusqu'à ce qu'il accepte, presque de bonne grâce, de donner une soirée sous son toit.

Matthieu ébaucha un sourire moqueur avant de froncer les sourcils sur cette réflexion qu'il voulait mener à terme, pressentant que c'était important pour lui.

Pourquoi avait-il changé à ce point et où donc se jouait le contraste entre Prudence et Emma ? Dans leur attitude à elles ou plutôt dans son attitude personnelle ?

Cela aussi Matthieu l'ignorait.

Chose certaine, toutes les hantises ressenties avec Emma, cette peur maladive de la perdre, de la voir préférer un autre homme, avaient complètement disparu.

Comme si cette jalousie dévorante, si profonde, et qui le rongeait de l'intérieur, source de douleur intolérable jusqu'à le rendre parfois violent, avait été enterrée avec Emma.

Pourquoi ? Pourquoi Emma et pas Prudence ?

S'il y avait sur terre une femme dont il aurait pu se montrer jaloux, c'était bien Prudence.

Prudence et son insolence, son impudence, sa hardiesse, à faire perdre la tête à bien des hommes.

Prudence et son franc-parler, son indépendance, sa

générosité devant une famille qui, au départ, n'était pas la sienne.

Prudence et sa chaleur, son corps offert sans pudeur, ses seins généreux, son impudicité qui l'allumait comme une bougie.

Prudence et sa sensualité, son envie de lui et du plaisir qu'il lui donnait. Matthieu n'inventait rien, c'est Prudence elle-même qui le lui avait soufflé à l'oreille dans un moment particulièrement torride.

À ce souvenir, Matthieu sentit la rougeur de la gêne se mêler à celle du froid qui piquait ses joues.

Oui, pourquoi ne sentait-il pas la morsure de la jalousie quand il pensait à Prudence alors que tout aurait dû le mener à ça ?

Matthieu détourna les yeux vers la maison. Les lampes étaient encore allumées dans la cuisine même si le petit matin était maintenant levé. Sans difficulté, il imagina Gilberte et Prudence, affairées devant la table. À peine l'aube levée, elles avaient déjà commencé à cuisiner.

Devant toutes les victuailles qui attendaient d'être apprêtées, Matthieu avait ouvert tout grand les yeux en entrant dans la cuisine.

— Ben voyons donc ! C'est quoi tout ça, à matin ? On est-tu obligés de nourrir tout le monde en plus de les accueillir chez nous ?

— Non, on n'est pas vraiment obligés… Ça dépend juste de toi… Veux-tu passer pour un grippe-sou ? Veux-tu qu'on dise que les Bouchard du troisième rang, c'est juste une bande de mal élevés ?

Ça aussi c'était Prudence, que de répondre du tac au tac. En riant la plupart du temps!

C'est au moment où Matthieu avait compris qu'il n'aurait pas le dernier mot, et curieusement, avec elle, ça ne le dérangeait pas du tout de ne pas l'avoir, c'est donc à ce moment-là qu'au lieu de répondre, il avait mis son manteau, sa tuque et ses mitaines, annonçant qu'il partait pour l'étable.

L'envie de faire le point l'avait arrêté à mi-chemin.

L'envie de comprendre ce qui avait tant changé en lui et autour de lui le retenait encore à mi-chemin malgré le froid intense.

Il en était là, à souffler sur ses mitaines pour réchauffer ses mains, réfléchissant sur sa vie sans arriver à apporter de réponse à toutes ses interrogations.

Un long frisson secoua tout son corps.

Quand Matthieu allait se retourner pour se diriger vers l'étable, Prudence passa devant la fenêtre. Elle avait dû apercevoir son mari du coin de l'œil, car l'instant d'après, la porte de la cuisine s'entrouvrait.

Un nuage de vapeur sortit aussitôt de la maison tandis que, d'une main en porte-voix, Prudence le relançait.

— Mais qu'est-ce que tu fais là, toi?

— Je réfléchis!

— Ah oui? Eh ben... Drôle de temps pis de moment pour réfléchir. Je ne sais pas si tu l'as remarqué, mais il fait froid ce matin. Très froid. Si tu restes planté dans la cour plus longtemps, tu vas virer en glaçon, mon homme! Pis moi, vois-tu, je tiens trop à mon mari pour être obligée d'attendre jusqu'au printemps pour qu'il dégèle !

Et sur un éclat de rire, Prudence referma la porte.

Matthieu sourit alors à tous ses questionnements qui venaient de trouver leur réponse.

Avec Prudence, il se sentait aimé et désiré. Pas besoin de chercher plus loin. C'était bien suffisant pour être de meilleure humeur, bien assez pour ne plus jamais penser qu'un jour il avait voulu être curé. Avec Prudence dans sa vie, Matthieu Bouchard n'avait rien à prouver à personne ni rien à craindre de qui que ce soit.

Sur ce, il se tourna vers l'étable et il accéléra le pas pour se mettre enfin à l'abri de la morsure du froid.

Dès qu'il entra dans le bâtiment, il comprit que Marius l'avait précédé. Les bouses avaient déjà été ramassées, et il entendait son fils fourrager dans le foin pour préparer la litière des animaux.

Curieux ! D'habitude, le samedi matin, Marius restait au lit avec sa belle Hortense, ce qu'aujourd'hui Matthieu pouvait comprendre.

Depuis son mariage, Marius était peut-être un peu moins disponible, certaines grasses matinées en faisaient foi, mais il compensait le manque de temps par son ardeur à travailler.

— Je veux garder notre ferme en bonne condition, ça c'est ben certain, mais je veux aussi garder mon mariage en bonne condition.

Matthieu n'avait pu faire autrement qu'approuver.

— Ça a plein d'allure ce que tu dis là, mon gars ! Pis

comme je te connais, tu devrais arriver à faire les deux.

— Comme de raison! C'est ben ce que j'avais dit à Hortense, l'autre matin : vous alliez comprendre.

Quelques années auparavant, jamais Marius n'aurait osé parler sur ce ton à son père, comme il l'avait fait peu de temps après son mariage. Chez les Bouchard, on travaillait de l'aube au crépuscule, sept jours par semaine, sans rouspéter. Le seul répit était la messe du dimanche. Peu importe l'âge, tout un chacun se devait d'y assister en famille.

Avec l'arrivée de Prudence, la routine avait changé. On prenait le temps de vivre, on se permettait de rire, et même son père avait baissé le ton et appris à sourire parfois. C'est pourquoi, sachant que son épouse devrait habiter sous le même toit que la famille Bouchard, après de très longues fréquentations, Marius s'était finalement décidé à parler de mariage avec la belle Hortense.

— À proche trente ans, c'est le temps que je me case, avait-il déclaré à sa famille, un soir au souper, après que sa fiancée eut accepté sa demande en mariage.

— J'espère bien que tu ne répéteras pas ça devant Hortense, mon pauvre Marius, avait souligné Prudence. Quelle détestable expression : se caser! Des plans pour que ta promise se sauve en courant!

— Pourquoi? Elle aussi, elle pense comme moi. Trente ans, c'est plus que le temps de se marier et de commencer la famille!

Fin juin, Hortense et Marius avaient donc échangé leurs promesses de fidélité et d'amour devant le curé

Bédard qui avait béni, avec émotion, avait-il souligné, cette union qu'il qualifiait de raisonnable.

— De longues fréquentations ne peuvent mener qu'à un mariage heureux! Ce que je vous souhaite de tout cœur en compagnie d'une belle grande famille comme nos Canadiens français savent si bien le faire!

À ces mots, Prudence avait réprimé un petit sourire moqueur. Matthieu et elle ne s'étaient fréquentés qu'une dizaine d'heures, en tout et partout. Et ça ne les empêchait pas d'être heureux!

Et ce bonheur d'être ensemble ruisselait sur toute la famille, comme en ce moment où, les deux mains dans la farine, Gilberte fredonnait en roulant la pâte qui servirait à confectionner de petites tourtières.

— Quatre douzaines, pensez-vous que ça va être suffisant, Prudence?

— Ça devrait. En fin de soirée, c'est pas tout le monde qui mange du lard…

De son côté, Prudence mesurait soigneusement le sucre et tamisait la farine pour la pâtisserie.

— On va faire plus de sandwiches, par exemple. Ça, tout le monde aime ça… Aux œufs parce que les poules ont pondu plus que d'habitude. Pis au jambon. À ce temps-ci de l'année, c'est pas mal tout ce qui nous reste en fait de viande, à part le poulet, comme de raison. Mais lui, on va le mettre dans la salade. Mamie m'a donné un peu d'argent pour acheter un pied de céleri pis deux cannes de p'tits pois. Avec des oignons hachés bien fin pis une couple de carottes râpées, ça devrait être bon. Plus une salade de patates avec la bonne mayonnaise de Mamie, pis des p'tits gâteaux au beurre, on devrait arriver à nourrir tout notre monde.

— C'est pire qu'un souper de Noël, lança Gilberte en soufflant sur une mèche de cheveux qui s'entêtait à retomber devant ses yeux.

Le ton employé n'avait rien d'un reproche. Bien au contraire, Gilberte était toute joyeuse en faisant cette constatation. Prudence lui répondit sur le même ton.

— Allez, roule, ma Gilberte! On n'a pas juste ça à faire, aujourd'hui. Faut que le plancher reluise parce qu'à soir, chez les Bouchard, on va danser!

Danser!

Le sourire de Gilberte était radieux. Les rares fois où elle avait dansé, c'était dans la cour de récréation de l'école, en faisant la ronde avec quelques amies. Mais ça ne l'inquiétait pas. Tant pis si elle ne savait pas danser, ce soir, elle apprendrait tous les pas! Et, pour l'occasion, Mamie lui avait ajusté une jolie robe que Prudence ne porterait plus.

— C'est ben beau, la progéniture, pis je dis pas ça comme un reproche, mais je n'ai plus la taille que j'avais. Prends ma robe, Gilberte. Je le vois dans tes yeux qu'elle te fait envie!

Alors Mamie l'avait ajustée parce que Gilberte était moins grande et plus délicate que Prudence. Depuis, dans le secret de ses pensées, la jeune femme l'appelait sa robe à danser. Chaque soir, avant de se mettre au lit, elle en caressait le doux velours. Avec un tel vêtement sur le dos, nul doute qu'elle ferait tourner quelques têtes.

Ce qui ne manqua pas, quand la fête commença !

On était venus des quatre coins de la paroisse.

Ernest, un presque voisin et ancien compagnon de classe, s'était présenté à huit heures tapant.

Josaphat, le frère aîné de Germaine, l'épouse de son frère Gérard, était arrivé en compagnie de ses parents, pour faire bonne impression.

Et Jean-Paul, le beau-frère de sa sœur Marie, s'amusa à faire des blagues dès le seuil de la porte franchi.

Trois hommes endimanchés comme pour une déclaration et qui se regardaient en chiens de faïence !

Le but inavoué de cette soirée n'avait échappé à personne, sinon à Matthieu, qui, visiblement mal à l'aise, trônait dans un coin du salon, patriarche de cette grande famille qui était la sienne. Ses cheveux gris et sa barbe de quelques jours lui donnaient une belle prestance ! Étranger à son arrivée ici, sur la Côte-du-Sud, il constatait, surpris, qu'il avait un lien de parenté avec plusieurs de ceux et celles qui s'amusaient sous son toit.

À cette pensée, Matthieu bomba le torse.

Cependant, quand Prudence lui avait tendu la main pour l'inviter à danser, esquissant une petite révérence, il avait rougi comme un jouvenceau !

— Es-tu malade, toi ? avait-il marmonné tout en jetant des petits regards circonspects autour de lui, espérant que personne n'avait entendu la proposition de sa femme. Pas question, tu sauras, que j'aille faire un fou de moi devant toute la paroisse ! Va ! Vas-y toi, si ça te tente tant que ça. M'en vas me contenter de te regarder !

Engoncé dans son habit de noces qui tirait aux coutures, installé dans le coin le plus reculé du salon, Matthieu alignait donc pipées sur pipées. Pour une fois que Prudence tolérait l'odeur du tabac dans la maison, il n'allait surtout pas bouder son plaisir, d'autant plus qu'il continuait de faire un froid de canard à l'extérieur. Il passa donc la soirée à fumer, tout en se demandant ce que le curé penserait d'une telle veillée, partageant son temps entre l'observation des danseurs et l'échange de quelques banalités avec quelques-uns de ses voisins les plus proches.

Nul doute cependant que les musiciens savaient y faire !

Violon et harmonica se complétaient à merveille pour faire battre la mesure des pieds de ceux qui n'osaient s'élancer sur le plancher fraîchement verni. Même Mamie ne laissait pas sa place et profitait de ce qu'elle entendait très bien les notes pour taper du pied avec entrain en suivant la mesure.

Le goûter fut apprécié par tout le monde, y compris Matthieu, et minuit avait sonné depuis longtemps quand le dernier invité passa la porte, en la personne d'Ernest qui trouva mille et un prétextes pour retarder son départ.

— On se reparle, mademoiselle Gilberte !

— Bien sûr ! On se dira bonjour demain… ou plutôt tout à l'heure à la sortie de la grand-messe !

Ernest posa un regard interloqué sur Gilberte. Se moquait-elle de lui ou avait-elle parlé sérieusement ?

Il n'eut toutefois pas le temps de pousser plus loin,

car Gilberte refermait déjà la porte sur un « Ouf » bien senti.

Un seul mot et Gilberte avait résumé ce que les femmes restées à la cuisine ressentaient.

— Apprendre à danser, ça épuise, lança-t-elle avec encore suffisamment d'entrain pour que l'on puisse mettre en doute ses derniers mots.

— Bien d'accord avec toi !

Venue d'aussi loin que Neigette, près de Rimouski, où elle avait obtenu un poste d'enseignante à l'école du rang, Clotilde ne repartirait que le lendemain, par le train de midi. On lui avait accordé la permission de s'absenter pour qu'elle puisse rendre visite à sa sœur jumelle qui venait enfin de donner naissance à son premier enfant. Mais comme elle avait parlé avec enthousiasme de son nouveau travail, aucun des célibataires présents à la veillée n'avait perdu son temps à tenter de la courtiser. Quand on était « maîtresse d'école », on n'avait pas le droit de se marier ! Mais ça n'avait pas empêché la belle Clotilde de se démener sur le plancher de danse et elle avait les pieds en feu, tout comme Gilberte qui était en train de retirer ses souliers. Quant à Prudence, après avoir poussé un soupir de découragement devant la pagaille qui régnait dans la cuisine, elle se laissa tomber sur une chaise.

— Pis, Gilberte ? Est-ce que ça a été une belle soirée, notre soirée ?

— Et comment... Je savais pas que notre voisin Barnabé Lacroix jouait aussi bien du violon !

— Comment est-ce que tu aurais pu le savoir, ma

pauvre Gilberte ? intervint Clotilde en se frictionnant les pieds. Notre père a jamais voulu qu'on aille aux fêtes organisées par les voisins. Pis encore moins en organiser une chez nous !

— C'est vrai…

À son tour, Gilberte jeta un regard autour d'elle.

— Ouache ! On a du ménage à faire… Enfin, Prudence et moi. Toi, Clotilde, t'es devenue comme une sorte de visite !

— M'en vas t'en faire, moi, de la visite ! Tant que je serai pas mariée, pis c'est pas demain la veille, ici, c'est chez nous au même titre que toi !

— Mais pas question de se lancer dans le ménage en pleine nuit ! Au lit tout le monde ! On verra à ça demain matin… Mais avant !

Prudence baissa le ton et, avec une mine de conspiratrice, elle demanda :

— Pis, les filles ? Y avait-il dans cette foule de beaux jeunes hommes, un ou deux prospects intéressants ?

Clotilde et Gilberte échangèrent un regard amusé.

— Mettons que je me sentais pas vraiment concernée, avoua Clotilde, après avoir longuement bâillé. J'ai un bon emploi et je n'ai pas du tout l'intention de le quitter !

— Quant à moi, je ne sais pas si c'est l'âge, mais me semble que je suis plus difficile que je l'étais plus jeune ! À quinze ans, tous les beaux garçons de la paroisse m'intéressaient, tandis que maintenant…

— Viens pas me dire que t'es restée insensible aux beaux yeux doux d'Ernest !

— Hé… Trop grand, le beau Ernest. J'ai pas envie de passer le reste de ma vie le cou tordu pour apercevoir ses yeux doux, justement !

— Pis Josaphat, lui ? Pas trop grand, pas trop petit…

— Mais définitivement trop vieux garçon, trancha Gilberte tandis que Clotilde pouffait de rire. Chaque fois qu'il a essayé d'engager la conversation, c'était pour me parler de sa mère !

— Jean-Paul, d'abord ! Tu ne peux pas dire qu'il est ennuyant ! Il n'a pas arrêté de faire des blagues !

— Justement… J'aimerais bien que mon futur mari soye un peu plus calme, un peu plus sérieux. Le pauvre Jean-Paul, il faisait des blagues que souvent il était seul à rire, tellement c'était pas drôle !

— Donc, t'es en train de me dire qu'on a organisé tout ça pour rien ?

— Côté cœur, peut-être. Disons que c'est pas demain que j'vas annoncer mes fiançailles, mais sait-on jamais ce qui peut arriver ! Par contre, je me suis bien amusée. En fait, je pense que tout le monde s'est amusé, pis dans le fond, c'est ça l'important. Durant le carême qui commence bientôt, ça va nous faire de beaux souvenirs pour oublier le jeûne que le curé va nous conseiller de faire, comme d'habitude. Pis j'ai longtemps parlé avec Marie, pendant qu'on mettait la table. Elle m'a dit qu'elle attendait un autre bébé pour l'été.

— Encore ? Coudonc, elle est comme maman, elle !

— Ça, Clotilde, ça te regarde pas.

Prudence s'était glissée dans la conversation, avec dans la voix un peu de sévérité mélangée à la fatigue.

— C'est ce que j'ai répondu à Marie quand elle m'a dit qu'elle était un peu gênée d'en parler, renchérit Gilberte. Parce que ça va faire cinq enfants en six ans, il y en a d'aucuns qui se gênent pas pour faire des blagues un peu méchantes sur le sujet. Si Marie est contente d'attendre un autre enfant, ça la regarde. Tout ça pour dire qu'elle m'a demandé si j'accepterais d'aller passer les prochains mois chez elle pour y donner un coup de main parce que ça lui tente pas trop d'avoir encore une fois sa belle-mère en train de tout régenter chez elle. Ça fait que j'ai dit oui. Si ça vous dérange pas trop, Prudence, comme de raison !

— Pantoute, ma belle. C'est sûr que j'vas m'ennuyer, je ne peux pas dire le contraire, mais pour l'ordinaire de la maison, avec Mamie qui est encore en forme, ça devrait aller.

Puis au bout d'un petit silence, Prudence ajouta :

— Chanceuse !

— Comment ça, chanceuse ?

— Parce que tu vas aller vivre au village. C'est plein d'agréments, vivre dans un village. C'est un peu comme vivre en ville avec toutes les commodités pas trop loin. Pis regarde bien ça si c'est pas là que tu vas nous rencontrer un beau jeune homme… Pis en plus, ton beau-frère est le fils de Baptiste !

— Baptiste ? Le marchand général ? Qu'est-ce que ça donne, ça, dans le fait que je suis chanceuse ?

— T'as jamais pensé que d'être le fils du marchand général, pis de travailler avec son père, ça peut donner certains petits avantages ? Comme d'avoir du cannage à pas trop cher, ou du nanane à la cenne tant que t'en veux!

— C'est bien que trop vrai...

Malgré la fatigue, une étincelle s'alluma dans le regard de Gilberte.

— Craignez pas, Prudence: si c'est le cas, m'en vas venir vous en porter, des nananes. Des bonbons clairs pis des pastilles au miel. Pis des cannes de poires, aussi! Dans le sirop, parce que je sais que vous aimez ça ben gros. Pour astheure, par exemple, si on est pour faire le ménage juste demain matin, moi, je monte me coucher. Tu viens, Clotilde? Toi avec, t'as l'air de dormir debout! Quelques heures de sommeil nous feront pas de tort avant d'attaquer le désordre! Bonne nuit, Prudence. On se revoit au déjeuner.

Sur ces derniers mots, prononcés en bâillant, Gilberte se dirigea vers la porte, précédée par Clotilde qui se traînait les pieds. Cependant, au moment où Gilberte allait suivre sa sœur dans le corridor menant à l'escalier, elle s'arrêta brusquement et se retourna. Prudence était toujours assise devant la table débordant d'assiettes sales et de couverts tout collants. Un sourire ému éclaira le visage de Gilberte.

— Prudence?

L'interpellée leva les yeux.

— Oui, ma belle?

— Je voulais juste vous dire merci. C'est grâce à vous si je viens de passer la plus belle journée de ma vie.

— Ben voyons donc!

— Oui, oui, j'insiste! Ça a été une belle journée pis

une fameuse de belle veillée. Moi aussi, j'vas m'ennuyer de vous quand j'vas être chez Marie ! Ben gros... Je... J'veux juste vous dire que j'aurais pas pu souhaiter mieux comme deuxième maman... Bonne nuit, Prudence !

Tandis que Prudence essuyait discrètement les larmes d'émotion que Gilberte avait suscitées, parce que subitement cela lui avait semblé important de le faire, de l'autre côté du fleuve gelé, trop excitée pour dormir plus longtemps, Victoire, elle, se levait sur la pointe des pieds.

Hier, quand Béatrice était montée se coucher, Albert avait sorti la vieille boîte à chapeau qui traînait au fond du garde-robe de leur chambre et il l'avait descendue à la cuisine. Une boîte noire, en carton mat, sans artifice, que Victoire avait déplacée et dépoussiérée au fil des années sans jamais l'ouvrir, se disant qu'elle devait contenir un haut-de-forme démodé appartenant à son mari, qui l'avait probablement porté lors de son premier mariage, alors qu'il était encore un beau jeune homme.

Albert avait donc déposé la boîte en plein centre de la table, un sourire amusé sur les lèvres.

— Tu t'es jamais demandé ce que contenait cette boîte ?

Victoire avait levé les yeux vers son mari, resté debout à côté de la table, et elle avait haussé une épaule indifférente.

— Un chapeau, non ?

— Non, justement, c'est pas un chapeau !

Albert avait une étincelle toute juvénile dans le regard et il semblait beaucoup s'amuser.

— M'as-tu déjà vu porter un chapeau, toi ? À part mon casque de poil pour l'hiver, bien entendu, j'ai jamais porté de chapeau... Veux-tu que je te dise, Victoire ? Je suis pas mal surprise que t'ayes pas déjà ouvert cette boîte-là. Depuis le temps que tu la trimbales d'un garde-robe à l'autre, pis d'une tablette à l'autre !

— Pourquoi j'aurais fait ça ? Je te fais confiance, mon mari.

— Merci ben... Ça me fait plaisir d'entendre ça. Mais astheure que j'en aurai plus besoin, rapport que la forge est vendue et que l'Irlandais m'en donne un bon prix·à tous les mois, on va l'ouvrir ensemble !

— Veux-tu bien me dire, toi... C'est quoi cette manie-là, tout d'un coup, de parler en paraboles, comme dirait ma mère ? Ça te ressemble pas, Albert, pis ça m'inquiète.

— Ben, tu t'inquiètes pour rien, ma belle Victoire. Tu devrais plutôt te réjouir. Depuis le temps que t'en parles !

Albert avait ouvert la boîte dans un geste un peu théâtral, sous le regard curieux de Victoire qui avait senti littéralement ses yeux s'agrandir quand elle avait découvert une véritable fortune, en pièces et en piastres, remisées pêle-mêle dans la boîte à chapeau.

— Mais qu'est-ce que c'est que ça ?

Le regard interrogateur de Victoire s'était alors promené de son mari à la boîte et de la boîte à son mari.

— T'as dévalisé une banque ou quoi ?

— J'ai travaillé, ma femme.

Le vieil homme avait bombé le torse, visiblement heureux et très fier de la situation.

— Ça, comme tu dis, avait-il expliqué en montrant l'argent, c'est toute une vie de travail. La vie d'un honnête homme. Dès que j'avais un peu de surplus, c'est là que je le mettais. Les banques, c'est peut-être ben utile pour le monde de la ville, mais moi, je trouvais que c'était trop loin d'ici… Ça fait que j'ai pilé dans ma boîte, pis c'est là-dedans que je pigeais quand on avait besoin d'un peu d'argent… Mais astheure que la forge est vendue…

D'un geste de la main, Albert poussa la boîte jusque devant Victoire.

— Astheure que la forge est vendue, avait-il répété, l'argent est à toi. Ça fait des années que tu parles d'agrandir ta cuisine pour avoir un deuxième poêle, ben c'est le temps de prendre ça au sérieux. Là-dedans, m'est avis que t'as tout ce qu'il faut pour agrandir la maison. Toute la maison, si tu veux !

— Ben voyons donc… C'est ben que trop.

Du bout de l'index, Victoire avait fait tinter les pièces.

— Je le sais pas si c'est trop, mais je pense que c'est assez, par exemple, pour faire la rallonge que tu parles depuis ben des années, avait ajouté Albert. Pis que c'est assez aussi pour acheter un poêle à deux ponts… Le reste, si y en reste, t'en feras ben ce que tu voudras. À mon tour de dire que je te fais confiance pour ben employer l'argent qui pourrait rester.

— Pourquoi Albert ?

Brusquement, Victoire s'était affolée. Elle n'aimait pas la tournure que prenait la conversation. Pourquoi Albert ne voulait-il pas garder le contrôle de cette petite fortune ?

— Cet argent-là, il est à toi ! avait-elle affirmé, catégorique, en repoussant la boîte.

— Non, non… L'argent de la boîte, il est à nous deux. Toi avec, t'as travaillé fort, Victoire. C'est un peu grâce à toi si j'ai pu en mettre autant de côté… Un dans l'autre, on a fait un bon « team », toi pis moi.

— Parle pas de même, Albert ! Parle pas au passé, bonne sainte Anne ! Tu le sais que ça me fait peur.

— Pourquoi ?

De sa main tavelée, Albert avait tapoté celle de Victoire, encore ferme et jeune.

— Pour moi le travail, c'est du passé, Victoire. Faut savoir accepter les choses comme elles sont. On en a déjà parlé ensemble : la vieillesse, ça fait partie de la vie. Veux, veux pas, je suis vieux, Victoire. De toute façon, pour astheure, la forge est vendue, l'aurais-tu oublié ?

En moins de quinze minutes, cela faisait quatre fois qu'Albert avait souligné que la forge était vendue, et Victoire avait compris que le regret était immense. Albert était soulagé, soit, et il l'avait dit à maintes reprises, d'autant plus que c'était l'Irlandais qui avait pris la relève, mais il regrettait que la vie ait passé si vite. Victoire connaissait suffisamment bien son mari pour comprendre ce qu'il ressentait intimement.

Insister n'aurait fait que le peiner inutilement.

— D'accord, c'est peut-être toi qui as raison, avait-elle enfin admis. Et puis c'est vrai que j'ai travaillé moi aussi... Tout ce qu'il me reste à dire, Albert, c'est merci, avait-elle alors déclaré. Merci ben gros... C'est vrai qu'une cuisine plus grande...

Au fur et à mesure qu'elle parlait, le ton de Victoire s'était fait plus évasif, alors qu'elle examinait la pièce, les yeux brillants de convoitise, imaginant sans peine la quantité de tartes, gâteaux et autres pâtisseries qu'elle pourrait ainsi cuisiner. Depuis l'ouverture du Manoir Richelieu, en plus de l'auberge du village et de plusieurs autres, disséminées le long de la côte, elle ne fournissait plus !

— Ouais, ça va m'être bien utile une cuisine plus grande. Merci encore, Albert ! C'est le plus beau cadeau que tu m'auras fait. Pis Dieu sait que tu m'en as fait, des cadeaux !

— Pis toi, t'as été le plus beau cadeau que la vie pouvait me faire !

La soirée s'était terminée dans les murmures amoureux et les souvenirs partagés à deux.

C'est pourquoi, ce matin, Victoire n'arrivait plus à dormir. Le chant du coq, même assourdi par les fenêtres hermétiquement closes, avait suffi à la tirer du sommeil. Le souvenir de la soirée de la veille lui avait fait débattre le cœur. Elle avait alors repoussé délicatement les couvertures et elle était descendue à la cuisine sur le bout des pieds.

Le plancher de la cuisine était glacial. La fournaise

devait encore une fois s'être arrêtée au beau milieu de la nuit, étouffée par l'accumulation du mâchefer. En attendant qu'Albert s'en occupe, Victoire attisa le feu sous les ronds de fonte du poêle, parce qu'il faisait aussi froid de ce côté-ci du fleuve que sur l'autre rive, et elle ajouta quelques bûches. Dès la première flamme digne de ce nom, elle mit de l'eau à chauffer. Puis, Victoire sortit d'un tiroir le vieux cahier un peu collant qui lui servait à noter certaines recettes particulièrement bien réussies, et elle le plaça sur la table. Quand l'eau se mit à bouillir, elle déposa une bonne cuillerée de feuilles de thé dans sa théière en porcelaine et versa l'eau bouillante dessus. Puis elle s'installa au bout de la table, là où la lampe dessinait un grand halo, et, armée d'une règle et d'un crayon, elle s'amusa à dessiner les plans de sa cuisine de rêve sur la dernière page de son cahier, tout en sirotant son thé.

Ce serait une rallonge vers l'arrière, tout à côté des latrines qu'Albert avait installées, il y avait de cela de nombreuses années.

— Ça va rapetisser le potager, mais c'est pas grave, murmura Victoire, en examinant attentivement son dessin. J'ai pas mal plus besoin d'un deuxième poêle et d'un long comptoir que d'un tas de légumes qui finissent toujours par se faner parce qu'on est pas assez nombreux pour les manger au complet. D'autant plus que je n'aurai plus à fournir ma vieille mère, c'est James pis Lysbeth qui veulent s'en occuper à partir de l'été.

L'été dernier, quand James avait offert à Albert d'acheter la forge, les choses s'étaient précipitées !

— C'est que ce n'est pas tout, ça, la forge... Il va falloir se trouver une maison car je veux que Lysbeth nous rejoigne le plus rapidement possible. Selon Lionel, c'est faisable. Avec un peu de bonne volonté, on va y arriver.

— Et moi, j'ai peut-être une solution. Donnez-moi une petite journée et on en reparle.

La solution, c'était l'immense maison d'Ernestine, veuve depuis plusieurs années, et qui n'arrivait plus à l'entretenir toute seule.

— Une femme malade, tu dis ? Comment malade ?

Sourcils froncés, Ernestine fixait sa fille d'un œil incertain.

— Ça serait-tu dangereux pour moi, cette maladie-là ? J'ai beau être vieille, j'veux pas mourir tout de suite.

— Qui te parle de mourir ? Selon le docteur Lionel, ça devrait aller. Pourvu qu'on fasse attention à la propreté... Mais il a dit qu'il viendrait tout t'expliquer.

À ces mots, Ernestine avait regardé sa fille avec un vague sourire sur les lèvres.

— Si c'est le beau docteur qui le dit, c'est que ça doit être vrai ! Pis ça me ferait de la compagnie... Depuis que ton frère Jean-Marie a décidé d'aller travailler en ville, je te dis que c'est grand en ti-péché, ici !

Tout en parlant, Ernestine hochait la tête et regardait autour d'elle. Puis elle s'était arrêtée brusquement et elle avait soupiré longuement avant de revenir à sa fille pour demander :

— Une femme malade, t'as dit ?

— Oui, maman.

Avec l'âge, la mémoire d'Ernestine n'était plus très fiable. Alors Victoire avait repris avec une patience infinie, se disant que la présence de James et de sa famille serait une sécurité pour Ernestine.

— Mais le docteur a dit que...

— J'ai tout compris! Chus pas sourde, ma fille... Le docteur a dit que c'était pas dangereux en autant qu'on fasse attention à la propreté... Je m'en rappelle, astheure! Comme j'ai toujours été propre de ma personne, on devrait arriver à s'entendre.

Le lendemain, Victoire présentait James à sa mère, en compagnie de Lionel, venu expressément pour rassurer la vieille dame. Le surlendemain, James repartait pour Montréal, avec un arrêt au sanatorium pour consulter Lysbeth quant à la vente de leur maison et demander à son médecin traitant d'écrire à Lionel.

Au début d'octobre, James s'installait à la Pointe et, le mois suivant, Lysbeth venait le rejoindre.

— La ville va me manquer, avait avoué James lors de son arrivée. La ville et mes amis... Mais mon fils me manquait encore plus et Lysbeth aussi. Alors tout est pour le mieux...

Mais le plus heureux dans toute cette histoire avait été Albert. Du coup, il avait semblé rajeunir de quelques années.

— Enfin! Me semblait aussi que ça se pouvait pas que les forges disparaissent comme ça. C'est ben beau les chars automobiles, mais c'est pas demain la veille que ces engins-là vont remplacer les chevaux... Voyons donc!

Victoire esquissa un sourire au souvenir de ce beau matin d'automne où Albert avait rallumé le feu de la forge.

— Un gamin, oui, murmura-t-elle. Un vrai petit garçon qui venait de retrouver son jouet préféré.

Quand elle eut fini de boire son thé, Victoire s'amusa à faire tomber les dernières gouttes du liquide ambré dans la soucoupe et, prenant une mine de circonstance, celle d'une diseuse de bonne aventure comme sur les images que l'on voyait parfois dans les journaux, elle se mit à analyser les feuilles restées au fond de la tasse, ainsi qu'elle avait souvent vu sa mère, Ernestine, le faire avec ses amies.

— De la visite, murmura-t-elle. On dirait bien qu'on va avoir beaucoup de visite dans pas longtemps !

Puis elle émit un petit rire silencieux.

— C'est bien certain qu'on va finir par voir passer bien du monde par chez nous ! constata-t-elle à voix basse. Quand le printemps revient, on a toujours des tas de touristes qui viennent nous visiter ! Ils commencent à arriver en même temps que les oies !

— À qui tu parles, Victoire ?

Déjà habillé, mais les yeux encore bouffis de sommeil, Albert apparut dans l'embrasure de la porte. N'ayant plus aucune raison de continuer à marmonner à voix basse, Victoire éclata d'un rire bien franc.

— À personne ! Je ne parle à personne d'autre qu'à moi-même ! Je lisais mon avenir dans les feuilles de thé !

— Ah oui, l'avenir ? Eh ben... Et qu'est-ce qu'elles te disent, au juste, tes feuilles de thé ?

— Qu'on va avoir de la visite, Albert! Beaucoup de visite! J'ai vu plein de gens au fond de ma tasse. Comme un regroupement de personnes. À moins que ce soit une foule de touristes. Avec le printemps qui va arriver dans une couple de mois, ça serait possible.

— Ben amenez-en des touristes! Avec ta belle cuisine neuve, tu vas pouvoir fournir tous les hôtels de la région!

— J'espère bien!

Au même instant, l'horloge du salon sonna sept coups. Absorbée par son travail, Victoire avait perdu toute notion du temps. Elle esquissa une moue de surprise et leva les yeux vers son mari.

— Veux-tu bien me dire ce que tu fais debout aussi de bonne heure, un samedi matin?

— Comme ça... Sans toi dans le lit, j'avais froid. C'est probablement ce qui m'a réveillé.

— C'est vrai que la maison n'est plus très chaude. Problème de fournaise, je suppose! Est-ce que tu irais voir ce...

— Non! J'ai trop mal dans le dos pour me mettre à nettoyer la fournaise pis pelleter du charbon par après. M'en vas plutôt aller voir au feu dans la forge. Ça, c'est quelque chose que je peux encore faire... Le sacripant d'Irlandais! Il a appris trop vite. J'ai plus rien à faire, à part lui tenir compagnie. Mais si le feu est prêt, il va pouvoir prendre quelques minutes pour redémarrer la fournaise.

— Prends au moins le temps de manger un peu!

— Pas le temps! J'aimerais mieux passer par la forge

avant. Pendant ce temps-là, chauffe le poêle pis prépare-moi une bonne platée d'œufs brouillés avec des oignons. Me semble que ça serait bon avec un morceau de pain.

— Comme tu veux, mon homme.

— C'est tiguidou! Je passe à la forge pis je reviens. Donne-moi une dizaine de minutes.

Les minutes passèrent, puis la demi-heure.

— Veux-tu bien me dire... Mes œufs sont tout gris maintenant, se lamenta Victoire en brassant le contenu du poêlon avec le bout d'une fourchette. Ça ne sera pas mangeable... Pauvre Albert! Lui pis sa forge... Il ne changera bien jamais...

Cinq minutes plus tard, en colère devant son repas gâché, Victoire attrapa son manteau, enfila ses bottes par-dessus ses pantoufles, et, nouant une écharpe sur sa tête, elle se dirigea vers la forge.

Un beau panache de fumée montait bien droit au-dessus de la forge, faisant compétition au clocher de l'église en ce matin d'hiver glacial.

— Mais qu'est-ce qu'il attend pour venir manger, lui?

Victoire entra dans la forge en secouant bruyamment ses bottes sur le plancher pour faire entendre sa mauvaise humeur.

Il faisait suffisamment chaud dans la forge pour que Victoire ait le réflexe de laisser tomber son manteau derrière elle avant de se précipiter vers Albert, qui, couché sur le côté, semblait s'être endormi tout près du feu.

« Tout près de son feu », pensa Victoire, émue, sans trop savoir de quel côté penchait son humeur, maintenant.

Albert s'était-il vraiment rendormi ?

— Albert, t'es-tu fait mal ? Voyons, Albert, réponds-moi ! T'es-tu rendormi, coudonc ? Oh ! Tu as glissé et tu t'es fait mal, c'est ça ? Tu…

Dès qu'elle arriva à côté de son mari, Victoire se tut brusquement. Ce vieil homme qui aurait pu être son père mais qui avait été son amant, était mort. Le regard d'Albert, posé fixement sur les flammes, ne pouvait tromper.

Victoire se laissa tomber sur le sol, incapable de pleurer. Pourtant, le cœur lui faisait mal à crier.

Cette fois-ci, ce n'était plus un horrible cauchemar venu troubler son sommeil. La réalité de sa plus grande crainte venait de la rattraper. D'un geste très doux, Victoire ferma les yeux d'Albert. Le regard sans vie lui était intolérable. Puis elle prit son mari tout contre elle, l'entourant de ses bras, posant sa tête sur sa poitrine. Et là, lentement, amoureusement, au lieu de le pleurer comme elle aurait pu le faire, comme elle aurait peut-être dû le faire, Victoire se mit à le bercer comme elle aurait tant voulu bercer les enfants qu'elle n'avait pas su lui donner.

Ce fut ainsi que James trouva Victoire et Albert, dans les bras l'un de l'autre, malgré tout, comme ils l'avaient promis au matin de leurs noces.

Le soleil était en train de passer au-dessus du toit de l'église et une flèche de lumière traversa la forge jusqu'à eux quand, dans un nuage de vapeur, James ouvrit la porte pour attaquer une nouvelle journée d'ouvrage.

Il était évident que la journée serait encore glaciale.

CHAPITRE 10

Deux ans plus tard chez Lionel, à Pointe-à-la-Truite, en mai 1907

Durant la belle saison, le soir, Lionel mangeait rarement chez lui, mais quand il le faisait, il prenait le temps de siroter un thé dans son minuscule jardin. En effet, lors de son dernier anniversaire, la mère Catherine lui avait offert une de ses belles chaises blanches en bois peint. Elle avait choisi celle que Lionel avait adoptée quand il venait manger à l'auberge, et qu'il prenait un dernier café assis sur la longue galerie. Se confondant en remerciements, Lionel l'avait aussitôt transportée chez lui et il l'avait installée dans sa petite cour, près du rosier sauvage qui poussait en abondance sans le moindre entretien. Tant mieux, car Lionel détestait toujours autant jardiner et avoir de la terre sous les ongles. Ce dédain de la saleté avait pris racine dès son enfance et, à trente-trois ans, il n'avait nullement l'intention de changer ses habitudes à cet égard ! Par contre, il aimait bien se retirer au jardin enveloppé de l'odeur tenace des roses sauvages.

C'était là, de mai à octobre, que Lionel faisait ce qu'il appelait intérieurement son examen de conscience. Ce dernier était beaucoup plus exhaustif que celui, routinier, qu'il faisait à l'église à l'intention du curé. Ce rituel datait de trois ans, alors qu'il en avait senti le besoin au cours des jours suivant sa rencontre avec Gilberte.

En effet, depuis ce jour-là, quand Lionel revoyait en pensée les heures passées en compagnie de sa jeune sœur, il se sentait pitoyable.

Mais qu'est-ce qui lui avait pris de noircir sa relation avec Béatrice devant Gilberte ?

Intentionnellement, en plus !

Quand il y repensait, Lionel avait de la difficulté à se reconnaître. Ce n'était pas dans sa nature de se montrer mesquin, et pourtant, c'est ce qu'il avait fait en toute connaissance de cause et il ne le regrettait pas. D'où ce besoin irrépressible d'y revenir régulièrement pour essayer de comprendre. Il se disait que le jour où il ressentirait un véritable remords, peut-être bien qu'il serait prêt à entreprendre la traversée vers l'Anse-aux-Morilles pour s'excuser et remettre les pendules à l'heure.

Peut-être.

S'il faisait abstraction de son père…

Lionel soupira bruyamment comme devant une corvée pénible qu'il remettrait toujours à plus tard.

Pour lui, retourner à l'Anse, c'était, en premier lieu, se préparer à affronter son père, malgré tout ce que Gilberte avait pu lui en dire. En fait, Lionel ne croyait pas tellement à ce changement d'attitude. Un homme aussi buté que Matthieu Bouchard ne pouvait pas changer à ce point, même pour une femme, et si Lionel s'ennuyait de ses frères et sœurs, il ne regrettait aucunement ce père qui l'avait renié.

De plus, avant d'espérer se faire pardonner par Gilberte, il devrait commencer par admettre que, même si elle ne se montrait pas particulièrement curieuse à l'égard de cette famille qui était la sienne, Béatrice avait su l'accueillir avec affection le jour où il s'était présenté chez Victoire et Albert. Pourtant, devant Gilberte, Lionel avait prétendu le contraire. Pourquoi ? C'était là ce que Lionel essayait de trouver. Pourquoi, grands dieux ! avait-il menti ?

À part cette question qui le taraudait, Lionel était plutôt satisfait de la vie qu'il menait à la Pointe et il se plaisait à en faire le bilan régulièrement. D'une certaine façon, Pointe-à-la-Truite ressemblait à l'Anse-aux-Morilles, n'est-ce pas ? C'étaient deux petits villages cordés contre d'autres petits villages. Ainsi, le jour où il avait pris la décision de venir s'y installer, l'essentiel des intentions du médecin qu'il était devenu avait été préservé. Comme espéré durant les longues années d'études en médecine, Lionel Bouchard pourrait donc offrir ses services à ceux que la distance tenait éloignés des hôpitaux.

Et aux femmes vivant une maternité difficile. À ce sujet, il avait même certains projets que seul le temps qui manque l'empêchait de mettre en branle plus rapidement.

En attendant, il avait de quoi occuper ses journées. Toutes ses journées, d'un dimanche à l'autre! Bien entendu, le vieux docteur Gignac l'avait accueilli à bras ouverts, les gens de la paroisse en avaient fait tout autant et, à défaut d'avoir pu voir au bien-être des autres membres de sa famille, comme sa mère Emma le lui avait demandé dans sa dernière lettre, il s'était néanmoins occupé de celui de Béatrice qui était aussi sa jeune sœur, au même titre que les autres. Il ne fallait quand même pas le sous-estimer. Cependant, Lionel était suffisamment lucide pour admettre qu'Albert et Victoire avaient joué le rôle le plus important dans le fait qu'aujourd'hui, Béatrice soit devenue une jeune fille équilibrée et heureuse.

Albert et Victoire... Malgré le décès d'Albert, il lui était encore difficile de penser à eux en les dissociant.

Lionel n'oublierait jamais l'image de Victoire berçant son mari tout contre elle. Car c'est ainsi que, lui aussi, il avait trouvé le vieil homme quand James était venu frapper à sa porte pour lui demander de venir à la forge de toute urgence. À l'arrivée de Lionel, assise sur le plancher, d'un lent balancement régulier, Victoire berçait toujours son mari.

Malheureusement, Lionel n'avait pu que constater le décès.

— Je regrette, Victoire. Sincèrement.

C'est alors que celle-ci avait cessé de se balancer. Peut-être avait-elle eu besoin d'entendre ces quelques mots, de la bouche d'un médecin, pour accepter la réalité.

— Il n'y a rien à regretter, Lionel, avait-elle dit en se relevant. Hier encore, Albert me disait à quel point il avait été chanceux d'avoir eu une si bonne vie. Comme il ne m'a jamais menti, je sais qu'il est mort heureux. Ici, dans cette forge qu'il aimait tant, sachant la relève assurée, avait-elle ajouté en regardant tout autour d'elle. C'est ça l'important, tu ne crois pas ? Il n'a pas souffert d'une longue et pénible maladie comme plusieurs que j'ai connus. Comme mon père, tiens ! Alors j'en remercie le Ciel pour lui. Le reste, la douleur et les larmes, ça m'appartient. Je saurai bien y faire face… Maintenant, vous allez m'excuser, mais je dois parler à notre fille, d'abord et avant tout. Après, bien entendu, j'irai voir monsieur le curé au presbytère.

À ces mots, Lionel avait compris qu'il ne devait pas s'imposer, même s'il était le frère de Béatrice. Victoire venait de le signifier en parlant de la jeune fille comme de leur fille à Albert et elle. L'aide et l'accompagnement viendraient plus tard, après les funérailles, quand la foule des parents et des amis se retirerait et que la solitude se ferait lourde.

C'est ainsi, au fil des semaines et des mois, qu'une belle amitié était née entre Victoire et lui. De part et d'autre, ils comblaient ainsi le vide imposé par la vie, même si, dans le cas de Lionel, ce vide était sciemment voulu.

En effet, il y avait eu dans son existence un certain matin où, agenouillé devant la dépouille de sa mère, Lionel avait juré que jamais une femme ne perdrait la vie à cause de lui.

Quatorze ans plus tard, il continuait de respecter ce serment, aussi pénible, par moments, que pouvait être cette solitude. Tout comme la plupart des hommes de son entourage, Lionel était sensible aux charmes féminins, mais il s'interdisait d'y succomber.

Pourtant, elles étaient nombreuses à pérorer devant lui !

C'était à qui serait la plus intéressante, à qui porterait le parfum le plus suave, à qui les charmes seraient plus ou moins ouvertement offerts. Veuves et célibataires, jeunes ou plus âgées, même celles qui, dans un souffle, le rouge aux joues, osaient avouer être mal mariées, toutes, chacune à sa façon, tentaient de gagner le cœur du jeune médecin libre comme l'air.

Malgré tout, Lionel tenait bon. Il jouait les indifférents comme s'il ne voyait pas leurs petits manèges, n'entendait pas leurs confessions, n'appréciait pas leurs petites douceurs, tel le sucre à la crème que la jeune Marguerite Tremblay s'entêtait à lui apporter régulièrement. Assez régulièrement, d'ailleurs, pour que Lionel se promette de lui parler.

— Ça ne peut plus durer, se disait-il chaque fois qu'elle quittait son bureau ou sa cuisine. Je vois bien que je lui plais, et elle est bien attirante, cette jeune Marguerite, mais je ne peux pas...

De toute façon, où aurait-il pris le temps de s'occuper d'une épouse ? Le travail prenait toute son énergie ! Quant à la famille qu'il aurait pu avoir, il n'en parlait même pas, puisqu'il n'en voulait pas, même s'il adorait les enfants. Comme il le disait parfois à James en riant : des petits Johnny Boy, il en aurait pris treize à la douzaine !

— Mais je n'aurais pas vraiment le temps de m'en occuper. Alors…

Le temps ! Manquer de temps, gagner du temps, ménager son temps… C'était devenu le leitmotiv de Lionel et il l'accommodait à toutes les sauces.

— Ben voyons donc ! rétorquait invariablement James quand ils abordaient le sujet. Si tu le voulais vraiment, tu saurais t'organiser !

Au souvenir de cette conversation maintes fois renouvelée avec celui qui était devenu un ami sincère, Lionel esquissa un sourire amer, sachant pertinemment que James avait raison.

Finalement, il préférait voir son métier comme un sacerdoce, une vocation qui avalait tout son temps et ses forces. Ça éloignait ainsi toutes les tentations et c'était là un langage que son père aurait compris, lui qui avait rêvé de devenir curé.

Pour lui aussi, Lionel gardait un long moment de réflexion quand il se retrouvait seul au jardin, comme ce soir.

Lionel n'aurait pu faire autrement car, bien malgré lui, le nom de Matthieu Bouchard s'imposait souvent. Qu'il le veuille ou non, cet homme avait tenu une place déterminante dans sa vie et Lionel ne pourrait jamais en faire abstraction. C'était son père qui, le premier, avait fait miroiter les possibilités de l'instruction, et c'était à cause de lui si, un jour, Lionel avait dû s'expatrier loin de son village, de sa famille. Une famille qui continuait de lui manquer terriblement, même si, en apparence, il avait vécu en parallèle sans vraiment s'y mêler. Aujourd'hui, ce qu'il en savait, c'était uniquement ce qu'il glanait au fil des conversations entendues ici et là.

Aux dernières nouvelles, Gilberte n'était toujours pas mariée et s'en désolait. Par contre, si Clotilde, elle aussi, était encore célibataire, elle se plaisait à vivre et à enseigner à l'école de rang de Neigette. Elle ne parlait pas d'en changer. Quant aux autres, nombreux, Lionel ne savait rien de leur vie.

Les neveux, les nièces, les beaux-frères, les belles-sœurs... C'était le néant.

— C'est peut-être pour ça que j'ai voulu garder Béatrice juste pour moi. Ma famille, c'est elle, et je n'ai pas envie de la partager, murmura Lionel en esquissant une grimace parce que la dernière gorgée de son thé était froide. La façon de le faire savoir manquait peut-être d'élégance, mais c'était ainsi.

Avec un sourire nostalgique, Lionel ajouta:

— Comme aurait dit Mamie: « C'est ça qui est ça! »

Elle au moins, il se doutait bien qu'elle était toujours vivante. Une nouvelle comme celle de son décès aurait sûrement traversé le fleuve sur l'une ou l'autre des goélettes faisant la navette entre les deux rives! En effet, depuis que sa grand-mère Georgette et Mamie avaient sympathisé, le nom de cette dernière se retrouvait souvent mêlé aux conversations.

C'était donc ainsi que Lionel passait ses soirées de célibataire quand il décidait de rester chez lui au lieu de se présenter à la salle à manger de la mère Catherine qui, malgré son grand âge, continuait de tenir bon derrière le comptoir d'accueil de l'auberge.

— C'est ainsi que je veux mourir, mon cher docteur! Avec le sourire aux lèvres pour accueillir un touriste!

Lionel esquissa un autre sourire. La mère Catherine aurait pu sûrement, elle aussi, développer quelques affinités avec Mamie, si les deux femmes avaient eu l'occasion de se rencontrer. C'était peut-être ce qui l'avait d'abord attiré à l'auberge: cette ressemblance entre les deux vieilles dames. La succulence des repas l'avait cependant rapidement conforté dans sa décision.

N'empêche que, cette année, les soirées en tête à tête avec lui-même seraient nettement plus nombreuses, puisque la jeune Marguerite travaillerait à la salle à manger de l'auberge. C'est la mère Catherine elle-même qui le lui avait annoncé la veille, au souper.

— Vous savez, la jeune Marguerite? La fille à Clovis pis Alexandrine Tremblay? Eh bien, elle va travailler pour moi, cet été. Elle commence la semaine prochaine. Une jeune fille aussi d'adon devrait plaire à la clientèle, n'est-ce pas?

— Je n'en doute pas un instant, avait concédé prudemment Lionel.

— C'est bien ce que je me suis dit quand elle s'est présentée à moi, l'autre jour, en offrant ses services, avait alors conclu l'aubergiste, tout en déposant une énorme pointe de tarte devant lui. On verra bien à l'usage si j'avais raison.

Ainsi donc, c'était Marguerite qui avait pris l'initiative de se présenter à l'auberge pour y travailler...

À ce moment-là, Lionel avait compris qu'il aurait à cuisiner plus régulièrement, tout comme il le faisait, l'hiver, quand l'auberge fermait ses portes.

Alors, c'était également la déception de ne pouvoir se libérer de la corvée des repas qu'il ressassait en cette belle soirée de printemps, quand l'objet de sa réflexion se matérialisa, le faisant rougir bien malgré lui, comme si elle pouvait lire dans ses pensées.

— Monsieur Lionel ?

Le jeune médecin se tourna aussitôt, bénissant la pénombre grandissante qui camouflait en partie le rouge qu'il sentait lui monter aux joues.

Au coin de la maison, tenant un petit panier à deux mains, comme une offrande devant elle, Marguerite lui souriait.

— La soirée est belle, n'est-ce pas ? demanda-t-elle alors en guise de préambule à ce qu'elle souhaitait de tout son cœur, à savoir une invitation à venir s'asseoir pour un moment.

— Très belle.

Bien involontairement, le ton employé par Lionel était plutôt sec. Mais comme il voulait garder une certaine distance avec la jeune fille, il n'en changea pas quand il ajouta :

— Que me vaut cette visite ?

— Ceci, fit Marguerite en soulevant le panier, dans un geste tout hésitant, rempli de grâce. C'est un pain que j'ai cuisiné avec ma... avec madame Victoire.

Un peu plus et Marguerite allait dire « matante » Victoire, comme elle avait toujours appelé l'amie de sa mère qu'elle connaissait depuis toujours. Quelle erreur cela aurait été pour une jeune femme qui espérait tant être prise au sérieux !

À son tour, Marguerite se mit à rougir.

— C'est elle qui m'a proposé de vous l'apporter, expliqua-t-elle d'un seul souffle pour justifier sa présence. Elle dit que vous n'avez pas l'occasion d'en cuisiner et que c'est elle, d'habitude, qui vous en fournit.

— Effectivement, c'est le cas.

— Alors, voilà !

— Posez-le sur un coin de la marche de l'escalier, fit alors Lionel, sans plus de façon, tout en pointant le petit perron de sa maison. Je le prendrai quand je rentrerai, un peu plus tard.

— Je... D'accord, comme vous voulez.

La déception se lisait dans la voix, dans le regard, dans tout le visage de la jeune Marguerite.

Lionel y fut sensible.

Plus qu'il ne l'aurait voulu.

Ce fut ainsi, au moment où Marguerite se retournait vers lui après avoir posé le panier, qu'il demanda :

— Je peux vous offrir un thé ?

Voilà qu'il prenait les devants, incapable de résister à l'envie d'un peu de compagnie !

Lionel s'en voulut aussitôt.

Il aurait dû passer la soirée avec James et sa famille, aussi, plutôt que de ressasser de vieux regrets inutiles, de vieilles rancunes rancies. Au lieu de quoi, il se levait un peu trop vite, offrait sa chaise avec un peu trop de galanterie et proposait un thé trop vite accepté !

En un mot, Lionel faisait la roue comme un paon stupide!

Il entra dans sa cuisine pour mettre l'eau à chauffer, furieux contre lui.

— Installez-vous, Marguerite, lança-t-il tout de même à haute voix. J'en ai pour un instant!

Ils parlèrent à bâtons rompus, Lionel assis dans une marche de l'escalier et Marguerite installée sur la chaise blanche.

Puis la jeune fille parla de l'Anse et, brusquement, Lionel fut tout ouïe, oubliant son habituelle réserve.

— Je suis ici pour le pain, c'est vrai, expliquait justement Marguerite, mais aussi pour dire que Gilberte vous envoie ses salutations. C'est mon père qui en a parlé au souper. Puisque je lui avais demandé la permission de sortir après le repas pour vous apporter un pain comme madame Victoire me l'avait demandé, il m'a dit de vous transmettre le message.

— Gilberte? Gilberte a parlé de moi?

L'intérêt vibrant dans la voix de Lionel réveilla l'enthousiasme de la jeune Marguerite.

— Oui! Mon père et elle se sont croisés chez le marchand général...

Puis, comble d'audace, Marguerite précisa:

— Vous saviez, n'est-ce pas, qu'elle habite maintenant au village? Chez sa sœur Marie qui vient de donner naissance à son septième enfant.

Gilberte au village? Depuis quand? Et Marie avait sept enfants?

Lionel tombait des nues!

Mal à l'aise devant son ignorance, Lionel éluda adroitement la question par une autre question.

— L'enfant se porte bien ? Avec le fleuve entre nous, bien des nouvelles prennent du temps à arriver.

Marguerite haussa une épaule indécise avant de répondre.

— Ça doit, fit-elle alors d'une voix hésitante. Le bébé et la mère doivent être en bonne santé puisque mon père n'en a pas parlé.

— À la bonne heure ! Vous excuserez la question, mais ça a été plus fort que moi. Que voulez-vous, ça doit être un réflexe de médecin...

Soulagé, Lionel avait l'impression de reprendre un certain contrôle sur la conversation.

Parler de sa famille n'avait pas été une bonne idée, finalement.

— Et maintenant, je vais vous reconduire.

Lionel était déjà debout et il tendait la main pour prendre la tasse que Marguerite tournait inlassablement entre ses doigts.

— Venez, on y va ! Vos parents doivent s'inquiéter et les voisins vont commérer ! Une toute jeune fille comme vous ne devrait jamais passer la soirée dans le jardin d'un vieux garçon comme moi sans chaperon. Votre réputation risquerait fort d'en souffrir !

Le ton s'était fait volontairement sévère pour que le message porte, même si Lionel venait de passer un moment agréable. Marguerite était une jeune femme intéressante et, à ses yeux, c'était important. Mais il ne devait surtout pas y prendre goût.

Ils marchèrent côte à côte sans se toucher, à bonne distance l'un de l'autre. Lionel y veillait scrupuleusement en tenant un fanal à bout de bras entre eux. Puis, bien vite, trop vite peut-être au goût de Marguerite, la maison de ses parents fut en vue.

— C'est ici que je vais vous laisser, Marguerite, annonça Lionel, un léger soulagement dans la voix. Mais n'ayez crainte, je vais attendre que vous soyez rentrée avant de faire demi-tour.

Marguerite ne sut comment interpréter ces derniers mots. Lionel la prenait-il encore pour une gamine, incapable de s'y retrouver, toute seule dans le noir ? Ça en avait tout l'air ! Alors, n'écoutant que son envie, mais aussi pour faire comprendre qu'elle n'était plus tout à fait une enfant, Marguerite posa les mains sur les épaules du médecin et elle s'approcha de lui impulsivement pour l'embrasser sur une joue.

Le temps d'y penser et c'était fait, Marguerite se retournait déjà.

— Bonne nuit, Lionel !

Était-ce le geste qui permettait cette nouvelle intimité entre eux ? Marguerite n'aurait su le dire mais, soudainement, le « monsieur » qu'elle utilisait habituellement lui avait paru superflu.

Décontenancé, Lionel leva le bras pour éclairer le chemin de pierraille qui menait à la maison et sa voix eut un petit quelque chose d'éraillé quand il répondit à la salutation.

— Bonne nuit à vous aussi, Marguerite, et saluez vos parents pour moi !

Cependant, dès que la silhouette de la jeune femme se découpa dans le halo de lumière projeté par la porte et les fenêtres de la maison, Lionel se retourna vivement pour revenir sur ses pas à grandes enjambées. Marguerite qui en fit autant, se retournant au bas des marches pour saluer Lionel une dernière fois, resta un moment le bras levé, scrutant l'obscurité. Quand elle comprit que Lionel était déjà parti, elle laissa retomber son bras, déçue, inquiète. Peut-être bien, après tout, qu'elle n'aurait pas dû avoir l'audace d'un baiser sur la joue. Qu'allait-il penser d'elle, maintenant ?

Soulagée d'entendre sa mère discuter avec son père dans la cuisine d'été, Marguerite fila aussitôt dans sa chambre. Elle savait bien qu'elle n'arriverait pas à s'endormir tout de suite, trop de questions se bousculant dans sa tête, mais au moins, elle n'aurait pas à répondre à celles que sa mère n'aurait pas manqué de poser quand elle serait revenue dans la cuisine.

Pendant ce temps-là, Lionel continuait de marcher d'un bon pas, à la limite de la course comme s'il avait fui un sinistre. Le sinistre de ses émotions qu'il tenait si difficilement en laisse depuis toutes ces années et qu'un simple baiser sur la joue avait renflammées !

À bout de souffle, il s'arrêta en haut de la pente qui menait au village.

Comme il ne tenait nullement à être reconnu par qui que ce soit, allez donc savoir pourquoi !, il éteignit son fanal et se laissa guider par le reflet de la lune, presque pleine. Quelques ouaouarons, sans doute attirés par la chaleur des derniers jours, avaient momentanément cessé d'hiberner. Ils lui tiendraient compagnie jusqu'au village qu'il devinait tout en bas de la côte.

La lumière aperçue à la fenêtre du salon de Victoire lui fit ralentir l'allure puis guida ses pas jusqu'à la porte. Il frappa un coup discret avant d'entrouvrir le battant sans attendre de réponse, comme il en avait pris l'habitude depuis quelque temps, à la demande de Victoire elle-même.

Cette dernière était assise au salon en train de lire.

— Je peux entrer ?

Un grand sourire sincère fut la première réponse de Victoire. Maintenant que le deuil de son mari était chose du passé, la solitude était ce qu'elle trouvait de plus pénible dans sa vie.

Et puis, elle s'entendait si bien avec Lionel !

— Et comment, que tu peux entrer ! Avec le gros orage qui a détruit une partie de la route, la semaine dernière, la poste a du retard, fit-elle en soulevant son livre au-dessus de sa tête, et j'en suis à la troisième lecture de ce roman. Autant dire que je trouve la soirée longue !

Sur ce, le livre se retrouva sur la table à côté d'elle, devenu parfaitement inutile pour occuper le temps.

— Et toi ? As-tu reçu mon pain ?

— Ouais… Je l'ai bien eu.

— Pourquoi ce ton ?

Lionel esquiva adroitement la question.

— Comme ça, sans raison… La fatigue, probablement. Il y avait beaucoup de patients, cet après-midi, au bureau, et le docteur Gignac est à Québec depuis quelques jours.

— Un thé, alors ?

Victoire était déjà debout et, même s'il avait eu plus que sa dose de thé au cours de la soirée, Lionel acquiesça.

— D'accord, un thé.

Tout, plutôt que de se retrouver seul chez lui, et tant pis pour l'insomnie qui s'ensuivrait !

Sans y avoir été invité, Lionel emboîta le pas à Victoire et la suivit jusqu'à la cuisine. Il se laissa tomber sur la première chaise venue, prenant plaisir à détailler la pièce.

C'est que, depuis plus d'un an, maintenant, cette pièce avait fière allure !

Aidée par Paul, le fils d'Alexandrine et de Clovis, venu passer quelques semaines de vacances à l'Anse alors qu'il était devenu un architecte en vue à Québec, Victoire avait fait construire la cuisine de ses rêves.

— En souvenir d'Albert, avait-elle expliqué, un trémolo dans la voix, à tous ceux qui, bien intentionnés, lui glissaient subtilement qu'ils ne comprenaient pas qu'une femme en grand deuil puisse avoir envie d'entreprendre de tels travaux.

Puis, d'une voix plus ferme, un tantinet provocante, elle ajoutait invariablement, fixant droit dans les yeux les importuns :

— C'est ce qu'Albert voulait que je fasse de l'argent accumulé durant toute sa vie. On en avait parlé justement la veille de son décès. Alors, c'est ce que je vais faire. Je lui dois bien ça, n'est-ce pas ?

À Lionel, elle avait cependant avoué :

— Si je ne fais rien, je vais devenir folle ! Malgré la présence de Béatrice, la maison me semble tellement grande sans Albert... J'ai besoin de m'activer, d'avoir des projets. Tu me comprends, n'est-ce pas ?

L'homme tout comme le médecin n'avait pu faire autrement que d'approuver. Lui-même n'en avait-il pas fait autant quand son père l'avait chassé de la maison, alors que sa mère venait tout juste de mourir ? Il avait fui à Montréal et il s'était abruti de travail et d'études. Ainsi, il n'avait pas sombré dans le désespoir. Alors, il comprenait fort bien ce qui motivait Victoire, et il ne s'était pas gêné pour le lui dire.

Cette constatation avait aidé à solidifier les liens en train de se tisser entre eux, et ce fut ainsi, dès qu'il avait eu un moment libre, que Lionel s'était empressé de venir constater par lui-même l'avancement des travaux, tout comme James et Lysbeth, d'ailleurs, qu'il avait alors régulièrement croisés dans le jardin de Victoire.

Tout au long de cet été de construction, ils avaient ainsi argumenté, commenté, analysé, relevé leurs manches parfois, et essuyé la sueur à leur front à certains moments. Enfin, à quatre, ils avaient fêté la nouvelle cuisine, sous les regards moqueurs de Béatrice et Johnny Boy qui ne comprenaient pas un tel déploiement de jovialité devant deux murs déplacés et un gros poêle joufflu ajouté.

Depuis, invariablement, dès qu'il se retrouvait assis à la table de Victoire, Lionel ne pouvait s'empêcher de penser à quel point il était chanceux de pouvoir compter sur la présence d'amis aussi sincères que les siens.

Comme chaque fois qu'elle lui proposait une tasse de thé, Victoire interrompit la réflexion de Lionel en posant devant lui une grosse part de gâteau pour accompagner le thé fumant. Pour elle, toute boisson s'accompagnait obligatoirement d'un dessert.

— Et voilà ! Deux minutes pour me servir et j'arrive avec le thé.

Lionel regarda Victoire se diriger à l'autre bout de la cuisine, là où trônaient les deux poêles, comme elle en avait longtemps rêvé. Le premier, à bois, celui qu'elle utilisait depuis des années, servait à cuire le pain et l'essentiel de tous les repas, et l'autre, à l'huile, plus récent et plus précis, disait Victoire, servait à la pâtisserie.

— Enfin ! avait-elle joyeusement souligné après l'installation du second poêle, un gros Bélanger à deux ponts, venu expressément pour elle de la rive sud sur la goélette de Clovis et qui avait fait jurer plus d'un homme fort à son arrivée au quai de Pointe-à-la-Truite. Je vais pouvoir maintenant répondre plus facilement à la demande ! Il était temps !

À partir de ce jour, comme si le besoin s'en faisait sentir, les affaires de Victoire avaient décuplé. Tant et si bien qu'aujourd'hui, Béatrice lui tenait compagnie devant les fourneaux dès qu'elle n'était pas devant ses devoirs. Argument que la jeune fille faisait valoir pour appuyer certains changements espérés dans sa vie, et que Victoire entendait bien vérifier auprès de Lionel avant de prendre une décision.

— Qu'en penses-tu ? demanda-t-elle justement en s'assoyant devant le médecin, et ce, avant même d'attaquer à coups de fourchette son propre morceau de gâteau. Imagine-toi donc que Béatrice vient de m'annoncer qu'elle ne veut plus retourner à l'école en septembre prochain. J'hésite à donner mon accord.

Depuis le décès d'Albert, Victoire avait pris l'habitude de consulter Lionel dès qu'il était question de prendre une décision concernant Béatrice. Cela touchait le jeune médecin au plus haut point.

— J'avoue que ça mérite réflexion, approuva-t-il. Et pourquoi veut-elle abandonner l'école ?

— Elle dit qu'elle n'y apprend plus rien et que son but dans la vie, c'est de prendre la relève ici, dans ma cuisine.

Un sourire nostalgique éclaira brièvement le visage de Lionel. Lui aussi avait farouchement et longuement soutenu que l'école du rang trois de l'Anse-aux-Morilles ne lui apportait rien de nouveau avant que sa mère le prenne au sérieux et entreprenne les démarches qui le mèneraient finalement au Collège de La Pocatière.

— Ça se peut, tu sais, que l'école du village n'ait plus rien à offrir à Béatrice, admit-il enfin. J'en étais là quand j'ai pris le chemin du collège.

— Ouais… Peut-être bien, mais ça ne change pas grand-chose à la décision que je dois prendre.

— C'est vrai.

Lionel se recueillit un moment en sirotant son thé puis demanda, d'une voix soucieuse :

— Est-ce bien sérieux, cette envie de prendre ta relève ?

— Justement, c'est là que réside toute mon hésitation... Béatrice le dit, c'est vrai, mais je ne suis pas certaine du tout que cette subite envie de m'aider soit aussi sérieuse qu'elle le prétend. Le moindre prétexte, comme celui de retrouver ses amies au beau milieu de l'après-midi, suffit à l'éloigner de la cuisine.

À ces mots, Lionel esquissa une moue d'indulgence.

— Allons donc ! Elle n'a que quatorze ans. C'est peut-être normal, tu ne crois pas ? Et sans que ça remette en question son amour pour la pâtisserie, soit dit en passant !

— Effectivement... Tu as peut-être raison.

Victoire poussa un long soupir de découragement. Dès qu'il était question de Béatrice, elle avait toujours peur de se tromper, tandis que pour les affaires, elle pouvait se montrer résolue et intraitable. Tant qu'Albert vivait encore, ça pouvait aller. À deux, ils finissaient toujours par bien analyser les situations et prendre les décisions qui s'imposaient, mais depuis qu'elle était seule pour voir à tout, il lui arrivait de plus en plus souvent de se sentir paralysée.

— Alors ? Qu'est-ce que je fais ? demanda-t-elle avec une pointe d'espoir dans la voix.

— Tu attends...

Lionel ne semblait pas s'en faire outre mesure et cette attitude réconforta Victoire.

— Après tout, on n'est qu'au mois de mai, argumenta Lionel d'un même souffle. L'année scolaire n'est même pas terminée! Laisse venir l'été, utilise les arguments que Béatrice fait valoir elle-même et confie-lui toutes les tâches qu'elle peut accomplir. Peut-être bien que la réponse s'imposera d'elle-même.

— Ouais, c'est une façon de voir les choses... Et si jamais je m'aperçois que la pâtisserie n'est qu'un vain prétexte pour se soustraire à l'école? demanda encore Victoire dans un sursaut d'inquiétude.

— Il ne te restera plus qu'à te demander si tu es prête à te passer de sa présence en l'envoyant étudier à Québec.

— Non!

À la proposition de Lionel, le cœur de Victoire avait douloureusement sursauté. Elle se donna le temps de prendre une longue inspiration pour se calmer en se disant qu'on n'en était pas encore là. Néanmoins, au bout de quelques instants, elle répéta, sur un ton plus posé:

— Non, Lionel. Malgré tout l'ouvrage que j'ai, jamais je n'arriverai à vivre seule ici. Jamais.

L'unique réponse qui se présenta alors à l'esprit de Lionel fut de poser une main réconfortante sur celle de Victoire, abandonnée devant lui sur la longue table de bois usé. Il comprenait tellement ce qu'elle voulait dire.

C'est ainsi qu'à partir de ce soir-là, Lionel se fit un devoir d'être plus présent dans la maison jaune au bout de la rue principale du village. Le prétexte pour éviter l'auberge et Marguerite était tout trouvé, du moins à ses yeux! Il devait voir à sa jeune sœur Béatrice pour que le meilleur lui soit réservé. Finies, les longues heures passées à l'auberge à déguster les délices de la cuisinière engagée par la mère Catherine! Il se contenterait désormais de repas frugaux, avalés rapidement, assis au bout de la table de sa cuisine avant de se présenter à la porte de Victoire pour passer un bout de soirée avec elle et Béatrice.

Mai passa, puis juin. D'une ou deux soirées par semaine à rendre visite aux deux résidantes de la maison jaune, Lionel en vint à manger parfois avec Victoire et Béatrice, à leur grand bonheur.

— Pourquoi te contenter d'un bout de tarte ou de gâteau quand tu pourrais prendre tout un repas, avait déclaré Victoire, un soir où la pluie était diluvienne et que Lionel attendait une accalmie pour retourner chez lui. De toute façon, j'en fais toujours trop! Le temps a beau avoir passé, je n'arrive toujours pas à m'habituer à cuisiner pour deux.

— Est-ce une invitation? avait alors malicieusement demandé Lionel.

— Tu sais que tu n'as pas besoin d'invitation pour venir chez moi, avait alors murmuré Victoire en regardant affectueusement Lionel qui sentit son cœur tressaillir de plaisir.

— C'est vrai. Ma question était idiote.

Juillet et les vacances arrivèrent et Béatrice se fit de plus en plus assidue devant les fourneaux de Victoire. Par contre, la pâtisserie ne l'intéressait que modérément, sinon pour la pâte feuilletée qu'elle garnissait de viande fondante et de sauce odorante et onctueuse.

— On pourrait se procurer du vin ? demanda-t-elle justement, ce matin-là, le nez enfoui dans le gros livre de recettes qu'Albert avait donné à Victoire au tout début de leur mariage.

— Du vin ? Pourquoi pas ? Ça devrait être bon. Comme le rhum qui agrémente certains de mes gâteaux. Je vais en parler au marchand général.

Victoire était prête à bien des concessions pour garder sa fille auprès d'elle. La déception ressentie devant le peu d'enthousiasme de Béatrice pour la confection des desserts n'était plus qu'un vague souvenir devant les possibilités nouvelles qui s'offraient à la femme d'affaires aguerrie qu'elle était devenue. Alors tant mieux si, grâce à Béatrice, elle pourrait dorénavant offrir un menu de plus en plus élaboré à ses clients fidèles.

— Alors, maman ? Pourrais-tu parler à monsieur Laprise dès ce matin ? Est-ce qu'il garde du vin dans son magasin ? J'aimerais faire une surprise à Lionel, pour le souper.

— Si ça ne te prend que ça pour être heureuse, ma belle, j'y vais dès que mon gâteau est enfourné. Et pour répondre à ta question, oui, monsieur Laprise garde quelques bouteilles de vin derrière son comptoir.

Ce soir-là, chez Victoire, on fit bombance !

— Décidément, vous deux ! Je ne sais pas d'où vous tenez ce talent-là, mais je n'ai jamais rien mangé d'aussi bon de toute ma vie ! La... comment dis-tu encore,

Béatrice ? La tourte au poulet était délicieuse et le flan à l'érable aussi.

Béatrice était rose de plaisir.

— Merci, Lionel. Venant de toi qui as habité la ville de nombreuses années, le compliment me touche particulièrement.

— Je n'ai pas dit ça pour te flatter, tu sais. Je le pense sincèrement.

— Alors, on remet ça demain soir !

Et Béatrice de s'éclipser joyeusement vers sa chambre, le gros livre de recettes sous le bras.

Quand le mois d'août arriva, on ne parlait plus d'école du village pour Béatrice. Ni d'école à la ville, d'ailleurs ! Les preuves étaient faites que la jeune fille avait, elle aussi, un bel avenir en cuisine à portée de la main. Comme venait de le dire Victoire en riant, la relève était assurée !

— C'est maintenant que je comprends ce qu'Albert devait ressentir quand il constatait, la mort dans l'âme, que personne n'était intéressé par sa forge. Je comprends maintenant sa déprime, ajouta-t-elle, le regard rempli de souvenirs. S'il avait eu un fils, probablement que ça ne serait jamais arrivé.

Ces quelques mots laissèrent Lionel songeur. Son père n'avait-il pas dit sensiblement la même chose devant les rêves de son fils aîné qui voulait poursuivre ses études ?

Lionel retint un soupir.

Aujourd'hui, qui donc avait pris la relève sur la ferme de son père ? Lionel l'ignorait. Il se souvenait fort bien que Marius aimait le travail de la terre, mais Louis aussi. Alors ? Qui des deux avait pris la relève ?

Devant cette constatation, réalisant ce vide constant quand il pensait à sa famille, Lionel sentit les larmes lui monter aux yeux. Mal à l'aise, il détourna rapidement la tête mais trop tard. Victoire qui attendait une réplique de sa part ne l'avait pas quitté des yeux. Quand elle vit sa tristesse, sans trop en comprendre l'origine mais s'en sentant tout de même responsable, elle se leva vivement, contourna la table et vint s'asseoir tout à côté de lui.

— Ben voyons donc, Lionel, murmura-t-elle en posant la main sur celle du médecin. J'ai dit quelque chose qu'il ne fallait pas ?

Bien malgré lui, Lionel renifla avant de répondre.

— Mais non. Tu n'y es pour rien. Quelques souvenirs difficiles… Surtout une constatation, tout simplement, quand tu as parlé de relève.

Bien évidemment, Victoire ne pouvait comprendre la portée réelle de ces quelques mots. Aussi, c'est en pensant à l'avenir, à celui de Lionel en particulier, qu'elle ajouta :

— Tu sais, la relève peut venir d'un peu partout. Pas nécessairement de la famille. C'est le cas avec Béatrice et moi, d'accord, mais pour la forge, l'aide nécessaire, la continuité tant espérée sont venues de l'extérieur avec James. Comme toi avec le docteur Gignac, d'ailleurs, lui qui n'a eu que des filles. De toute façon, tu es encore suffisamment jeune pour espérer fonder une famille, non ?

Victoire avait essayé de mettre une bonne dose d'optimisme dans sa voix, mais ce fut comme un coup d'épée dans l'eau. Les larmes continuaient de déborder des paupières de Lionel.

— Mais qu'est-ce qui me prend, ce soir ? demanda-t-il embarrassé, troublé par toutes les émotions qu'il ressentait. Je sais tout ça, Victoire, admit-il enfin en s'essuyant maladroitement le visage. Je...

Pour la première fois depuis fort longtemps, Lionel sentait monter en lui le besoin irrépressible de se confier. Comme jadis il lui arrivait de le faire avec James, à l'époque où il habitait chez lui à Montréal, Lionel avait envie de parler de sa famille, de sa rancœur envers son père, de l'ennui qu'il ressentait. Un ennui si grand, si douloureux parfois, qu'il en avait menti à Gilberte au sujet de Béatrice. Comme pour se protéger, pour protéger une forme d'intimité familiale qu'il ne voulait partager avec personne. Cette mesquinerie lui pesait sur le cœur depuis trop longtemps maintenant, et à ses yeux, la seule personne capable de le comprendre était peut-être Victoire.

N'avait-elle pas, elle aussi, une vie familiale un peu particulière à protéger ?

Lionel tourna brièvement la tête vers Victoire, assise à côté de lui, et ce fut comme un coup au cœur. Brusquement, il venait de comprendre qu'il voulait que Victoire soit sa confidente.

C'est à elle et à elle seule qu'il avait envie de confier le serment fait à sa mère mourante, et la difficulté qu'il avait à le tenir. Et cela, bien au-delà de ce qu'il avait pu ressentir pour Marguerite, au début de l'été, le temps d'une promenade pour la reconduire chez elle.

Marguerite qu'il s'entêtait à repousser, encore et toujours, sous quelque prétexte.

Lionel se décida enfin à plonger franchement son regard dans celui de Victoire.

Elle y répondit par un sourire et le cœur de Lionel frissonna de plaisir, d'une émotion nouvelle qui l'emportait comme une belle vague chaude et confortable.

Pour la première fois, il osa admettre que la femme qu'il aimait était peut-être là, devant lui.

Peut-être.

Alors, peut-être aussi était-ce pour cela qu'il repoussait toutes les autres. Après toutes ces années, la promesse faite au chevet de sa mère mourante n'était-elle devenue qu'un vain prétexte ?

C'était plus que probable, et il était temps de l'admettre sans faux-fuyants.

Lionel n'entendait plus que les battements de son cœur, ne voyait plus que l'intensité du regard de Victoire et la chaleur de son sourire.

Malgré la différence d'âge, il avait envie d'elle, envie de partager son quotidien, leur quotidien, à Béatrice et à elle. Il avait envie de faire des projets avec elles, de regarder l'avenir avec elles. Victoire et Béatrice seraient sa famille, comme il rêvait tant d'en avoir une, sans mettre en péril la vie ou la santé de la femme qu'il aimait, puisque Victoire ne pouvait concevoir d'enfant.

Le temps d'un soupir tremblant, tout empreint d'émotions, Lionel revit l'été qu'il venait de passer.

Les soirées à trois où ils avaient bien ri, et celles où James et sa famille se joignaient à eux pour jouer aux cartes. Ou encore ces autres, chez Ernestine, la mère de Victoire, à passer un moment agréable avec la vieille dame qui n'avait pas son pareil pour raconter la vie de leur village. Lionel se revit aussi en train de consulter sa montre, après une visite à un malade, trépignant parce que le temps stagnait, lui qui prétendait habituellement en manquer.

Mais comment dire à une femme qui pourrait être votre mère que vous l'aimez ?

Lionel ne le savait pas. Il n'avait jamais vraiment su comment dire à quelqu'un qu'il l'aimait.

Chez les Bouchard, c'étaient des mots qu'on ne prononçait pas. Son enfance n'avait pas été particulièrement bercée par les émotions tendres, même si elles avaient existé, et Lionel n'avait jamais appris à les exprimer.

Encore une fois, Lionel releva les yeux et fixa intensément Victoire qui respectait son silence. Comment allait-elle accueillir sa confession ? N'allait-elle pas se moquer de lui ? Tout médecin qu'il était, Lionel Bouchard n'était peut-être qu'un gamin à ses yeux ! Après tout, il était le fils de son amie Emma.

Le regard intense qui unissait Victoire et Lionel se prolongea sans qu'il y ait pourtant le moindre malaise entre eux. Malgré cela, Lionel n'osait toujours pas parler. Il avait la gorge nouée et l'esprit vide de tout ce qui n'était pas les battements de son cœur. Puis, tout doucement, ce cœur consentit enfin à s'assagir. Lionel prit une profonde inspiration. Ce fut au moment où il crut lire une affection sincère dans les yeux de Victoire que les mots lui échappèrent.

— Je t'aime, Victoire, murmura-t-il alors.

La voix de Lionel était rauque, mal assurée, et il était écarlate. Mais maintenant que l'embâcle était rompue, et que Victoire ne s'était pas moquée de lui, bien au contraire puisque sa main s'était faite plus lourde sur la sienne, l'assurance s'imposa et les mots se mirent à cascader avec force pour pallier les objections qui ne sauraient tarder.

— Je sais bien que tout nous sépare, tu n'auras pas besoin de le dire! À commencer par nos âges respectifs qui vont probablement faire jaser bien des gens autour de nous, mais...

— Ça, vois-tu, j'ai déjà connu, et je peux t'assurer que ça ne m'embête pas du tout, interrompit Victoire dont le cœur s'était mis à battre comme un fou, lui aussi.

Se pouvait-il que la vie lui ait réservé une si belle surprise, elle qui, au décès d'Albert, avait fondé son avenir sur celui de Béatrice? Sans être profondément amoureuse, Victoire ressentait un véritable attachement pour Lionel. Elle savait aussi par expérience qu'une union pouvait se bâtir sur bien moins que cela et être durable, harmonieuse. Alors...

— Tant pis pour la différence d'âge, répéta-t-elle.

— C'est peut-être ce que tu penses mais les autres, eux? Qu'une femme soit plus jeune, c'est assez fréquent, mais l'inverse n'est pas...

— Ça ne regarde personne d'autre que toi et moi...

Victoire emmêla ses doigts à ceux de Lionel qui, de son côté, avait écouté les mots sans vraiment les entendre, tout préoccupé qu'il était à vouloir bien faire les choses. Il avait l'impression vertigineuse que tout le reste de sa vie était en train de se jouer.

— D'accord… Les gens vont finir par s'habituer. C'est ce que tu viens de dire, n'est-ce pas ? Je t'aime et j'aime Béatrice, répéta-t-il avec plus d'assurance. Que pourrais-je dire d'autre ?

— Rien, Lionel. Il n'y a rien à ajouter.

Incapable de résister, Lionel avait passé un bras autour des épaules de Victoire. Il croyait plus ou moins à cette sérénité à l'égard des autres, mais qu'importent les commérages et les allusions qui ne manqueraient pas de déferler sur le village, Lionel était heureux.

Quand les lèvres de Victoire se posèrent sur les siennes, parce que lui n'aurait jamais osé, Lionel ne put se dérober. Il attendait et espérait ce moment depuis si longtemps. Alors, il s'abandonna à la douceur du moment. Les joues de Victoire sentaient bon la vanille et le levain, tout comme sa cuisine, et Lionel se jura que jamais il ne la ferait souffrir.

Béatrice accueillit la nouvelle avec des cris de joie, James serra la main de Lionel avec effusion, Lysbeth eut quelques larmes d'émotion et Ernestine, la mère de Victoire, eut le dernier mot.

— Comment aurait-il pu en être autrement, ma pauvre enfant ?

Assise dans un coin de sa cuisine, Ernestine se berçait frénétiquement.

— T'es en affaires comme un homme, pis après un Albert qui aurait pu être ton père, voilà que tu m'annonces que veux te marier avec le docteur du village qui pourrait pratiquement être ton fils! Avec toi, c'est toujours le monde à l'envers! N'empêche que t'es une bonne fille, ma Victoire, pis que ton docteur va être le bienvenu dans notre famille.

Puis, arrêtant brusquement de se bercer, la vieille dame se pencha et jeta un regard à la ronde, scrutant les visages pour être bien certaine qu'il n'y avait que des sourires. Alors, elle ajouta:

— Pis que je voye personne en redire quoi que ce soit, parce que sinon, y' va avoir affaire à moi!

De toute évidence, la vieille dame était ravie!

Les noces eurent lieu en septembre, tout juste après le temps requis pour publier les bans. Les arbres flamboyaient sous un soleil complice et la brise venue du large charroyait les derniers effluves marins de la saison. Ce fut Clovis qui, en guise de cadeau, conduisit les nouveaux mariés à Québec pour un bref voyage de noces. Alexandrine, sautant sur l'occasion, fut du voyage.

Elle en profita pour rendre visite à sa fille Anna au cloître des Ursulines où elle versa quelques larmes.

— Je m'ennuie tellement, Anna!

Ensuite, Alexandrine fit un saut au bureau de son fils Paul à qui elle ordonna de venir plus souvent à la Pointe.

— Pis qu'est-ce que t'attends pour te marier, toi? J'ai hâte d'être grand-mère, tu sauras!

Puis, elle descendit à la Basse-Ville où elle s'invita à dormir chez sa fille Rose, qui travaillait toujours à la Rock City comme rouleuse de cigarettes.

— Rouleuse de cigarettes ! Si quelqu'un m'avait dit que c'était un métier, ça, je l'aurais pas cru !

Alexandrine passa deux jours à Québec et cela lui fut suffisant pour s'ennuyer de son village.

— Tu parles d'une vie ! résuma-t-elle, quand Clovis revint chercher tout son monde. Rose et Paul, passe encore, même si moi, j'aime pas vraiment la ville. Mais Anna... C'est comme une prison, son fichu couvent !

Le lendemain, la routine reprenait pour tout le monde.

Seule Marguerite, le cœur en lambeaux, n'avait pu s'associer à la joie générale qu'une telle union suscitait. Elle ne comprenait pas que Lionel ait pu préférer une « vieille » comme Victoire, et elle se sentait cruellement repoussée. Elle avait donc refusé d'assister à la cérémonie et Alexandrine, devinant bien des choses, n'avait pas insisté.

En novembre, le 7 pour être plus précis, alors qu'une tempête mémorable s'abattait sur la région et sur tout l'Est canadien, retenant les gens chez eux, la lune de miel de Lionel prit fin abruptement.

Un regard sur Victoire qui venait d'entrer dans la cuisine, et il comprit que quelque chose n'allait pas.

Ou à l'inverse, que quelque chose allait peut-être trop bien.

Remarquant le teint livide de Victoire qui passait devant lui, il se sentit blêmir à son tour. Si l'homme se refusait à l'admettre, le médecin, lui, avait tout deviné. Il pencha vivement la tête pour que Victoire ne puisse voir son désarroi et il demanda, mine de rien :

— Ça ne va pas, ce matin ? Tu es toute pâle.

Puis, après une profonde inspiration pour se détendre, il jeta un regard en coin en direction de sa femme qui rétorqua tout en se servant un thé :

— Je le sais ! Parle-moi-z'en pas ! Ça fait quelques jours que c'est comme ça. J'ai dû manger quelque chose qui ne passe vraiment pas ! Même du temps d'Albert, ça m'arrivait de temps en temps. J'ai toujours été un peu fragile de l'estomac. Mais là, ça dure un peu trop longtemps à mon goût.

Lionel hésita avant de répondre.

— Si jamais ça ne passait pas, comme tu le dis, j'aimerais que tu consultes le docteur Gignac, conseilla-t-il.

À ces mots, Victoire éclata de rire tout en s'assoyant à la table devant lui.

— Le docteur Gignac ? Vraiment ? Tu veux rire de moi ou quoi ? Je ne parle pas de maladie mortelle, ici, je parle d'une indigestion ! De toute façon, si je suis malade, tu es là, non ?

— Oui… Non… Non ! Je t'aime trop, j'aurais peur que mon jugement soit biaisé… Je préférerais que tu voies le docteur Gignac.

— Bon, bon, si c'est ce que tu veux. Mais pour l'instant, on n'en est pas là !

Victoire s'attendait à ce que Lionel partage son insouciance, mais il lui renvoya un regard sérieux.

— Non, je ne ris pas… Je… Je préfère que tu consultes le docteur Gignac et que ça soit lui qui continue de s'occuper de toi.

— S'occuper de moi… Tu parles comme si j'étais toujours malade! Si j'ai consulté le docteur Gignac deux ou trois fois dans ma vie, c'est beau! Depuis le temps qu'on se connaît, tu le sais que je ne suis jamais malade.

— N'empêche.

— D'accord, d'accord! répéta Victoire, un brin exaspérée. Si je continue d'avoir mal au cœur, je vais consulter même si je suis certaine que tu t'en fais pour rien.

— Promis?

— Promis.

Ils en restèrent là et Lionel se retira au salon pour consulter ses dossiers à défaut de pouvoir faire ses visites.

Heureusement que le lendemain Lionel faisait justement quelques visites à domicile, sinon il aurait vu Victoire se présenter au bureau de docteur Gignac. Il aurait surtout remarqué la perplexité de son regard quand elle en était ressortie.

Ce fut cependant ce même regard troublé, pour ne pas dire tourmenté et rempli de doutes, qui se posa sur lui quand Lionel revint à la maison. La visible inquiétude de Victoire fut suffisante pour confirmer ce qu'il anticipait. Mais avant qu'il ait pu dire quoi que ce soit, Victoire le prit de court et lui demanda à l'instant où il mit un pied dans le salon:

— Est-il possible que le docteur Gignac puisse se tromper ?

Lionel haussa les épaules, affichant une désinvolture qu'il était loin de ressentir.

— Il n'est pas infaillible. Pas plus que moi, d'ailleurs.

— C'est bien ce que je me disais, aussi.

Curieusement, Victoire avait l'air à la fois déçue et soulagée.

— Ça doit être l'âge, je ne vois pas autre chose. Il n'est plus très jeune.

— Pourtant, je peux te garantir qu'il a encore toute sa tête !

— Tu es bien certain de ça ?

— Oui… Je travaille tous les jours à ses côtés. Si j'avais le moindre doute quant à ses capacités, je le dirais.

À ces mots, Victoire leva les yeux vers Lionel. Son regard était tellement bouleversé qu'il se précipita vers elle, toutes ses certitudes ébranlées.

— Mais vas-tu me dire ce qui se passe, à la fin ?

Le médecin sentait sa femme toute tremblante dans ses bras quand elle murmura dans un soupir comme si elle ne parlait que pour elle-même :

— C'est impossible. Il y a un an, je ne dis pas, mais aujourd'hui, c'est impossible !

Lionel retenait son souffle, déchiré entre la joie imprévue qui lui faisait battre le cœur et l'inquiétude qui l'étreignait en même temps.

— Et qu'est-ce qui est impossible comme ça ?

demanda-t-il, sachant pertinemment quelle serait la réponse. Parle!

Sans se soustraire complètement à l'étreinte de Lionel, Victoire recula tout de même d'un pas.

— Le docteur Gignac m'a dit que j'étais enceinte, Lionel! Moi, Victoire Bouchard, je vais avoir un bébé!

Sur ce, Victoire respira un grand coup.

— Non, non, reprit-elle, c'est impossible. Pas à cinquante et un ans... Ça ne se peut pas. Ce même docteur Gignac m'a déjà dit que je ne pourrais jamais avoir d'enfant. Et il ne s'était pas trompé. Regarde ce qui s'est passé avec Albert! Ça nous a pris des années à se faire à l'idée, mais on avait fini par en faire notre deuil. Tout ça, les bébés, les biberons, les couches, c'est du passé pour moi. J'ai eu la chance d'avoir Béatrice et c'est très bien comme ça. Allons donc! Surtout que depuis quelques mois...

À ces mots, Victoire se mit à rougir violemment en détournant les yeux. Même à son mari, même s'il était médecin, une femme ne parlait pas de certaines choses et surtout pas du fait que ses règles n'étaient plus régulières depuis de nombreux mois, et que depuis le mariage, il n'y avait eu aucun saignement. Alors...

— C'est impossible, conclut alors Victoire, d'une voix butée. Malgré tout le respect que je lui dois, le docteur Gignac se trompe sûrement.

Si la voix était résolue, presque catégorique, le regard venu se poser encore une fois sur Lionel était tout de même porteur de tout l'espoir du monde.

Et ce fut cela que Lionel retint: cet espoir insensé

qui faisait briller le regard de celle qu'il aimait, balayant ses craintes les plus tenaces.

— Et s'il ne se trompait pas ?

— Qui ça ? Le docteur Gignac ?

Victoire donnait l'impression de retenir son souffle. Puis, elle murmura :

— Ça se pourrait ?

— Pourquoi pas ?

Malgré toutes ses hantises passées et présentes, Lionel se voulait rassurant.

— Tu n'es pas si vieille que ça, Victoire, et tu ne serais pas la première femme à qui ça arrive de porter un enfant à plus de cinquante ans.

Tant pis pour ses états d'âme, Lionel voulait voir refleurir le sourire de Victoire. Malgré tout ce qu'il avait pu en penser, il serait là pour l'épauler, quoi qu'il puisse arriver.

— Je ne comprends pas, s'entêta Victoire. Toutes ces années avec Albert, sans enfants…

— Parce que le problème devait venir d'Albert.

— Ça se peut, ça ?

— Bien sûr ! N'oublie pas que tu n'étais pas la première épouse d'Albert et qu'elles non plus, elles n'ont pas eu d'enfant.

— Pourquoi, alors, est-ce qu'on pointe toujours la femme du doigt quand il y a un problème ?

— Je ne sais pas… Ce que je sais, par contre, c'est que le docteur Gignac a annoncé que tu allais avoir un bébé, et j'y crois, car c'est un excellent médecin. C'est ça l'important et rien d'autre. Alors, madame, vous allez me faire le plaisir de ne pas vous surmener.

— C'est drôle, le docteur Gignac m'a dit la même chose et avec les mêmes mots.

Le sourire de Victoire était revenu. Pâle et fragile mais combien sincère.

— Moi, murmura-t-elle, visiblement émue. Moi, Victoire Bouchard, je vais avoir un bébé.

Instinctivement, la main de Victoire se posa sur son ventre distendu par l'âge et les repas trop plantureux. Elle garda la pause, immobile un long moment, songeuse, puis elle revint à Lionel en posant la tête sur son épaule.

— Et toi? Qu'en penses-tu? demanda-t-elle dans un souffle, la tête toujours enfouie contre l'épaule de Lionel, sans oser le regarder.

Justement, qu'en pensait-il?

— J'ai peur, avoua-t-il honnêtement, tout en resserrant son étreinte. Et ça n'a rien à voir avec ton âge, la rassura-t-il aussitôt quand il sentit Victoire se raidir tout contre lui. Tu aurais eu vingt ans que j'aurais eu le même réflexe.

Puis, au bout d'un bref silence, il précisa:

— C'est à cause de ma mère.

C'était au tour de Lionel de parler dans un souffle, chuchotant les mots plus qu'il ne les disait.

— Je l'ai vu mourir à la naissance de Béatrice. Je l'ai vue tellement souffrir lors de ses accouchements. Alors, oui, j'ai peur pour toi. Pour nous, pour notre famille.

— Mais si tout se passe bien et que le bébé est en santé?

Un long silence succéda à cette question hypothétique. Lionel sondait son cœur et ce qu'il lui disait, en ce moment, c'étaient uniquement de belles choses, des mots d'espoir.

Lionel repoussa gentiment Victoire et, plongeant son regard dans le sien, il confirma ce qu'elle espérait entendre.

— Si tout se passe bien, et tout va bien se passer, je serai certainement le plus heureux des hommes. J'ai souvent rêvé d'avoir un petit Johnny Boy !

CHAPITRE 11

Sept ans plus tard, à Pointe-à-la-Truite, dans la cuisine
d'été d'Alexandrine, en septembre 1914

Alexandrine n'arrivait pas à se défaire de sa vieille habitude de cuisiner des tas de conserves en prévision de l'hiver.

Repoussant machinalement sur son front une mèche mouillée de cheveux gris, elle contempla, satisfaite, l'ouvrage de toute une journée.

Devant elle, de nombreux pots s'alignaient sur la table avec une précision toute militaire, de toutes les couleurs, du vert au rouge selon les marinades empotées, en passant par le violacé des betteraves et le vermillon du jus de tomates. Des dizaines et des dizaines de pots, et cela, sans compter les confitures faites au mois de juillet.

Pourtant, aujourd'hui, ils n'étaient plus que quatre à la maison : Justine, Léopold, Clovis et elle.

Alexandrine soupira, se gratta la tête, un brin découragée, puis elle esquissa un sourire moqueur. Elle n'aurait pas le choix de se rendre à Québec pour distribuer quelques conserves chez ses enfants.

À l'exception d'Anna, bien sûr, puisque celle-ci avait fait vœu de pauvreté et qu'elle n'avait pas le droit de recevoir le moindre cadeau.

À cette pensée, Alexandrine pinça les lèvres, contrariée.

— Je m'y ferai jamais, je pense bien ! Vivre cachée dans un couvent ! marmonna-t-elle tout en commençant à trier ses conserves. Voir que c'est une vie, ça, passer son temps à prier !

Alexandrine savait fort bien qu'elle exagérait en parlant ainsi. Anna, alias sœur Saint-Louis, ne passait pas ses journées à prier, puisqu'elle était titulaire d'une classe de deuxième année. N'empêche qu'Alexandrine aurait préféré voir sa fille aînée devenir maîtresse d'école au village, pas trop loin, plutôt que la savoir cloîtrée à la ville jusqu'à la fin de ses jours.

— Cloîtrée ! Un mot poli, oui, pour dire enfermée ! Emprisonnée ! Pis dans un couvent qui sent la soupe au chou, en plus !

Alexandrine passa sa colère sur les pots de marinades qu'elle déplaça un peu brusquement, bruyamment surtout. C'est ainsi que Léopold retrouva sa mère : marmonnant toujours à voix basse, Alexandrine était en train de préparer trois assortiments de pots. Un pour la famille, un autre pour Paul, vivant toujours seul dans un grand appartement de la rue Des Érables qui lui servait à la fois de logis et de bureau, et un dernier pour ses deux filles, Rose et Marguerite, qui partageaient un petit logement dans la paroisse Saint-Roch à Québec et qui travaillaient ensemble comme rouleuses de cigarettes à la Rock City.

Marguerite et Rose, elles aussi, étaient toujours célibataires, une amère déception dans la vie d'Alexandrine. Ne pas être grand-mère, à son âge, était un véritable cauchemar.

— Te rends-tu compte, Clovis, disait-elle régulièrement à son mari, une lourde amertume dans la voix, même Victoire, qui a un fils d'à peine cinq ans, est déjà grand-mère deux fois avec les jumeaux de Béatrice. C'est pas juste.

— Que veux-tu que je réponde à ça, Alex ? C'est pas nous autres qui mènent, là-dedans. C'est le Bon Dieu.

— Ouais, parlons-en, du Bon Dieu ! Pas sûre, moi, qu'Il est de notre bord, le Bon Dieu… Comme si on méritait ça ! En tous les cas, Il pourrait nous lâcher un peu. On a eu notre lot de malheurs.

Quand Alexandrine parlait sur ce ton, Clovis se faisait discret, sachant pertinemment qu'elle pensait surtout à leur fils Joseph, mort dans une tempête entre les deux rives. Malgré le passage des années, la cicatrice refusait de s'effacer et, par moments, elle élançait encore. Par contre, depuis quelque temps déjà, il suffisait d'un bras passé autour des épaules de sa femme pour la calmer.

— Maman ?

Perdue dans ses pensées et toute au calcul de ses pots, Alexandrine n'avait pas entendu son fils Léopold entrer. Elle sursauta en se retournant. Le beau grand jeune homme qu'il était devenu la regardait avec une certaine attente.

— Bonté divine que tu m'as fait peur, toi! Qu'est-ce que tu veux?

— Te montrer ça!

Léopold tenait devant lui le journal de la veille. C'était toujours avec un ou deux jours de retard que les journaux de la ville arrivaient à la Pointe.

— Tu veux un vêtement neuf? Tu as vu quelque chose qui te plaît? demanda machinalement Alexandrine tout en tendant la main pour saisir le journal.

Comme Léopold ne semblait pas vouloir lui donner le journal replié, Alexandrine se tourna vers la table tout en continuant de parler.

— Ça tombe bien, lança-t-elle, va falloir que j'aille en ville pour distribuer mes conserves. As-tu vu? On en a bien trop, juste pour nous autres! Ça fait que j'vas voir avec ton père si...

— Maman!

Le ton de la voix qui interrompit Alexandrine était impatient, lui coupant l'envie de continuer.

— Ben voyons, Léopold? Qu'est-ce qui se passe après-midi pour que tu soyes à pic de même?

— Il se passe la guerre, maman!

Tout en parlant, le jeune homme secouait le journal qu'il tenait toujours devant lui, comme s'il était l'unique responsable de la calamité.

À ces mots et à ce geste rempli d'exaspération, Alexandrine haussa les épaules avec une évidente indifférence. Léopold s'en faisait toujours trop!

— Mon doux Seigneur! T'es ben sérieux, tout à

coup, toi ! C'est à l'autre bout du monde, la guerre. Pas ici.

— C'est là que tu te trompes, maman. Même si c'est en Europe, ça nous touche nous autres aussi.

Quand Léopold se mettait à argumenter, personne ne pouvait y échapper. Pas plus ses parents que les autres. Alors, pour éviter une discussion probablement interminable, Alexandrine se hâta d'abonder dans le même sens que lui.

— C'est vrai... Faut pas oublier ceux qui souffrent, t'as ben raison. Monsieur le curé en parlait justement dans son sermon de dimanche dernier. Mais je vois pas en quoi toi, tu pourrais...

— J'veux m'enrôler.

La main d'Alexandrine qui se tendait vers un pot resta suspendue au-dessus du couvercle. Avait-elle bien entendu ? Elle se retourna lentement vers Léopold.

— Tu veux quoi ? demanda-t-elle d'une voix étranglée, espérant de toute son âme avoir mal compris.

— M'enrôler !

Le mot tonna comme une semonce, un terrible ultimatum.

— C'est écrit là, dans le journal, expliqua alors Léopold, l'index pointé sur le titre d'un article accompagné de l'image d'un soldat en uniforme. L'armée canadienne demande des volontaires. On ouvre justement une base à Valcartier pour...

— Es-tu malade, toi ? Veux-tu ben me dire ce que tu irais faire dans l'armée ? T'es pas bien ici ? T'aurais-tu oublié que ta place est à la Pointe, aux côtés de ton vieux père ? Il est plus très jeune, tu sais, et il compte sur toi. Tu nous as seriné les oreilles assez longtemps avec ton envie de devenir capitaine que tu vas pas virer ton capot de bord astheure, sous prétexte que t'as vu une annonce dans *Le Soleil* pis…

— Chus sérieux, maman ! coupa Léopold.

La voix du jeune homme avait la même intonation grave que celle de son père, et quand il haussait le ton. Alexandrine était intimidée. Elle se tut aussitôt.

— Arrête de me parler comme si j'étais encore un enfant, poursuivit Léopold sans tenir compte du visible embarras de sa mère. Chus pas venu te demander une permission, maman, chus venu te dire que je veux partir pour Valcartier. Pis avant que tu m'en parles, oui, Augusta est au courant.

Augusta était la jeune fiancée de Léopold. On avait déjà fixé la date du mariage en avril prochain, avant le début de la saison de navigation. C'est pourquoi, malgré les derniers mots prononcés par Léopold, Alexandrine ne put s'empêcher d'y faire allusion.

— Pis votre mariage, lui ?

— Pour astheure, y a rien de changé. Sapristi, maman ! On dirait que tu lis pas le journal ! Tout le monde le dit : c'est pas une guerre qui va durer long-temps. Ben juste quelques mois ! Juste assez, j'espère, pour me donner le temps d'aller voir les vieux pays.

— Les vieux pays ! C'est quoi encore, ces idées-là ? Aller voir les vieux pays ! T'es pas bien ici ? répéta Alexandrine espérant qu'elle arriverait à trouver l'argu-ment susceptible de retenir son fils.

— Ça a rien à voir, voyons donc! Oui, je suis bien ici, mais...

Léopold soupira d'exaspération avant de demander:

— Ça te tente pas, toi, de savoir d'où c'est qu'on vient?

— Non, ça me dit rien pantoute! répliqua Alexandrine du tac au tac. Même aller à Québec, ça me dit pas grand-chose. Si c'était pas de mes filles pis de Paul, j'irais jamais, à Québec. Ça fait que, viens surtout pas me parler des vieux pays! Pis d'abord, comment c'est que tu vas y aller dans les vieux pays, hein?

— En bateau, c't'affaire! Comment veux-tu que j'y aille autrement? Sûrement pas à pied!

Le ton montait.

— Ah oui, en bateau? T'es-tu en train de me dire que tu vas t'embarquer sur un bateau, un gros comme celui qui a fait naufrage, quasiment en face d'ici, au printemps dernier? Comment c'est qu'y s'appelait encore, ce bateau-là? L'*Empress of Ireland*, c'est-tu ça?

— Oui, c'est ça. Mais c'est pas parce que lui a coulé que tous les bateaux qui prennent la mer vont couler! Des accidents sur l'eau, il en arrive pas tant que ça, tu sauras!

À ces mots, un froid glacial tomba sur la cuisine d'été. Même si la pièce était surchauffée par la cuisson des conserves qui avait duré toute la journée et que le soleil couchant traçait un rayon oblique sur le plancher, Alexandrine frissonna.

— Des accidents sur l'eau, il en arrive ben assez,

mon garçon, constata-t-elle d'une voix incroyablement lasse mais en même temps tranchante. Ouais, ben assez...

Léopold comprit alors qu'il avait franchi une barrière qu'il n'aurait jamais dû approcher. Le nom de son frère Joseph plana un instant entre sa mère et lui.

— Je m'excuse, maman, fit-il, contrit. J'ai peut-être parlé sans réfléchir.

— Ouais, ça t'arrive des fois...

— N'empêche que je veux partir... Quelques mois pis je reviens. Si on se fie à ce qui est écrit dans le journal, je devrais être là pour mes noces pis pour la saison de navigation qui va commencer. C'est quand même pas des imbéciles, ceux qui disent que la guerre va pas durer. C'est des premiers ministres pis des généraux. Ça fait qu'attendez-moi pour le printemps, m'en vas être là. Promis.

Alexandrine fixa longuement son fils sans répondre. Dans le regard du jeune homme brillait toute l'impétuosité de la jeunesse et Alexandrine ne voulut pas être celle qui éteindrait cette soif de vivre, cette envie d'aventure. Clovis, mieux qu'elle, saurait trouver les mots pour le retenir. D'homme à homme, le message passerait peut-être mieux.

D'un geste las, Alexandrine dénoua son tablier.

La vie allait-elle s'acharner encore longtemps sur elle ? Devrait-elle mettre un bémol sur ses espoirs les plus légitimes et continuer de vivre le deuil de ses enfants jusqu'à ce qu'il ne reste plus personne à la Pointe ? Car c'était ce qu'Alexandrine ressentait en ce moment, pour Léopold. Elle aurait un autre deuil à affronter. Que ce soit par le fleuve, le cloître, la ville ou la guerre, ses enfants lui étaient arrachés, les uns après les autres, et elle avait mal. Très mal.

Alexandrine lança alors son tablier sur la table et se dirigea vers la porte qui séparait la cuisine d'été de la maison principale. Dire que dix minutes avant, elle se faisait une montagne de quelques conserves en trop. Si elle avait su ce qui l'attendait, elle s'en serait fait une joie !

Arrivée au seuil de la porte, Alexandrine s'arrêta. Peut-être bien qu'elle ne pouvait retenir son fils contre son gré, elle l'admettait, après tout, il avait déjà vingt-cinq ans, mais elle était toujours sa mère et elle lui dirait tout ce qu'elle avait envie de lui dire, que ça lui plaise ou non.

— C'est beau Léopold, commença-t-elle lentement, car les mots qu'elle était en train de prononcer lui coûtaient terriblement. T'as bien raison quand tu dis que t'es plus un enfant. À mon avis, ça n'empêche pas que tant qu'un jeune vit chez ses parents, ceux-ci ont le droit de décider pour lui, mais m'en vas accepter quand même le fait que t'es devenu un homme pis que t'es capable de prendre tes décisions tout seul. Mais une chose que t'as pas le droit de faire, par exemple, c'est une promesse que t'es pas sûr de tenir.

En prononçant ces derniers mots, Alexandrine s'était retournée. Quand son regard rencontra celui de son fils, il se durcit.

— Faire une promesse qu'on est pas certain de

pouvoir tenir, répéta-t-elle, ça se fait pas, c'est malhonnête. Ça vaut pour ton père pis moi, mais ça vaut pour
Augusta aussi. Fait que viens pas nous dire que tu vas
être là au printemps, parce que t'en sais rien. On verra
à ça dans le temps comme dans le temps. Astheure, si
ton père me cherche, tu pourras y répondre que j'étais
ben fatiguée pis que je suis allée me reposer dans notre
chambre.

À suivre...

À paraître en mars 2014 :

Les héritiers du fleuve

Tome 3

1918-1939

NOTE DE L'AUTEUR

Comme le temps file ! Le mien m'a déjà conduite à la soixantaine. Pourtant, il me semble que c'est tout juste hier que je trépignais devant la vie qui tardait à commencer pour de bon et voilà que ce matin, alors que j'y pense, je constate que le plus long du chemin est derrière moi. Cette observation s'applique aussi à Alexandrine, Victoire, Matthieu et tous les autres. Les cheveux blonds et bruns sont devenus gris, les rides se sont creusées au coin des paupières et aux commissures des lèvres tandis que les générations suivantes leur poussent dans le dos pour occuper la place. Toute la place ! Par contre, à cette époque, on avait un grand respect pour la sagesse des vieux et personne n'aurait songé à les éloigner, à les séparer de leur quotidien. Aujourd'hui, c'est autre chose. D'autres habitudes sont nées et les générations ne s'entremêlent plus aussi élégamment qu'autrefois. Il faut cependant admettre que les gens vivent plus longtemps, en meilleure santé, et qu'ainsi, ils gardent leur autonomie jusqu'à un âge plus avancé. On remet alors du blond et du châtain dans la chevelure, on camoufle les rides de mille et une façons et on se donne l'illusion d'une éternelle jeunesse. Est-ce mieux ? Je ne saurais le dire. Quoi qu'il en soit, l'important, je crois, c'est de ne pas regretter ce qu'il y a derrière et malgré l'âge qui avance inexorablement, il faut continuer de regarder devant avec gourmandise. Quand on y croit, la vie sait se montrer généreuse à sa façon !

Il en va de même pour mes personnages.

D'Alexandrine et Clovis à Léopold et Justine, de Victoire et Lionel à Béatrice et Julien, de Matthieu et Prudence à Marius et Jean-Baptiste, de James et Lysbeth à Johnny Boy, au fil des saisons, la vie continue sur les berges du fleuve.

Il y a des rires, Prudence y voit. Il y a des inquiétudes, Léopold les a suscitées. Il y a de grands bonheurs, le petit Julien les a engendrés quand Victoire a appris qu'elle était enceinte.

Il y a surtout le quotidien qui se poursuit, emmêlé aux traditions et aux inventions du monde moderne. Le téléphone et ses opératrices, les moteurs fonctionnant au diésel, les automobiles de plus en plus nombreuses... Il y a même des avions qui défient les lois de la gravité ! Petit à petit, la vie des villes se dissocie de celle des campagnes. Alexandrine, la première, a vu sa famille se disperser, s'éloigner de la Pointe au profit de Québec tandis que James continue de s'ennuyer de Montréal. Les cafés, les cinémas, l'effervescence des rues... Ruth et Donovan, Timothy, Lewis, Edmund.

Ils étaient sa famille et ils lui manquent. Si ce n'était de Lysbeth qui a toujours besoin de grand air, James retournerait auprès de ses amis sans la moindre hésitation. Marius, par contre, a repris la ferme avec plaisir et il entend bien moderniser les équipements de son père, d'autant plus que l'électricité est aux portes de leur village. Quand à Mamie, elle observe la société à travers la vie de trois générations de Bouchard, espérant connaître la quatrième. Si elle n'entend plus très bien, elle reste vive et active. Assise bien droite devant moi, elle observe tout ce que je fais, sans comprendre ce que j'écris puisqu'elle ne sait pas lire. Par contre, elle a fini par apprendre à compter et elle anticipe le fait que dans quelques années, elle aura cent ans! S'y rendra-t-elle?

Je suis vraiment emballée par la perspective d'explorer cette époque pas si lointaine, finalement. C'est l'époque de la jeunesse de mes propres parents et à entendre mon père en parler, une certaine émotion dans la voix et un pétillement joyeux dans le regard, ce furent assurément de très belles années, malgré la crise et la guerre!

Cependant, avant de plonger en 1918, tout comme je l'ai fait au tome 2, j'aimerais que vous restiez avec moi pour qu'ensemble, on se penche sur la guerre qui fait rage en Europe. On va donc reprendre, pour quelques pages, en 1914, peu après que Léopold eut annoncé qu'il partait pour l'armée, laissant sa mère anéantie.

Êtes-vous bien installés? Oui? Alors, allons-y!

CHEZ LE MÊME ÉDITEUR :

CHARLESTON

Des romans qui vous transportent,
des livres qui racontent des histoires, de belles histoires
de femmes. Des livres qui rendent heureuse !

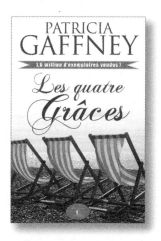

Depuis dix ans, Emma, Rudy, Lee et Isabel sont liées
par une amitié indéfectible. Esprit, humour et compassion sont
les armes qui permettent aux quatre Grâces de résister à tous les
tracas de la vie… Jusqu'au jour où survient une épreuve à laquelle
elles n'étaient pas préparées. Comment les Grâces surmonteront-
elles, chacune à leur façon, cette crise sans précédent ?

À la fois poignant et rempli d'humour, ce roman vendu
à 1,6 million d'exemplaires et traduit en 15 langues fait
le portrait de femmes attachantes mais profondément différentes,
qui pourtant nous ressemblent toutes… *Les quatre Grâces* :
un hommage à l'amitié, à la loyauté, à la beauté de la vie !

En vente partout où l'on vend des livres et sur
www.saint-jeanediteur.com

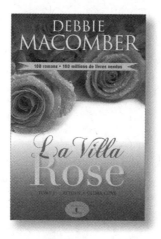

Après la mort tragique de son mari, Jo Marie décide
de changer de vie, et achète la *Villa Rose*, un gîte
situé sur la côte Ouest des États-Unis, dans la petite ville
de Cedar Cove. Derrière les portes de la jolie demeure,
des personnages marqués par les épreuves trouveront l'amour,
le pardon et la possibilité d'un nouveau départ.

Roman chaleureux et bouleversant sur les destinées humaines,
ce premier tome d'une toute nouvelle série à succès
met en lumière la grande fragilité de l'âme, mais aussi l'immense
force qui sommeille à l'intérieur de chacun de nous.

MARQUIS

Québec, Canada

Achevé d'imprimer le 07 octobre 2013

RECYCLÉ
Papier fait à partir de matériaux recyclés
FSC® C103567
www.fsc.org

Imprimé sur du papier Enviro 100% postconsommation traité sans chlore, accrédité ÉcoLogo et fait à partir de biogaz.